艾雯全集4
散文卷四

花韻
孤獨，凌駕於一切
老家蘇州
與誰同坐

目次

Contents

花韻

孤獨，凌駕於一切

◎輯一　忘憂草

◎輯二　藝術步入生活

老家蘇州

與誰同坐

艾雯全集4

散文卷四

花韻

花韻：台北市，雅逸藝術有限公司，二〇〇三年九月初版。二十一×二十公分，一〇〇頁。

◎雅逸藝術版原目：

◎說明：

本集據雅逸藝術初版編入。

艾雯簡介、林智信簡介、艾雯書目未收入。

優雅自在

若問什麼時候開始喜歡花，應該是與生俱來的吧！

生長的地方是蘇州，處處園林處處花。書卷氣的父親，只沾墨汁的纖瘦十指，也會沾泥土。牙牙學語，智慧初萌，花是美的啟蒙，滋潤了小小心靈。生命一路走來，少小時，恣意享受；離亂時，隨緣相遇。定居後，只要有園地，總是親自鬆土、播種、插枝、分株、移植，灌溉以清水和惓惓愛心。給自己評分是：五分寵愛，三分殷勤，兩分感恩。感謝大自然讓它最溫柔清純的寧馨兒，親近塵囂中的凡夫俗子，散布美的喜悅，和生命的欣慰。愛花的人是性情中人，種花栽樹，是性情中事。一生承受花木的陶冶，能做個生活在至情至性中的恬淡之人，自有一份優雅自在。

有些花木自有它悠久的歷史文化，加上愛花人因花的性格而賦予更高尚的人格，卓越的情操，這樣的花自小便已深深鐫刻在心中。有些花卻不經意地邂逅相遇，遠方異品，令人驚豔，常留下鮮明的印象。還有許許多多隨時隨地看得到的，親切熟悉，都只要聞到香味、聽到名字，那韻姿丰采，自會在腦中浮現。所謂賞花三境：一是眼中無花、心中有花，二是眼中有花、心中有花，三是眼中有花、心中無花。相信自己已逐漸修為到第一境界。

有一個時期，正熱中寫系列性散文——設定主題，創新文體，限止字數，自成風格，「花韻」便是系列之一。

正巧，那時聯副刊出幾次寫花的短文，配上同樣花的插圖（在那時是很難得的），好羨慕，便將寫好的幾篇寄去，等筆最勤的主編瘂弦照例覆信花韻收到，謝謝，我立刻電話央求一定要配圖哦。一天，接到一通陌生的電話，自稱林智信，由於聯副主編約他為我寫的「花韻」配圖，可是他是道地的鄉土版畫家，一向只畫牛、雞、農夫農婦、田園生活，對花草不熟悉而且從未刻過。問我可有什麼資料提供參考？我認識的版畫家朋友有方向、陳其茂，和遠在北京的黃永玉，沒聽過林智信，想是個年輕人，很坦率。可是，那匱乏時代，能有多少資料？一些卡片、剪報，一二本園藝，還有園中能折可挖的真材實料（沒有花販或花圃賣花），放進塑膠袋，限時寄台南。

可真是大手筆，四篇短文和四幀木刻在副刊同時刊出，「五月花韻」編排別出心裁，美觀醒目。木刻花更是風格別致，氣韻生動，喜歡極了。朋友稱讚：文圖並茂，我認為圖勝於文。原來林早就在國內外得過獎，已是頗具知名度的鄉土木刻版畫家。竟為我區區小品，初試刻花，單獨配圖，誠意讓人感動。若不是主編人緣好，人脈廣，善於調度，我也不能如願以償。之後六月、七月……堂堂推出，版面越來越顯著，刻圖越來越神氣。刊出圖時，也送我一組版畫。最有意思的是他告訴我，連根寄去的一株鳶尾，已在他家種活了。那可是梵谷畫中最美的一幀花呢！其間也曾相約未來可合作出版一本圖文書。只是，這以後林因全心要趕他的木刻巨構或籌備畫展，一再歉疚無法抽出空檔；我也自去忙爬格子。這些年來，台灣花藝興旺，品種繁多，花販、花農、花圃，隨時隨地提供豐美的成品。搬來天母，少了土地，卻也滿架繽紛，一室綠意，有幸鄰近大自然，更忙著去結識遍地的野花草。花韻，就像好些未完稿的系列文章一樣，被擱置冷藏。雖然也曾檢視，也有惋惜，自一九八〇年五月刊出第一批，迄今竟已二十三年。儘管周遭環境變化得光怪陸離，人事全非。自己兩鬢飛白，健康損傷。但二十歲、四十歲、八十歲全一樣，愛花的情懷有增無減，依然年輕熱忱，只是，只是心動筆不動。

女兒珍惜這批擱置的圖文，建議在她創辦的雅逸藝術中心為我結集出版。我總嫌篇數不足，還有許多想寫未寫的。禁不住她的堅持，想想，既然自己已修為到賞花第一境界，「心中有花不逐四時謝」。想寫就再寫，不然，且供養在心中，也好「與天地精神相往來」。

二〇〇三年中秋節前四日

八十生辰

迎春花

長長一季濕冷的冬，日月晦蒙。是誰，首先冒著淒風苦雨、兀自抽枝萌芽、衝出荒寒。

纖柔帶韌性的細長枝條，細致地排列著三片一組的橢圓葉，綴飾著玲瓏小黃花，勻淨似孔雀華羽。一叢叢自籬畔牆角翹揚高竄，一簇簇自山崖堤岸紛紛披覆。陰雨中，隱約閃爍，春陽乍照，明燦耀眼。

那是迎春。「正月迎春生，望春盈眸」。二十四番花訊中：「一候迎春」，排名第一位。負有大使命的小小使者，不炫耀、不喧譁，只顧孜孜勤勤盡力伸展，歡歡喜喜不住迸放。「未有花時且看來」（白居易）越過荒寒，率先引進了春的意思。像點點火苗，點燃了大自然，催醒了眾花樹。若問：「不知得多少春？」（劉敞），則是：「百花千卉共芬芳。」（韓琦）。且看草木欣榮，群芳爭妍，已是春色爛漫、春光無邊！

迎得春來非自足。小小使者，自有它獨特的主張。

康乃馨

那樣精致，那樣細巧。鋸齒形穠穠密密的花瓣重疊相交。是神工雕琢，是天斧鐫刻，抑是花神特別精心剪裁？只因為小小花兒，卻獨蒙恩寵，被選為代表人間最崇高的愛。

白色一片純潔，親情原是最初的愛。粉紅溫柔婉愉，恰似小兒女無限嬌癡。淡黃璀璨明媚，有如母愛超越一切凡俗。深紅瑰麗熱烈，是那殷切的關注，惓誠的愛心，熾熾恩情，綿綿無盡。而高雅沁甜的芬芳，一如母愛的溫馨。

沒有其他月份是如此溫暖、甜美、愉悅，充滿生意和祥和之氣，像康乃馨盛開的五月。

且揀一朵最紅最圓的康乃馨佩在襟上吧，像愛的叮嚀在耳畔，愛的關切在身邊，愛的祝福在心頭。永遠，永遠！

編註：本文原刊於《聯合報・副刊》，一九八〇年五月十三日，第八版，版畫家林智信配圖。

康乃馨花，木刻版畫
14.5×11cm
Carnation, Woodblock Print
5.7″×4.3″
林智信

豌豆花

看，那些嬌小均勻的蛺蝶，象牙白裡泛著淡淡的綠，淺淺的紫，柔柔的粉，全那樣乖巧地停息在嫩綠的藤叢莖梢，親親熱熱偎依廝伴。薄若透明的粉翅，似斂還半啟，只巍巍巔巔臨風搖曳，是等待一點默契，再一同展翅起飛？且屏息躡足，輕輕地、悄悄地臨近、臨近……淺綠的蝶、淺紫的蝶、淺粉的蝶，依舊安恬不驚，怡然自得。噯，可是陶醉於花蜜的芳醇，竟全不怕人哪？

噢噢，原來是豌豆花！玲瓏透剔，輕盈如蝶的豌豆花，欣欣地盛開在早春。一簇簇排列在柔細而富彈性的藤莖上，顫顫欹欹，彷彿展翅卻不飛走，留在枝梢，只為結豆實。

一粒粒、一顆顆，晶瑩圓潤，碧綠碧綠的翡翠豆，是春神最豪華的餽贈。

編註：本文原刊於《中華文藝》第十五卷第一期，一九七八年三月，頁一二八～一二九，原題〈花韻——豌豆花〉。

孤挺

彷彿是誰下了一聲口令，所有的石蒜花在一個仲春的早晨好整齊地綻放了。渾圓、茁壯的翡翠管，挺挺地從長葉叢中竄拔出來。一株株誰也不比誰高矮，誰也不比誰遲緩，就像做早操似的，一伸手臂，一左一右，迸放兩朵白裡透紅的大喇叭花。吹著，吹著，隔一個晚上，又一前一後，兩朵齊放，正好縱橫或十字相互交疊。也有興有未盡的，更在頂端加添一雙。那樣對稱，那樣均勻，而姿態一致，動作一致，敢情還接受過嚴格訓練哩。

那是支聲勢浩大的、清一色純小喇叭樂隊，花神的指揮棒那麼輕輕一揮，美麗的喇叭便精神抖擻地翹揚齊奏。透明的音符跳躍在金色陽光中，播散在清新的大氣裡，是活活潑潑的春之組曲，歡歡欣欣的生之旋律，清清朗朗的希望前奏——

噢，只有有福氣的耳朵，才聽得見那神奇美妙的樂章。

編註：本文原刊於《聯合報・副刊》，一九八〇年五月十三日，第八版，版畫家林智信配圖。

孤挺花，木刻版畫
14.5×11cm
Amaryllis, Woodblock Print
5.7″×4.3″
林智信

茉莉

不是說珍珠是蚌孵出來的麼？

誰說不是來著。

可是，這矮灌木上不分明也結滿了珍珠？

真的，茉莉的蓓蕾就像珍珠，溫潤、光澤、玲瓏，密密攢集枝頭，濃綠的葉片烘映著，閃耀在晨光中，一顆顆晶瑩欲滴。

在東方，古老中國的女性早就愛上這芬芳的珍珠，串成環，戴在鬢邊；綴成鳳，佩在襟上。深閨裡，盛宴中，蓮步款移，暗香浮動。浸滲過唐、宋……到今朝，依然淡淡約約縈迴著一份遠古幽馨。

黃昏，走進小園，黑暗中乍見牆腳畔閃閃點點，又是誰撒下這一把白色星星？空氣中飄來幽幽清香，謙遜地：

——只是我，小小茉莉正開放！

編註：本文原刊於《聯合報・副刊》，一九八〇年五月十三日，第八版，版畫家林智信配圖。

茉莉花，木刻版畫
14.5×11cm
Jasmine, Woodblock Print
5.7″×4.3″
林智信

木棉花

在大自然的時序中，它是有點叛逆性的變數。當初春來臨，植物群都欣然萌發新芽、透露生機時，它卻開始紛紛落葉、獨自凋零。暮春時分，群樹花葉茂盛，一片繁華。它兀自桀傲地支撐起崚嶙風骨，排空攫拏，羅織一份屬於自己的荒寒。正是，蒼翠滿行道，斯樹獨憔悴。

然而，就在春盡夏至間，那些光禿禿參天盤虯的枝柯上，卻驟然迸發出大朵大朵紅花，堅實的蕚托著豐厚的花瓣，以一致向上的勢態，密密排列，灼灼似火焰，點燃起一季炎炎盛夏。

陸上珊瑚，烽火樹，攀枝花。花兒壯碩，枝幹軒昂，更不需綠葉烘襯。花樹中，唯它具有令人仰望讚歎的陽剛之美。

一待花朵辭枝，立刻忙不迭冒出新芽。青翠滿枝枒。在眾木蕭條的秋冬，逕自蔚然成蔭。木棉樹，就是這樣特立獨行。

不知當你貼著溫軟的木棉枕入睡時，可曾夢見過一樹樹灼紅熾烈的木棉花，擎向天空。

樹蘭

走在五月的和風裡，淡淡幽幽，若有若無，沁沁甜甜，似遠還近。總是隨風飄忽縈撩，悠悠經過又驀地回首尋覓：是什麼花香，似這般充沛於大氣中，沁入肺腑！

近傍只有一株小樹，仔細辨認，原來隱藏於葉底，掩映在枝梢。由幾千幾百粒綠色細小珠子攢集成一簇簇的……便是花呀！那小小圓潤晶瑩的顆粒，不就像小時穿綴手鐲的玻璃珠子！

別讓凋零的花粒散一地，白白蹧蹋了多麼可愛的香珠！拾起來綴一隻珠蘭手提袋吧；不裝別的，就裝一袋小女兒的情致和巧思，隨身攜帶。

編註：本文原刊於《聯合報・副刊》，一九八〇年五月十三日，第八版，版畫家林智信配圖。

樹蘭花，木刻版畫
14.5×11cm
Orchid Tree, Woodblock Print
5.7″×4.3″
林智信

珊瑚藤

遠遠地，彷彿彩雲一片，降落人寰。

臨近，竟是彩屋如六月新娘。牆垣簷角，疊翠掩碧間，繫綰著一串串細小的粉紅鈴鐺，懸垂著一簇簇精緻的粉紅瓔珞。噯，這一家，原來栽種了珊瑚藤！

為了證明什麼叫「柔韌」，朝日蔓纖細的藤莖挾著一股不可遏止的衝勁攀緣蔓延，一路紛紛萌發脈絡浮凸的嫩葉，葉腋又生藤莖。尚餘留最旺盛的生命力在頂端，乃迸放如此豐盈的花朵：數十百粒密集成一穗，數十百穗翾揚俯偃，纏綿繾綣，映著陽光，晶瑩透剔，明豔照人，臨風搖曳著無盡美的喜悅。

栽一株旭日藤，抓住了最長的花季，年年歲歲，從初夏開到隆冬，越開越嬌豔。住著彩屋，行經華蓋，只是，開門推窗得小心，提防驚動花鈴叮噹，瓔珞繽紛，拂面沾髮灑一肩粉彩。

編註：本文原刊於《聯合報・副刊》，一九八〇年六月二十三日，第八版，版畫家林智信配圖。

珊瑚藤花，木刻版畫
18×14cm
Coral Vine, Woodblock Print
7.1″×5.5″
林智信

日日春

誰說春天只有一季？我開放的日子每天都是春天。

誰說春天怱怱易逝？我駐留的地方四季長春。

平易近人的長春花如是宣稱，它花開不輟，四時不絕，正証實了它的許諾。小小花盞，欣然擎起，五花瓣悠悠展放。豔麗的桃紅、粉粉的白。密密茂茂，興興旺旺。牆腳畔、陽台上、花缽裡，開到那裡，那裡就是一片繽紛，洋溢著生之喜悅。纖細的蓓蕾扭旋有致，旋轉旋綻。角狀的種籽蟠曲如尺蠖，落地萌芽。謙微的生命力似源頭活水，總是涓涓不絕。

正是：

「日日開」、「日日新」、「日日春」。

種一株「日日春」，

讓每一日都是春日。

栽幾株「長春花」，

人們乃擁有不凋的春天。

安石榴

習慣上，總是說花「開」了。但是，石榴花卻讓人覺得是由一支神奇的魔術棒點燃的。一點，就是一團渾圓透亮的火焰，燃燒得熊熊烈烈。接連點上三五朵，柔細的枝條就被壓得負荷不起似的，軟軟低垂。禁不起一點風，滿樹顫顫簌簌。越煽得火焰跳動閃耀，熾熾熠熠，也弄不清是陽光烤得花更紅豔，抑是榴火燎燃得太陽更燠熱？榴花紅透，是炎夏的信號。

花具吉祥，實是瑞果。灼灼其華，曾經照亮過多少閨中少女祈求多福的綺夢？待簪一朵鬢邊添喜氣，卻又欲折還休：不是怕燙手，又怎忍心摧殘醞釀中上千上百晶瑩的水晶粒，紅豔的寶石顆！

且留住丹若萬點紅。閒看它：「照灼連朱檻，玲瓏照粉牆。」

編註：本文原刊於《聯合報・副刊》，一九八〇年六月二十三日，第八版，版畫家林智信配圖。

安石榴花，木刻版畫
18×14cm
Pomegranate, Woodblock Print
7.1″×5.5″
林智信

梔子

那一樹樹盈盈的白，從穠綠中竄出來，不染半點煙塵，不摻一絲雜質。白得璀璨亮麗，白得皎潔素淨。把所有俗豔的顏彩都比下去了。

大朵大朵的白花，開得密密茂茂，有那單瓣的清清爽爽平展著六枚橢圓花瓣，中間頂一隻小小黃色保齡球，是雲的剪貼。有那複瓣的重重疊疊，凝脂碾玉、掩映著點點黃蕊，是雪的雕塑——可別錯認是天上玉樹瓊花，只不過是地下平凡的梔子。

梔子盛開時，總是梅雨季間，馥郁的香氣就像滯留鋒在四周流連盤旋，呼吸的是芬芳，穿戴的也是濃香。整天讓人醺醺然，心靈上如飲下瑅瑚醇醪。

編註：本文原刊於《聯合報・副刊》，一九八〇年六月二十三日，第八版，版畫家林智信配圖。

梔子花，木刻版畫
18×14cm
Gardenia, Woodblock Print
7.1″×5.5″
林智信

曼陀羅

面對那樣晶瑩潔白、冰雪玉潤的花兒，彷彿世界也變得一塵不染起來。

植物界有好些花被形容或叫作「喇叭」，只是略具雛型罷了。唯有修長俊碩的它，才是真正白玉雕琢的長柄喇叭。懸翹在寬大碧綠的葉叢間，低低奏出一片清涼幽馨。但它的芳名卻與形狀無關，叫

曼陀羅。

好玄！念一念，還真有誦梵經的韻味哩。

而它的來處，似乎也跟禪有關，《法華經》說：「佛說法，天雨曼陀羅花。」

「道家北斗有陀星使者，手執此花。」

在古老的印度，它又被當作具有不可思議神祕力量的藥物。

佛法的花，天使的花，神祕的花。既來自天上，想必能洗去情欲之塵，潤澤人間凡夫俗子的性靈。

但願世間多栽種，領悟一份祥意，減少幾分貪嗔。

鳶尾

告訴你：還有人豢養蝴蝶哪！沒聽說過？那家陽台欄杆間不就懸空停駐了好幾隻！而且全是罕見的藍紫色，灑著黃白斑紋，閒閒地歇在長葉子上，輕搖款擺，恍惚展翅鼓舞，倸地又不飛走！

那是鳶尾花。大清早只見它呈獻給朝陽一只只好像裝了什麼神祕的小盒子。轉瞬竟迸放出一群栩栩如生的紫蝴蝶。全那樣俏伶伶地叮在葉片邊緣。不飛走，正好教人仔細欣賞它華美的丰采、輕盈的韻姿。

花開在葉旁，萼底又竄出葉芽根鬚，幼苗落地，長成扇形放射的翡翠劍簇，葉際再著花……鳶尾就是那樣不按花序作業，自我完成一系列繁衍的奇妙植物。今年栽上三兩株，明後年該不知有多少溫順近人的紫蝴蝶，停息在眼底，駐足在身畔，飄漾在半空間！

編註：本文原刊於《聯合報・副刊》，一九八〇年六月二十三日，第八版，版畫家林智信配圖。

鳶尾花，木刻版畫
18×14cm
Iris, Woodblock Print
7.1″×5.5″
林智信

蔦蘿

——送我幾支紅寶石喇叭罷，鑲成別針，扣在我雪白的紗衫上，不知有多美！

哪來什麼紅寶石喇叭？

——哪，裝飾在妳窗前的不就是嘛。

噢，是蔦蘿。小小鮮豔的花兒，不正像小小的紅寶石喇叭！一枝枝翹揚於細致的葉叢中，吹奏起黎明組曲，輕扣我窗戶，帶來晨光的問候。

花兒玲瓏，葉子更精緻，無數根如絲般細細柔柔的軟針，輻湊成團梳似的葉片，梳著微風、梳著細雨，梳著陽光一縷縷金線。甫萌出的藤莖彷彿纖細的彈簧圈，別看那樣柔柔弱弱，比什麼都揉升得快。才越過牆腳哪，轉眼便攀上了窗框，不多時更竄上了樓台。相信只要藉一點附著物，將無盡止地揉升……

是怎樣一種綠色的奔放、綠色的傾瀉！織一道垂簾，結一幅遮網。晝午，當金色的陽光氾濫空間，簾下網內一片蔭涼幽邃，透視簾網，好美一幀鏤金刻翠的浮雕圖案。而透明熾熠的小喇叭花閃耀在陽光裡，猩紅點點，恰似一朵朵小小火焰在跳躍。

——紅寶石喇叭當真會吹奏嗎？

當然。要不怎能召來蜂蝶，喚來小鳥，邀請晨光來訪。

——究竟？究竟是朝陽喚醒蔦蘿，伸展喇叭，還是喇叭的吹奏，催太陽上升？

那麼——去問問蔦蘿自己罷。

編註：本文原刊於《中華文藝》第十五卷第一期，一九七八年三月，頁一三〇～一三一。

珊瑚刺桐

一年四季，總看見那株高大的喬木，有風無風，都瀟瀟灑灑搖曳著滿樹青翠，細長的柄高舉著三片複葉，舞出韻律的美，舞出輕蔭的飄逸。

春夏間，有什麼逞勁地從綠叢中衝刺而出，猩紅點點，竄上樹巔，近風茁長。

噢，那是一枚枚胭脂般的小花，彎彎如豆莢。一瓣是一朵，一朵是一瓣，成雙捉對，沿著挺拔的枝柱直往上砌，越高越密越細小，疊上十幾二十層，像一座座玲瓏剔透的花塔，卓然聳立半空。也有花枝打橫伸展出來，翹揚有致，似一艘艘花舫，掩映綠波起伏間，只是停泊不前。

小女孩不識珊瑚刺桐，經過樹下，羨慕地望著密密纍纍的胭脂紅。

那是什麼果樹呀？結了這麼多漂亮的珊瑚髮夾！

編註：本文原刊於《聯合報・副刊》，一九八〇年七月三十一日，第八版，版畫家林智信配圖。

珊瑚刺桐花，木刻版畫
19×13.5cm
Coral Bean Flower, Woodblock Print
7.5″×5.3″
林智信

菡萏

從翠綠的圓質中脫穎而出，迎風玉立。在挺拔的莖端盈盈綻放，清香四溢。那柔柔的粉，嬌媚不失端莊，那璀璨的白，溫潤而又自持。曉露擎珠是一種凝靜的妙相，翩翩起舞是一種娉婷的風致。無語向穹蒼，更不知曾含蘊了多少玄機。芙蕖，六月的花神。是古東方之花，君子之花，也是聖花。

蓮令人淡，蓮令人淨，蓮令人覺……千百年來，人似乎已自荷花得到不少啟示、穎悟——

但荷花一點芳心只自知，不管生長於七寶池中，抑是淺水塘裡，總是雍容自若，莊嚴蘊藉。玉瓣舒放還半斂，待展又微卷，蕊絲輕攏攢拱，只為呵護花心中嬌嫩的蓮房——原來它在顯揚自己時，便已同時完成了明日繼起的生命。

荷淨正是納涼時，且讓我們去看荷、賞荷，進入荷的清涼世界罷！

編註：本文原刊於《聯合報‧副刊》，一九八〇年七月三十一日，第八版，版畫家林智信配圖。

菡萏花，木刻版畫
13.5×19cm
Lotus, Woodblock Print
5.3″×7.5″
林智信

鳳仙花

是嬌羞還是謙虛？掩映葉底，隱隱約約，欲顯還半露。光潔柔潤如絹紗隨意剪裁的花瓣，盈盈舉起酒渦似的花盅，盛著蜜汁、盛著顏彩也盛著露珠和陽光，一朵朵自葉脈展揚。古人說：「其花頭翅尾俱具，翹然如鳳狀，故以名之。」植物學稱為「不整齊花冠。」那便是它——嬌美的鳳仙花。

純白、淺緋、深紅、絳紫，還有兩色的灑金，隨著渾圓多肉的莖株長高，花兒也絡續不斷開放，一面綻蕾，一面結子，小橄欖似的籽囊，彷彿按上了彈簧，忽然間迸開又疾忽捲攏。就在一開一攏間，咖啡色細小的種籽紛紛撒下泥土，醞釀一段時日，將殘的老枝旁又添了新芽。

怕種鳳仙又偏種鳳仙，怕它一次次多情地牽引我通過時光隧道，追尋舊時溫馨，往日情懷。與兒伴摘花於庭園，搗成花泥，塗染指甲，比誰的均勻鮮妍，那份小兒女的純情喜悅，又豈是現在刷一刷濃濁的指甲油所能比擬？

失去了少女的寵愛，如今又有誰知道它另外一個可愛的名字：「好女兒！」

編註：本文原刊於《中華文藝》第十五卷第一期，一九七八年三月，頁一三一～一三二，原題〈花韻——鳳仙花〉。

軟枝黃蟬

只聽說，假花像真的一樣。

沒聽過，真花似假的一般。

不信？且見過屋簷牆緣那些明豔耀眼的大黃花；別看螺旋蓓蕾捲得緊，卻像裝了彈簧的傘。一按，立即平平撐開五瓣花瓣，均淨光潔。猶如染蠟澆塑，生怕會在烈日下融化。薄薄柔柔，有似細絹剪貼，唯恐一點風吹彈得破。三五朵上下相疊，七八朵並肩排列。姿態相近，方向一致。空舉著深深的花盅，卻無蕊也無蜜。噯，軟枝黃蟬，原是「無心」之花！

蜜蜂不接近的花卻跟蟬沾點親，同樣活躍在夏季。當知了越唱越興高采烈，黃蟬也越開越意興飛揚。綠蔓莖高擎起大朵大朵的黃花，攀緣於牆垣，翹揚於屋簷，懸垂於棚架，招展於陽台……沒有心計的花兒，到處笑靨迎人，平易可親。炎炎長夏，多虧它們散布些涼意。

編註：本文原刊於《聯合報・副刊》，一九八〇年七月三十一日，第八版，版畫家林智信配圖。

軟枝黃蟬花，木刻版畫
13.5×19cm
Common Allamanda, Woodblock Print
5.3″×7.5″
林智信

龍吐珠

乍聽這名字，還以為是怎樣一種矯遊騰躍、張牙舞爪的花呢！待見芳姿，不禁莞爾，原來是這麼一群乖巧玲瓏，純稚可愛的小不點呀！才指甲大的乳白花萼，精緻一如象牙鈴鐺，成團簇密密懸掛枝梢。晴也叮噹，雨也叮噹，薰風輕拂，更搖得樹巔雲波晃漾。都是什麼渲染了這一片瑩白？噯，看那萼端，小口微啟。竟吮含著一顆晶圓紅蓓蕾半吞半吐，翕張自如，還真像龍嘴噙珠，只是吐出來已變作纖麗的紅花。花心伸出一撮細細長長的銀絲，宛如龍鬚翹揚，正抖抖簌簌四處探索哩。

奇妙的小不點有吐不完的珍珠，抽不盡的絲。紅白輝映，越開越爛漫。看那些小萼、小花、小珠、小龍親親熱熱相依為命，真是個團結齊心的漂亮大家族！

噢，差點忘了介紹，小花兒還有個別致的雅號，叫珍珠寶蓮。

編註：本文原刊於《聯合報・副刊》，一九八〇年七月三十一日，第八版，版畫家林智信配圖。

龍吐珠花，木刻版畫
19×13.5cm
Bag Flower, Woodblock Print
7.5″×5.3″
林智信

花麒麟

花麒麟，麒麟花。究竟是以花來形容麒麟，還是以麒麟來象徵花？誰取這名字，很玄！

這名字，讓人想起了古老的中國，古老的傳說，有一份淡淡的思古幽情。

傳說中，該是種很高貴優雅的動物罷，象徵著吉祥和福祉。動物，想來總該有四條腿奔馳，我們的麒麟卻穩穩扎根於泥土，向上、向左右前後，縱橫地伸展出一根根多肉而柔韌的莖肢。莖上密密叢生著銳利的針刺，刺條彎曲迴旋於空間，糾虬盤纏於地面。是怎樣桀傲不馴地生長！然而，就在尖銳的針叢間，那樣謙遜地萌發一小片一小片嫩葉；就在厚韌的莖梢端，那樣溫柔地綻放一小朵一小朵紅花。

小小紅花，四朵八朵一簇，十二朵十六朵一球。均稱勻淨，斑斕有致，敢情想像中麒麟的花紋便似這般絢麗？

遠古以來，麒麟是象徵吉祥的動物，麒麟花，想必也是象徵吉祥的植物。

那種花麒麟的人有福了，把福祉和美，還有淡淡的思古幽情，全留在庭園裡。

編註：本文原刊於《中華文藝》第十五卷第一期，一九七八年三月，頁一三〇，原題〈花韻——花麒麟〉。

忍冬

能夠忍受隆冬嚴寒，耐得住風雪凌虐，一定是一種堅實、強韌的植物罷！

噢，不。它只是株纖細柔韌的蔓藤。卻經冬而不凋。

又是金，又是銀的，準是那種俗豔而喜歡炫耀的花！

噢，不。它是十分淡雅，謙沖的小花朵。開時是純純的白，慢慢又轉變素淡的黃。黃白相間，自然輝映成趣。

通靈草，鴛鴦藤，經歷過無數寒冬，依然翠蔓迴繞，綠莖蜿蜒，順著牆角籬畔，悄悄地舒展延伸。圓潤的嫩葉覆著茸茸的絨毛，纖長的花朵宛如小小向上承受的優美手姿那樣纖纖柔柔，秀秀氣氣。連呼吸都是淡淡的沁甜，涼涼的青味。

可別小覷了纖細謙沖的金銀花，誰也比不上它無懼無畏的精神，祛熱解毒的本領！

編註：本文原刊於《聯合報・副刊》，一九八一年七月十日，第八版，版畫家林智信配圖。

忍冬花，木刻版畫
15.5×18.5cm
Honey Suckle, Woodblock Print
6.1″×7.3″
林智信

紫薇

盛夏，微雨，低頭經過小巷，忽然有什麼輕輕悄悄，柔柔潤潤，清清涼涼，飄落在臉頰，鼻端，眉睫間——噯，當真會有六月雪？一抬頭，卻見滿樹霞團錦簇，紫姹粉嫣，柔枝嬌顫若不勝，繁花穠豔如欲飛。風雨一點驚擾，便霏霏濛濛，飄下細細碎碎的花屑。沐在粉紫色的繽紛裡，給人以沾雪的感受。

花嘛，總是一瓣瓣相疊湊合，可曾見過那皺皺的全不成規圓！翡翠豆似的小花蕾，倏忽迸放，就拽開六幅輕紗紅縐，蓬蓬鬆鬆繫住嫩黃小蠻腰，輕靈、細緻，像茸茸木耳，像六出雪花，幾十百朵皺成一團一簇，看似輕盈，卻也壓得枝條翹揚猶覆垂，巍巔巔臨風搖曳，一陣花雨，一陣飄雪，卻越開越繁華。擁有那麼些密密麻麻的小豆豆，似乎永遠也開不盡。

紫薇，夏之寵兒。嬌陽下，薰風裡，一任它恣肆奔放，開一個粉粉紫紫的滿堂紅。

編註：本文原刊於《聯合報・副刊》，一九八一年七月十日，第八版，版畫家林智信配圖。

紫薇花，木刻版畫
18.5×15.5cm
Crepe Myrtle, Woodblock Print
7.3″×6.1″
林智信

九重葛

怎樣一種恣肆成長，怎樣一種生命的衝刺。直條條向上竄高，俏伶伶斜裡伸展。超越牆垣，橫亙小巷。蔓枝揮灑自如。宛如靈蛇騁遊藍天，韌藤桀傲不羈，有似蒼龍騰躍碧空。風中起舞，雨中滴翠。陽光下吸吮醇醇的金汁。乃欣然迸發紫、紅、橙、黃、白三角花苞，華彩簇簇，滿天招展。

怎樣一種蒼勁峭削，怎樣一種龍蟠虎踞！根節盤虬，枝幹縱橫。儘管在人工摧殘下採取低姿勢生存，截然斲斷又一枝獨秀，俯偃生姿。橫加剪刪又迂迴旋曲，返顧有情。越是壓抑越是頑強。委屈盆中，絲毫不減獨特不羈的風骨。越是摧折越是興旺。繁花密蕊，集中力量更茂盛。

噯，九重葛，紫茉莉，花木中的「千手觀音」，植物界的大丈夫，隨緣八方，能屈能伸，顯示出生命無比的張力與堅韌。

仙丹

先別讓名字給迷惑了，以為是什麼太上老君煉的長生不老藥。

按照中國人傳統的觀念：這花，還真有點福相。

不看它面團團，福篤篤，華麗而不妖嬈，丰腴而顯得富泰，端莊中帶著點憨厚。看著是一朵朵豐碩渾圓的紅花，卻由許許多多細緻輕巧、深淺不一的十字小花攢成聚繖花序，那是最圓滿的一種團結，最完美的一種組合。也虧著賣子木有堅挺的枝幹，承受如許重甸甸的花兒不彎折。遠看太陽下熾亮著一團團耀目的火球，就像春節點燃的歡喜團。越紅越發，越紅越興旺。串綴亮綠葉片的枝梢，高擎起一枚枚紅透了的小小歡喜團，為生命的美好歡欣鼓舞！

歡歡喜喜，就是不老仙丹。

編註：本文原刊於《聯合報・副刊》，一九八一年七月十日，第八版，版畫家林智信配圖。

仙丹花，木刻版畫
18.5×15.5cm
Ixora Chinensis Lam, Woodblock Print
7.3″×6.1″
林智信

炮竹紅

燦麗的陽光下，小蜜蜂忙得莽莽撞撞到處亂竄，蝴蝶也飛來飛去炫耀牠彩色繽紛的新衣裳。小黃鸝興高采烈地唱了一曲又一曲，什麼事這麼喜孜孜鬧哄哄的，莫非自然界又在過什麼佳節？

——就是在慶祝嘛，不看見炮竹都掛起來了！

可不是，炮竹紅開得那麼興旺，牆腳下、花壇上，一串串、一簇簇、一片片，紅得好鮮豔、好熱鬧！初開時猶如一顆顆紅花生米密密攢集莖端，盛開時綻放得長長的又正像一枚枚炮竹，連露出來的引線都是紅的。——是那種燃放起來響好半天的連串炮竹。

是誰來點燃炮竹呢？

——太陽。當然是太陽。

——噢，不對；應該是春神。

誰燃放都是一樣。只問，慶祝的又是什麼佳節？

——花季，花季剛開始哩。

花季有多長，一串紅就開多久，而且越開越熱烈。從春初到秋末，每天、每天都點燃幾串新的。如若興有未盡，說不定冬天也爆出幾枚來。

聽到沒有，被太陽焚燒的空氣中，似乎正響著輕微的劈拍聲。

編註：本文原刊於《中華文藝》第十五卷第一期，一九七八年三月，頁一二九，原題〈花韻——炮竹紅〉。

緬梔

看過炎夏的萬紫千紅，走過盛暑的熱情如火。這裡，群豔中一枝獨幽，是何等的新清，何等的典雅！

五花瓣圓潤如玉，似螺旋蜿轉迴繞，如覆瓦交疊偎依，展放猶微卷，權充那承受陽光的象牙漏斗。留得淺淺半盞乳黃色餘暉，渲染得潔白的花瓣如水彩滲透，柔柔潤潤，黃白泮溶。健壯又光潔的樹，伸出枝枝椏椏似優美的鹿角。嬌柔的花兒便供養在最高枝。而青翠光澤，參差縱橫的寬長葉子，是一群冑鎧鮮明的鐵甲武士，護衛著高雅純潔的小公主們。噢，什麼花有這樣的氣派，這樣的尊榮！

印度素馨，芬芳似伽楠沉香，卻從不輕易散布。只在夜深人靜溶入月光中，淡淡遠遠，清清幽幽，縹緲隨風，消盡人間俗穢暑氣。

編註：本文原刊於《聯合報・副刊》，一九八一年七月十日，第八版，版畫家林智信配圖。

緬梔花，木刻版畫
18.5×15.5cm
Frangipane, Woodblock Print
7.3″×6.1″
林智信

馬纓丹

渾厚稚憨的小花兒，豔麗而帶點鄉土味，卻有個別致的學名：馬纓丹。山坡上、田塍間，成群結夥聚合在灌木叢中。二、三十朵攢集成一團。細小緊密的蓓蕾就像立體的十字刺繡。然後，順著層次一圈圈從外開到裡，由深而淺，隨意調配。有橙紅滲黃，粉紅灑金，黃白相間，鑲鑲嵌嵌，誰也猜不透中間未開的將是什麼顏色！待開到飽和點時，卻只要那麼輕輕一觸：嚇，整團花立刻悉悉索索一朵不留地掉下來，只剩下米粒大一顆小菁朵。

花兒初綻半放，迴紋織錦，恰如一枚枚華美勛章。卻沒有一個喜歡折花草的孩子敢去摘一枚佩戴。「臭嗆草哪，沾惹不得！」原來帶刺的莖葉有股特殊氣味，很黏人哩！

五色梅，臭嗆草，馬纓丹。隨和的小花兒不管在田野、在山坡、在庭園蔚成綠籬，總是生長得興興旺旺，安分自在。一年四季，忙著十字刺繡，忙著著色比賽，忙著在陽光下撒歡。

極樂鳥

乍一眼看到那花，令人震撼。

那是一種火焰的噴射，

那是一種昂揚的的姿態，

那是一種傲峭的氣勢，

那也是一種惹眼的華采。

不知是何方飛來珍奇的彩鳥，暫駐枝頭。抑是花瓣化作翎翮，展翅待飛？噢，原來是蕉科植物。高高挺挺的翠管，兀然茁長自寬長的葉腋、莖端。迸放橘紅色花束，紫萼僨張，藍蕊閃灼。宛如仙鶴引伸長頸、頭頂華美羽冠，巨喙嘎然張開。神采飛揚，形象煥發。真箇是鶴鳴九皐，傲視群儕！

天堂鳥，極樂鳥，美得出奇的花兒，洋溢著生之歡欣，天堂的瑞祥。只是，栽種時可得深深植根，提防一眨眼便辭枝翩然起飛，又飛回南非那原始的極樂世界！

後記

母親從小就喜愛拈花惹草，這一生和花結下了不解之緣。熱愛大自然，追求真善美，細致、執著，充滿愛心又帶著幾分童心，這就是我的母親。

我的童年記憶，總是圍繞著外婆、母親，以及家裡的花花草草、貓貓狗狗。小時候，岡山的家裡有個大院子，花壇上經年繁花盛開，有著各式各樣我叫得出名字和叫不出名字的花；穿梭於其中拿著花鏟或花剪的母親是那樣地輕盈美麗，像春神一般賦予花草以生命。後來在台北中央新村的家也有了可讓母親揮灑的空間：小院裡鋪滿繽紛的日日春、非洲鳳仙，圍牆下密密地種了一圈亮麗的橘紅色孤挺花和嬌柔的藍紫色鳶尾，爬藤的蔦蘿和珊瑚藤，在書房和客廳窗外織出紅寶石和粉珊瑚的帷幔。母親的巧手被稱譽為「綠手指」絕非偶然。

現在母親天母的家是在四樓，少了院子，便植盆栽吧！屋內和陽台裡裡外外、大大小小的花草植物怕不下五、六十盆！透過落地窗望出去，花架上排得滿滿的，總是有粉的、橘的、黃的花兒輪番綻放，襯著一大片竹林的青綠背景，其間不時閃耀著綠繡眼和白頭翁的羽影，煞是好看，若再透過層層竹葉灑下斑斑金色陽光，那就更美了！

母親就這樣，從小至今被花簇擁著、環抱著，永遠也不會老。謹讓我以這本小集子向摯愛的母親獻上我最深的祝福。親愛的姆媽，愛花的您永遠年輕！永遠美麗！

恬恬　於母親八秩大慶前夕

艾雯全集4

散文卷四

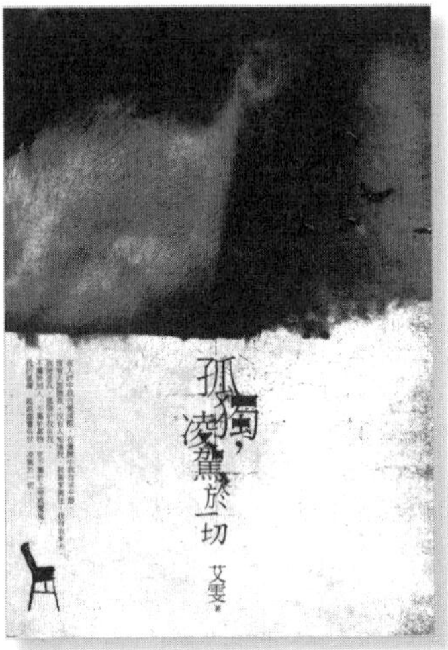

孤獨，凌駕於一切

孤獨，凌駕於一切：台北市，INK印刻文學生活雜誌出版有限公司，二〇〇八年四月初版。二十五開，二二三頁。

◎印刻文學生活雜誌版原目：

輯一　忘憂草

孤獨，凌駕於一切、真好，燈那麼亮、那個摘星之夜、去看花的日子、家在雲深不知處、書香溢於路畔、靜靜的畫廊、寧靜地帶、噯！你，和平的使者、慧心和巧手、永恆的一剎、美好的星期天、若和春同住、純樸智慧的境界、火樹銀花不夜天、莊嚴的語言、剪一幀「萬象春回」。

輯二　藝術步入生活

從起點出發、假日，花展、視聽藝術的幻境、藝術家的遊戲、把世界穿在身上、野柳，岩柳、藝術步入生活、來自泥土的控訴、童心・童趣・鄉土情、掌中別有春、古文明的魅力後記。

◎說明：

本集據印刻文學生活雜誌初版編入。

書香溢於路畔、火樹銀花不夜天等兩篇已收錄於《艾雯自選集》。

艾雯原擬書名為「忘憂草」。

◎輯一　忘憂草

孤獨，凌駕於一切

是一朵流浪的雲，

抑是一片飄泊的浮萍？

你原不屬於這個城，但似乎前幾個月曾見到你，前些日子也見到你，而今天，風雨中又是你。

我很願意是一朵遊騁天空，無羈無絆的雲。我也恍惚有浮萍的感覺。但我只是個會思想的，兩腳黏附於地層的動物，沒有那一片曠闊藍天讓我自在飄遊，更沒有那一泓盈盈綠水供我悠然盪漾。

從那個鳳凰木花蔭蔽的小鎮，我一次又一次來到這號稱杜鵑花城的城市。只是，當我來時，鳳凰花早就凋謝，而這兒的杜鵑花也總不是開的時候。白天，看到的是忙碌的人群，擁擠的車輛，晚上看到的是燈光燦燦，滿眼繁華。

難道你來就為看這些？

其實什麼都是過眼煙雲，看與不看又有什麼區別！

你彷彿是為逃避什麼而來？

慚愧我是一個這樣拙於化妝的人，竟讓憂煩著色於蒼白的臉頰。但任何人都會厭倦死水一般沉滯的生活，都會憎嫌那些終日侵蝕性靈的瑣事，都會煩膩於狹隘的感情上的糾紛。縱使能逃避一時，又焉能逃避一世？

你是在尋求什麼嗎？

人誰又不在尋求？真理、信仰、愛情、幸福、財富、權勢、名利、榮譽、寧靜、安全、欲望的滿足、生命的保障，以及心所嚮往的、曾經擁有又失落的、遺忘的……多謝關心，但何不先問問自己，又在尋求什麼？

哦，那你一定是個拓荒者，來開拓夢境抑是現實？

我一直都在努力嘗試開拓自己精神的領域，開拓自己性靈的沃土，開拓自己智慧的礦藏，開拓生活上更深廣的面與積。慚恧的是，我微薄的能力，總難以超越傳統的境界。

不要，請不要問是什麼，為什麼。思考太多，我已枯竭；憂煩太多，我已麻木；冰封太久，我已凍結；隱匿太久，我已迷失。

當太陽在這個陌生的城市升起，我渴慕呼吸到新鮮的氣息，見識到不同的景象，當我置身在完全陌生的人群中，我要肯定自我的存在；那麼完全真實的自我，僅限於我自己的自我，不是生活的奴隸、感情的俘虜、習慣的犧牲者。

在陌生的城市真妙，沒有一樣熟悉的事物，會觸景感懷，起膩惹厭。在陌生的人群中多好！與任何人沒有牽連和關聯，不是離群索居，自然形成的孤獨；不是處身親屬間不為人了解的孤獨；我是我自己，我的孤獨是超絕的，是凌駕一切的。我可以獨自佇立駕空的天橋，俯瞰底下芸芸眾生，接近我的是星空，是穹蒼，螻蟻似的人群只在我腳下穿梭來往。我可以廁身鬧市，有如來自天際的外星人，觀察人類的形形色色，不沾一絲感情，欣賞人間的浮華富貴，不動半點凡心。

我的行動自由，一如風在林隙，蜂在花叢，循著腳步，東西南北也不問它方向，車票打一個洞，任憑一個起站到一個終點。每一個指示標對我是個未知數，每一條錯綜的道路街巷對我都是未經探勘的港灣。我昂首穿過無數高樓巨廈林立的道路，看蒼空怎樣被啃齧成參差不齊的一線天。我輕輕地踩過數不清的紅磚道，唯恐磨平了雕刻細緻的花紋。驕陽下，我攀上連雲的階梯，只為瞻仰人們頂禮膜拜的神；冷雨中，我趕去幽寂的山陬，只為欣賞群花賽美。有時我忘記了年齡身分，當我躋身在純真的孩子堆中，與他們和那些馴良可愛的動物盤桓半日。有時我是一條渺小而傻氣的書蠹，當我鑽進那巍峨的藏書大樓，當我迷失在一家又一家書店裡。有時我也盛裝打扮，走進燈紅酒綠的歌廳、夜總會，看人怎樣展示自己，炫耀自己來娛樂別人。或直上高入雲霄的摘星樓，卻俯視滿地流動的隕星。有時我也穿著入時，滲入滿街遊蕩的人群，溜進琳琅滿目的百貨公司，看物質怎樣奴役人，欲望又怎樣支配人。更多時我卻便衣舊履，或一身輕裝，到處逍遙。我徜徉在路旁列隊待檢閱的舊書攤畔，搜搜尋尋，蹲下站起，自晝光中逗留到燈火點點。別人遺棄的也許便是心目中的珍蹟，久別重逢的斷章殘頁不啻是無價之寶。保留著那點逸情暇致，我躑躅在長長的畫廊，寬敞的展覽場所，丹青和油彩引領我進入另一個美而玄的境界。懷著那份思古幽情，我叩訪了壯麗偉大的歷史博物館，恍惚時光倒流，不知是我退回到幾千年以前，抑是古人求精求美、忠於藝術的精神就活在今天。在莊穆的祠堂裡，我彷彿重溫一遍可歌可泣的史蹟，肅然默然，向不朽的英靈獻致最虔誠的敬意。在潺潺的淡水岸畔，我試將憂傷付諸東流。但不知它可載負得起如許鄉愁？在漫長的午後，我會披一身悠閒，踏進一座座咖啡館，燈光朦朧，音樂低柔，那一股醇香中，且啜三分之一的情調與氣氛，啜三分之一的遐思，留著那引起回憶的三分之一，是一枚可以攜走的七彩火柴盒。而夜晚，撇下大千世界於燈影闌珊裡，我會悄悄佇立在噴水池前，凝眸於五光十色的噴灑與四溢。那樣晶瑩透澈，卻是閃爍不停，那樣多采多姿，卻是靜靜寂寂。波光虹影中，我也許兀自捕捉些童年的幻夢，掇拾些青春的狂想，也許使心神俱浸沉在迷離幻境，渾不知人皆歸去，夜已深靜……

在人群中我自覺清醒，在囂鬧中我自求平靜。沒有人認識我，沒有人知道我。我獨來獨往，我自由來去。我便是我，僅限於我自我，不屬於別人，不屬於萬物，更不屬於上帝或魔鬼。我的孤獨，超越塵囂俗世，凌駕於一切！

別，請別盡問我回不回那鳳凰花蔭蔽的小鎮，因為那兒等待我的永遠只有寂寞與沉滯。

別，請別盡問我留不留在這無花的杜鵑城。因為這兒又太囂浮，而且，廣廈三千未必有我棲身之處。

既然是一輩子注定要黏附在地層，又何妨暫充流浪的雲。

既然寄生在瘠地也可以生存，又何妨暫作飄泊的浮萍？

因此，我來了又去，去了又來，

風雨中，我獨自躑躅又躑躅。

一九七一年一月十一日

編註：本文原刊於《中國時報・人間副刊》，一九七一年一月十一日，第十版。

真好，燈那麼亮！

如果缺少了聚散不停的雲，天空便不像天空。

如果缺少了疊瓦架牆的房屋，城鎮便不像城鎮。

如果缺少了橫行直闖、川流不息的公共汽車，市區便不像市區。

從清晨到黃昏，從白晝到夜晚，那共隆共隆低吼著的鐵甲大怪物，把東區的居民運送到西區工作，把南邊的居民運送到北邊上學。把四鄉的居民載進城，又把城裡的居民載送去郊外。一路不停地卸下又裝載，裝載又卸下，誰又知道，誰又曾計算過，每一個小時，每一個日子，有多少人之流，經這兒流轉，經這兒氾溢，然後像一滴滴水珠，又各自滲入波濤壯闊的人海。

是別人還是你說的，城是個無花的杜鵑城，社會是個高度工業化的社會。人們在盲目的追求中，終日為財勞碌，認為時間便是金錢，分秒必爭。是你還是別人說的：這兒的人在物質享受上是盡量豐富——自然，豐富並不是指滿足。而在精神生活上永遠患著貧血，更不懂何謂悠閒……相反的，雖然我的財富只是我的悠閒，有時卻也覺得他們非常慷慨——至少比我這個擁有最多閒暇的人還顯得不在乎，那就是把分秒必爭的時間，都大量花費在公車的等待中。

人原都活在等待中，等待成功，等待和平，等待愛情，等待作樂，等待休息，等待回家。只不過這比較落形跡罷了。看那伶伶仃仃的圓牌旁邊，那狹隘的鐵棚底下，那風雨無遮的路畔，排著隊、列成行，老與少，男與女，全不相識的人卻被一根無形的繩子像魚一般串疊起來；一個個在烈日下喘息，在冷風裡瑟縮，在雨中躲躲閃閃，卻都伸長頸子，頻頻探望。如果所有熱切盼望著的眼光能融合成一股電力，那電力準能發動一輛車子；如果所有迫切等待的心情能匯聚成一支水流，那水流準能航行一條載客的船。而那橫行直闖的鐵甲怪物，卻始終從容不迫，姍姍來遲，真箇是千呼萬喚始露面。

但當我稍微熟悉她的芳蹤，當我漸漸了解她的行動，竟連我也成為排列在路邊恭候大駕的一員，成為被裝載又被卸下的人物。我學會了一面瀏覽觀望，一面耐心等候，我學會了大家都不紳士淑女時，我也不惜爭先恐後一番。學不會的是吊腕，總嫌柔弱無力，車一動，的溜溜一個旋轉，就像是枚大陀螺。只有一上車就眼快手快抓牢根穩固的柱子，不管多少力量擁擠，就黏著不再挪動。

沒有比這更便宜的旅程了。只要花費一份報紙的代價，只要在薄薄的卡片上打一個洞，便由著你從起站到達終站。可以好整以暇地乘畢全程，也可以隨心所欲在任何中途站下來。車外展開的是大千世界，車廂內形形色色，正好是芸芸眾生的縮影，一個社會的切片。

我喜歡看早晨的乘客，清晨的乘客都顯得比較和藹可親。一個個精神振作，容光煥發，有似晴朗無雲的晨空。也有猶自帶著昨夜夢醒後的惺忪，恍若尚未消散的晨霧。唇角淺淺舒展，彷彿在說：又是一天開始，多好！眼中閃爍光彩，顯示出愉快的心情要把握這一天。上車時，魚貫而行，彬彬有禮，好教養才促成好秩序。但黃昏前後的乘客卻全走了樣；像光澤的料子縮過水，蓬勃的樹木委頓了。勾著頭，彎著腰，嘴角搭拉著，油汗浸漬的臉上露出黃黃的皮膚，深深的皺紋，和毫不掩飾的焦灼與不耐。公車尚未停穩，便不顧老幼，一擁而上。對每一個搶在自己前面的人都懷著敵意，不小心碰一下，不是換來怒眉豎目的瞪視，便是恨恨的一瞥。也許人還是早晨那些人，只不過疲倦和飢餓已剝除了教養的外衣，剩下原始的本性而已。在晚上，看那些被睏意鎮壓得瞌睡朦朧的夜歸人，隨著車的律動低眉垂眼，點頭晃腦，好一副睡態可掬模樣，忽然間卻竄跳起來，慌慌張張衝下車去。而在另一個角隅，一對暢遊回去的年輕情侶，卻正偎依著享受這最後甜蜜的旅程哩。

這個城是個大城，這兒的居民更是忙人。若要看個朋友，時地上似乎必須經過一番縝密安排，然而，在車廂中，有時常常令人覺得世界忽然縮小了，小得：「眾地裡尋他千百遍，一轉臉卻在人頭擠攘中。」驀地裡腦後一聲驚喜的：「××，是你呀！」原來是故人重逢，於是忙不迭大聲交換著彼此的動態和家人近況，一如在客廳寒暄。突然間頭頂猛喝一句：「這下可逮到你了！」以為刑警抓扒手，不想竟是債主狹路相見。咄咄逼人的催討聲中，相信那一位的臉不會比豬肝遜色。這邊「哎喲」一失聲，是一位裝束入時的小姐重心不穩，嬌軀正好跌坐在一位土老兒的懷中。那兒拉拉扯扯，一位女士匆匆下車，鉤花毛衣卻多情地套住了一位紳士的西裝鈕扣，越是迫切越是糾纏不清。有時坐落在兩者之間，右邊兩位正眉飛色舞地講著自摸清一色，雙龍抱聽和。左邊兩位起勁地討論著楊麗花和史豔文，身歷聲外加國台語雙聲帶，只怨造物造人時怎不在耳朵上添二個蓋子，穿插在紛亂中，卻也時常默默地進行一些動人的鏡頭；當一位英挺的軍人站起來恭謹地扶一位老人坐下，當一個青年學生悄悄地讓座給一位快做媽媽的婦女，當一隻手無聲地伸過來，牽那個抱著父親的腿打轉的孩子坐在自己膝上，你會覺得這社會究竟還是溫暖的，人與人之間到處流露著尊敬與關懷。

是一個陰霾欲雨的黃昏，我倦遊歸來，搭上一輛最擁擠的車，彷彿自己並不曾舉步，就騰雲駕霧般上了梯子，那樣半倚半立，一腳懸空地斜嵌在車掌小姐的寶座旁邊。充滿碳酸氣的車廂內還有人在爭爭吵吵，罐頭沙丁魚的譬喻並不太合適，至少魚是沉默不語的。車又靠站，抗議聲中還擠上來兩個穿制服的女孩子，矮小的一個勉強貼在長人脅下，另外一個才跨上第一級階梯，迎面就被一個巨大的書包當胸撞一個踉蹌，接著頭又碰上一隻支撐成三角的手肘，好不容易站穩了，可是摺疊的車門卻又一次二次敲著她的背闔不攏來。我不由得替她難受，可憐的孩子，搭個車竟要受這樣的折騰。若在家嬌養慣的，怕不要惱得流眼淚。

車開了，女孩子才抬起頭來，竟是那樣澄清明澈的眼光，純真而平靜的臉上更沒有一絲懊傷的痕跡。她望望離頭頂不到二尺的日光燈，輕柔地、由衷地發出讚美：「真好，燈那麼亮！」於是，低下短髮拂頰的頭，靜靜地凝眸於執在手中的書本上。

一瞬間，我忽然覺得所有的喧譁紛亂都平靜下去，所有擁擠的人群都已隱退，所有的壓力都已消失。而那盞小小的日光燈，燈下那清澈的眼睛和純淨的臉龐，卻擴展成一幅光和美的圖畫，多麼高貴的情操，多麼可愛的聲音！那樣小小年紀，便能在嘈雜的環境中，保持心的寧靜，更能從醜惡中去發現最美的，又是多麼難能的修養！

直到終站下車，我腦際始終保有那幅燈下少女的圖畫，我耳畔一直縈繞著那輕柔可愛的聲音！

真好，燈那麼亮！

一九七一年一月二十六日

那個摘星之夜

也不知是妳還是別人告訴過我，而使我受惑於那個名字。

那個名字是美麗的，詩意的，富於想像和神祕，令人依稀記起童稚的幻夢，年輕時的憧憬，以及長長一串屬於夜的遐思。

因此，這引起我的嚮往，如同我曾嚮往於那一切美好的，新奇的，可愛的……

想像中，屬於那名字的地方一定遠離塵囂，高臨城市上空，給人御風而去的感受。

想像中，屬於那名字的所在，必定是群星閃熠於頭頂，抬頭可數，伸手可攀。

想像中，屬於那名字的處所，必然是瓊樓玉宇高處不勝寒——

多謝，多謝妳款待了我的想像。在那個應該有星月的晚上，泛車於霓虹燈七彩的光海中，光之海沒有波濤，只讓人迷眩。光之海兩岸綿延。停泊處是那高矗的懸崖。

登上層樓，更上層樓。輕疾上升的電梯應是雲朵，變幻迷離的燈影應是彩霧，奔放激盪的旋律應是仙樂。踩遍曲折迴廊，穿過帷幕重重，仰首瞻望，放眼四顧：天花板下那幾簇卻不是繁星，倒像寺院裡倒插的香火；明晃晃的大玻璃窗也不是廣袤的天空，接觸不到天籟，感覺不到獵厲的天風，只有冷氣像一匹冰冷的裹屍布，冷冷將人纏裹——星星尚在密封的屋頂上，星星尚在嚴扃的玻璃窗外。

款待飢腸以盛宴，款待空虛以書籍，款待寂寞以友誼。款待想像，最好仍是想像。留著想像，可以嚮往，可以憧憬……

一個名字並不代表真實，如同一個姓名並不代表所屬的人。

面對著冰冷透徹的玻璃，面對著窗外的夜，窗下的十丈軟紅塵。縱使不見星星，半空也有閃爍不停的燈亮，地下更有川流不息的燈光。夜是不黑的夜，城是不夜的城。

我居高俯瞰地下那川流不息的車燈。路顯得那麼狹，車行駛得那麼慢，只見一道紅光，一道黃光，左右交錯緩緩移動，一路迤邐引伸。

為什麼是一道紅的，一道黃的？

因為一邊是來，一邊是去。

是紅的來，黃的去；抑是黃的來，紅的去？

來也是去，去也是來。

來與去，去與來，原是重重複複，永遠循環不已。

人生嘛，就消磨在來去之間。

我睨視前面，半空中那閃爍不停的是報時鐘。冷傲地對著你一眨再一亮，時間就在你面前奪走了一分。

時光原是無限的，永恆的，而是人自己發明了鐘錶在記錄，又讓自己活在記錄中。

報時燈不住地一眨再一亮，彷彿「的嗒」有金屬聲：

的嗒，這是你青春容顏的×分之幾。

的嗒，這是你大好年華的×分之幾。

的嗒，這是你有為生命的×分之幾……

的嗒聲不停，數目字變更又變更，令人怵然心驚，我不能忍受就在我坐著的時候，就在我面前，被活生生地減短生命的旅程，被剝削生存的權利，被褫奪人生的職責……我迴避躲閃，燈光卻總冷酷地縈繞我左右。

我舉目向上，窗外的天空仍是一片昏暗空茫。我極目搜索，渴望能看到星星，不管是最亮的星、微弱的星，哪怕只是小小一顆孤寂的星……不是都市的天空沒有星，而是太擠的房屋，太高的樓頂，太亮的燈，遮奪了清輝！

人是多麼矛盾的動物，居住在鄉鎮，居住在山陬海邊，只要推開窗子，群星盡展延在眼前，只要開門出去，繁星盡散布於頭頂，只是，多半被人忽略了，冷落了。居住在都市，居住在鬧城，人們在狹窄的天空看不到一顆星，卻偏偏架高樓，緣天梯，誇耀著，吹噓著，矜詡著，妄想要摘星星。

也許，它所代表的是一種欲望，一種企求，一種意念。

也許，人們所渴慕的是另一種光彩，另一種榮耀，另一種昇華。

妳相信有願望之星麼？

不以相信擁戴，也不以懷疑否定，凡是予人以美好的善念的，就該容許它留在美好的善念中。

妳可曾願望做天上明亮的星？

設若要成為天上明亮的星，本身必須能不斷發射光輝，照耀萬物，照耀眾生。自慚微弱的光和熱，尚不足以照臨自己走的路程。

妳可曾願望摘下天上最亮的星？

天上最亮的星，人間最大的榮耀。只是，當今早已不是那摘星的年少。

但妳說妳嚮往，妳憧憬……

緣因當生命越來越陷入沉濁的塵俗，靈魂便越來越渴望清高的星辰，想像中，樓高，不應該是更接近所渴望的麼？

噢，我不曾懷過想像來這裡，我總是滿懷涵蘊著回憶——當年在公務冗繁中，在酬酢頻仍下，我們常愛抽暇來此靜坐片刻，也許只是隨意交談，也許只是深深默契，卻覺得心靈交流，情意融貫，彷彿這世界僅屬於我倆……任何時候重臨此地，他仍和我在一起。

我深知妳口中的他——那位仁慈忠厚的長者。他的道德風采，最令後人景仰不已，不朽的愛情，是不滅的星，照亮在妳心中，我尊敬那堅貞不渝的情操，肅然默然，不再談星星。

那奔放的旋律已漸漸降成輕柔的節奏，如清溪嗚咽流過幽邃的叢林。

那放肆笑唱的青年已收斂鋒芒，化作低聲細語，一雙雙鴿兒般偎依在一起。

十丈紅塵裡，依然是交錯來去著一道黃，一道紅，只是彷彿若斷若續，稀疏遲緩。

報時燈一眨又一亮，數著青春，數著年少，數著遲暮和白頭，只是冷傲中透著淒涼。

但一如夜的空氣，我的思想越顯澄澈。

一如夜的安謐，我的心情益見寧靜。

一如夜的空曠，我的胸襟越加開朗。

抖一抖衣衫，又降落塵寰，歸途中，兜一衣兜闌珊的星子：那不過是將熄未熄的萬家燈火，是守著冷落長街的路燈。

我並不失望於想像被欺矇。因為我益加堅信，我益加肯定，不論在何時何地，黑暗中自有一顆清澈的星，悄悄照臨，那是無比崇高、無比美妙的智慧之星！

友人宴於「摘星樓」．一九七一年三月十一日編註：本文原刊於《中國時報・人間副刊》，一九七一年三月九日，第十版。

去看花的日子

幾番霖雨，幾番潤澤，
捎來了花開的消息，
帶來了花放的訊號，
噢！是自然在召喚；召喚在生活中困瘁的心靈，召喚在塵囂中蒙泯的心靈，召喚在名利中迷失的心靈，召喚在困頓中沮喪的心靈……
能不怦然心動？能不悠然嚮往？能不神馳夢遊？
近不近？
當然不會就在眼前。
很遠麼？
天賦我們雙足，是用來做什麼的？
那麼出發罷，什麼也不用攜帶，只問眼睛是不是清澈明亮，腿腳是不是健朗矯捷，心中是不是了無俗念。

微雨洗出一片清新的綠，深邃的綠，耀眼的綠，在那幽靜的山阪。

我的思想因接觸清新的綠而清新，我的心靈隨著綠色的閃耀而閃耀，我生命的脈息中跳躍著綠色的音符，譜出無聲的生之樂曲。

是花的守護神麼，抑是綠色的前哨？那樣莊嚴整齊地矗立兩旁，拱衛著長長的走道。大王椰是綠色王國中最英俊的長人，那樣挺拔矜傲，那樣獨具性格，卻又瀟灑溫雅，風度翩翩。我抬頭挺胸正步，只為欣賞它優雅的風采，長葉美妙地招展，從容地梳理著若有若無的雨絲，梳理著若隱若現的陽光，也梳平了我心底的塊壘、眉間的皺紋。

路長長地引伸在柳樹蔭影中，兩側，是芊綿的草坪，是小小的山石蓮池，是紅牆圍繞著的涼亭石墩，但沒有腳步逗留，目標是前面……前面將更空曠，前面有一片更燦爛的美景——然而，彷彿一滴滴雨水匯聚在漏斗頸端，一隻隻螞蟻擠軋在土穴洞口，人的潮流收斂合攏，身子壓縮提升，湧進了一道窄門——為什麼是窄門，又不是進天國——堵在面前的人牆驟然降落，驚歎伴著讚美！好一座光彩奪目的花丘！

有紅色的燃燒，有金色的燃燒，又幾曾見過紫色的燃燒？棚頂下閃熠著紫色的光焰，揚射著紫色的暈彩，流轉著紫色的氤氳，從深沉的茄紫，光澤的葡萄紫，發亮的貝殼紫，瑩澈的水晶紫，起暈的琥珀紫，朦朧的霞紫，古瓷瓶的青紫，蝶翅的粉紫，到淡至欲無的紫，透明如水的紫。砌在一起，揉在一堆，卻濃豔得再也化不開。

化不開那濃冽的豔，化不開那擁塞的人，那屬於人的濁氣。那樣不嫌唐突，不怕冒瀆地緊挨著層層疊疊的花兒；垂手可觸，舉手可摸，仰首可嗅，俯首可親。我只小心地屏住呼吸，唯恐薰壞了花朵，人是為賞花來的，花豈是為人欣賞才開得灼盛！看那局促在棚頂下一株株端莊自恃的，一叢叢不勝嬌柔的，一朵朵矜傲不凡的，只是冷然安然，默默無語。也許在懷念沐浴著陽光的高高山嶺，懷念涵蘊著清涼的深靜幽谷，而無睹於人類的庸俗。

濃香中，馥郁裡，我獨聞到一陣陣清雅淡遠、沁人肺腑的幽香，超越於一切，隱隱約約，縹緲悠忽，總在有意無意間縈繞鼻際。我熟悉那幽香一如熟悉故鄉泥土的芬芳，在群芳中脫穎而出，不同俗豔的，正是我思念已久的幽蘭。秀長的葉子寂寂披垂，纖細的莖枝婷婷佇立，五六朵淡雅素淨、嬌小玲瓏的花朵，盈盈然彷彿蜻蜓點水，巍巔巔有似蛺蝶展翅，生怕一驚便離莖飛去煙霞中（註）。

不是煙霞，是那座軒敞森嚴的大廳，紅木雕花天然几上，供奉著古色古香的天青色冰紋瓷花盆，靜寂中，數朵小小的蘭花，散布著淡雅的幽香，迴繞於畫樑壁角。是那個鵝卵石鋪砌的四方天井，一架子父親手植的松竹盆景，獨有素心蘭幽香四溢，清晨黃昏，滿院子暗香

註：鄭板橋頌蘭詩：此是幽貞一種花，不求聞達只煙霧。

流動。任誰經過時，總不由得放慢腳步，深深呼吸。是那間窗明几淨的書房，案頭陳列著竹根雕花筆筒，蓮花座白玉水盂，紅木托座大端硯，和一瓷盆劍蘭，一房間書香、墨香、加上幽香，伴著我凝神一注，一筆一畫地臨摹文徵明的千字文……

當兜上心頭的雲霧慢慢消散，當聚攏靈台的煙霧漸漸淡去，人流浮動間，竟已隨波飄逐至窄門外。

走出了窄門，又是長長一座帳篷，是誰在露營？傲骨天生的菊花，白的白得高潔，黃的黃得尊貴，紅的紅得雍容。只是，只是不見了那副傲姿，沒有了那股強勁，更缺少了那份韻致。乍一眼望去，讓人以為是彩色印製機下的成品。每盆一株，每株三朵，大小一般，高低一樣，排列得整整齊齊，就像，噢，就像是一群規規矩矩列隊聽訓的小學生；可愛的臉上披垂著剪得一樣平板的短髮，活潑的小身軀裹在一樣笨重而沒有色彩的制服裡，矯捷的四肢木然拘束於重重規律中——人們愚昧的審美觀念，只是斲傷生機，戕害自然之美。我把欣賞當作虐待，只有匆匆走避。

依稀熟悉，似曾相識，是在夢魂縈繞中，抑是在無盡憶念裡？不是匠心，不是雕蟲小技，是那刻骨相思；只憑幾塊石頭，一撮泥土，數株小樹，幾叢小草，和一些青苔，便塑造成夢中家園，念念不忘的故鄉景色，駐存在心目中的那片丘壑！

心血來潮，我又一度迷失於小小的、具體而微的盆中丘壑間——

雲霧再聚攏時，雨真的下來了，返時跟來時一般飄著濛濛細雨。我沒有撐傘，雨裡看花，沾一衣襟花香，也沾一衣襟雨絲，不是詩也是詩（濕）。

路旁，有包著花頭巾的鄉婦守住一捆樹枝叫賣——深褐色瘦細的枝梗，綴著暗綠的葉片，說是杜鵑。

這是開菊花的時候哪，還不是杜鵑開花的季節。

當杜鵑開放時，也正是百花燦爛的早春。

縱使缺少陽光也會開放，也會燦爛？

你哪！從來沒有聽說過還有缺少陽光的春天。

還有比這更美妙的交易？些許銅臭，卻換來了明朝的期盼，春天的預兆。

可是，可是，

也有屬於人的燦爛的季節麼？

那是青春。

沒聽說過有缺少陽光的春天，卻有多多少少缺少歡樂的青春。風雨過後，光輝重現。釀長長一季的憂患，長長一季的苦難，待時序更換，卻已是另一個秋季了。

不管是憂患，是歡樂，生命中已不再有青春，不再有燦爛的季節。

去看花的日子，我沒有空手，就攜回這一束未著花的杜鵑罷，那是明朝的期盼，春天的預兆。

只不知待來春花開時，人又在何處？

士林賞花展・一九七一年四月六日

編註：本文原刊於《中國時報・人間副刊》，一九七一年四月六日，第十版。

家在雲深不知處

你可曾聽說過那座山？
你可曾瞻禮過那座山？
你可曾朝拜過那座山？
那不是李伯大夢中的仙境——卡茲吉爾山窪，
不是小說中的理想王國——烏托邦，
也不是陶淵明筆下描寫的世外桃源，
它只是遠離塵囂的一群層巒疊嶂，靠它深厚堅固的基礎，默默屹立於地球上。

然而，當你一旦登臨，當你一旦叩訪，你便魂縈夢牽，念念不忘。在煩瑣的生活中，在迷失了自我時，在十分厭倦於無謂的俗務世故……彷彿亮起一道黎明的曙光，砉地通過昏沉疲痺的心靈，你會忽然想起；噯，有這麼一個地方！

這麼一個地方，在叢山之谷，在青山之麓，迂迴又迂迴，盤旋復盤旋，山徑沿著峻峭的崖壁雕出連綿不斷的之字，有的是遒勁有力的正楷，那麼一頓，又那麼一撇，彎彎然曲折有致；有的是龍飛蛇舞的草書，筆鋒迅疾地一帶又一挑，險崚崚既陡且窄。峰迴路轉，一支細細的碧流便繞著山谷蜿蜒，小小的遊艇玩具似地飄蕩在水面，艇上螻蛄似的遊人自以為在欣賞風景，卻不知崇山密林中有人當作風景欣賞。

一個陡彎，又一個斜坡，逾山越嶺，往下是莽莽蒼蒼的幽谷，左右是蓊蓊鬱鬱的山林，頂上是清清朗朗的穹蒼。山外有山，峰上疊峰，接近莊嚴的天宇，懷著肅穆的崇敬；走向原始的鴻濛，有返璞歸真的赤忱，忘記了上山為探訪，竟滿懷著皈依的虔誠，摩頂放踵，待前去禮拜朝謁……

就那麼一念超越，就那麼性靈提升，眼前卻「豁然」開朗——記得早年讀《桃花源記》「初極狹，才通人，復行數十步，豁然開朗」一段……只覺得豁然兩字用得錚鏘有聲，有力量，也有動感。就當真像有一雙無形的巨掌，衝著正探索行進的你面前，猛地拉開兩扇神祕的大門，讓另一番風光鮮活地呈現眼底——這一刻，正有這種感覺；從原始鴻濛又疾忽躍入現代，好空曠，好寬敞！那一大片碧綠的草坪，嵌飾著紅葉圖案，醒目地在陽光下炫耀。那斜坡上密密層層地排列著一株株洋松，毛茸茸的嫩枝細葉，欣然向上竄，儼然已有來日萬松參天的豪邁意境；平坦的道路迤邐延伸，夾道列隊佇立著整齊的幼樹，一根根挺直光滑的枝杆頂著蓬蓬的圓傘——正是當五月來臨，把南台灣渲染得豔麗無比的鳳凰木。

這可是洹寒的北部，鳳凰木也能開花麼？

回答是柔枝嫩葉輕輕搖曳，徐徐翩舞；炫耀著蓬勃的新綠，展示著無限生意——可以想像到一朝花朵盛開，如火如熾，從碧流瞻望，自山陬仰視，宛如虹彩縈繞山腰，又似朱橋貫通天際，人走在其中，又恁知有多少詩情畫意！

想像止於廣場陡立峭壁，「人間天上」四個深深鐫刻在石上的擘窠大字，權威地迎面照臨，也不嫌太誇張，不覺太自炫麼？再怎麼鑿磨拓建，總不外是叢山深壑，頑石巉巖！然而，然而，縱目四覽，低眉俯瞰，漫不經心投射出去的視線驟然遇上了強大的磁力，浮動的情緒凝結成一個大大的驚歎號！只聽說過雨後春筍自竹林中一夜間茁長，又幾曾聽過一座城市竟從山窪中誕生！

就在那蒼蒼鬱鬱的綠莽中，就在那高高低低的山坡上，就在那嶙嶙峋峋的岩崖下，那些顏色鮮明、型式不一的建築物，錯落林中，散置花間。有的自翠微中隱隱約約露出一林紅牆，一角藍瓦，有的在花木掩映間顯現一帶參差的白石階梯；有的峨然不群，矗立山崖，巍巔巔直沖雲霄，有的精緻小巧，偎依溪畔，完全「小橋，流水，人家」韻味。有的牆垣連綿，氣勢不凡，儼然現代城堡；有的星羅棋布，疏朗有致，彷彿自成村落。彎曲引伸的道路，像一條皚白的玉帶，圍繞穿梭在紅垣、白牆、赭瓦、翠叢之間。更遠更遠的山岬中，鑲著白石的溪流蜿蜒伸展向無垠……

這一切生動地、奇妙地，卻又如此靜謐地在璀璨的陽光下閃耀，在金色的霧雰裡蒸騰，在綠色的波濤中湧升，不是海市蜃樓，卡通景色。當你一步一步踏在長堤似的路上，一級一級上下由整座岩石鑿成的階梯，那迴旋的道路，那層層疊疊的石階，便將引領你進入從鴻濛開拓的新領域。

且上層樓再上層樓，誰說人只是地面的動物？一旦登臨那沖霄而上的巨廈，你就擁有無限空間；攬白雲入懷，摘星辰盈掬，崇山峻嶺，盡在腳下。四望無際，遼闊的天宇一脈莊嚴，縹緲的嵐煙撲朔迷離，山風勁厲，真箇是瓊樓玉宇高處不勝寒！縱使不能羽化仙去，自覺性靈提升，超然於物外，樓頭只小駐，人已是淨化澄澈了。

看那重重疊疊，是上天庭的白石雲梯？看那繁花扶搖而上，多麼新奇的立體花壇！然而，你發現自己卻置身在一座凌空架立的白色陽台上——每一層樓閣自成一個天地，三面浸沐著天光山色，底下濃密的樹梢隨風起伏，宛如綠色的波濤。陽台是一艘穩定的小船，黎明接受第一道曙光的洗禮，白晝融和在金色光芒裡，黃昏閃耀於絢麗的霞彩中，月夜，靜靜地盪漾在銀河內，當滿天星星在耳畔細語，更遠處那一簇密集的繁星，卻是都市的萬家燈火。塵囂已離你很遠，唯有美妙的大自然在你前後左右。

在你年輕充滿詩情時，可曾願望過一幢玲瓏可愛的白色小屋！在你背誦古人詩詞時，可曾神往過「採菊東籬下，悠然見南山」的意境？看那青山小築，可不是正揉合了夢想和憧憬！遠山在望，綠蔭匝地，清溪潺湲於門前；有在詩窗下留下一株原始林中的野棗，當夏夜棗熟清脆落地，也許給燈下構思的人增添不少靈感；有在屋角斜伸一棵楓樹，當秋霜染紅了楓葉，又不知牽惹起異鄉人多少鄉愁！

別以為那邊湛藍湛藍的是當年女媧氏補上的天壁又墜落下來，只是一座清澈見底的游泳池。池畔停泊著彷彿豪華遊艇的，卻是新穎美觀的超級市場。

別以為誰在那兒架起巨形的畫架揮毫構圖，圖案似的屋脊下只是供人們憩息加養料的所在，花團錦簇中，鮮豔的遮陽傘係一枚枚七彩大香菇，且在傘下小憩，啜下一杯鮮甜的果汁，飲下流溢的山水靈秀如芬芳的醇酒。

有這麼一個地方，你可以遨遊於峰巒間，聽鳥語松濤、山澗流泉，逍遙自在，彷彿白雲出岫。你可以徜徉在山林中，看晨曦晚霞，自然風采，返真還璞，享受不盡閒情逸致——融現代於原始，化燦爛於純樸。山窪中的城，融合了愚公的精神，工程師的魄力，藝術家的才能，以及女性的細緻。是自然的壯麗與人類力量、智慧的結晶，一個人造的奇蹟！

我曾叩訪過那片人間的淨土，我曾探勘過那座深山中的花園，我渴望留下、留下，但又不能不離去。

歸來尋夢，夢屬雲深不知處。

花園新城歸來・一九七二年二月十三日

編註：本文原刊於《中國時報・人間副刊》，一九七二年二月十三日，第九版。

靜靜的畫廊

嚮往於萬物的不朽，
神馳於自然的再造，
仰慕於生命的永生，

一次又一次，我悄然叩訪那供奉繆斯女神的殿堂；那小小雅緻的畫廊。

從地面降落，摒絕市囂繁華於地殼之外，自階梯步下，離日月星辰已遙遠，清清幽幽，似月光鋪瀉，又似雪光輝映，深深潛潛，如夢境摸索，又如幻覺迷離。一眼望去，建築的線條給人以歐普的視覺效果；漫步其中，迂迴的排比予人以迷宮的眩惑感受。

那是一組立體的音符，譜出了靜的樂章。

那是一幅具象的圖案，繪出了動的韻律。

那是一系列空靈的雕塑，玄妙一如夢中幻境。

沉沉的綠烘映著一片璀璨的白，就如深靜的湖中矗立著層層疊疊的冰山；水是凝固的方，山是無數的圓。

一個圓銜接著一個圓，一個圈串連起一個圈，每一個圓都是開始，每一個圈都是起點，起點和開始，組合了空間。

一個圈扣鎖住一個圈，一個圓貫通另一個圓。圈是循環，圓是完滿，完滿的循環，融滙成美的場景。

在空間，揚射著人類智慧的光芒，閃耀著人類思想的燦爛，溢漾著人類靈性的昇華。

在空間，瀰漫著夢幻的朦朧，流動著色彩的鮮澤，飄浮著律動及和諧交織的光影。

在場景內，有國畫顯示出高雅飄逸的氣韻，有油畫炫耀著濃濃醇醇的筆觸，有水彩流露出清新輕靈的風貌，有木刻版畫那金石味的線條獨具風格。

在場景內，超現實的幽異古怪給人一個奇突的世界，歐普幾何方程式的錯綜線條引領你進入玄虛的魔境。抽象派的真真假假令人如墜入迷離的雲霧中，寫實派卻從實際中提煉出美，塑造出真，化平凡為神妙。

彷彿有隱隱的呼喚，來自遠古的胸臆，來自現代的心靈。彷彿有幽幽的芬芳，來自廣袤的自然，來自心中的丘壑。彷彿有熾熠的光彩，來自至善的人性、至美的造詣。我傾耳聆聽，我深深呼吸，我莊默瞻仰，我乃浸潤於恆永的意緒內，沐浴於寧馨的氤氳中，沉迷於七彩的漩渦裡：

只一眼，我就被震懾於那一份莊嚴，那一種氣勢，那一股澎湃的生命潛力。展開壯碩的雙翼，拋沉睡的地球於死寂中，沖上雲霄，飛向蒼穹；皓月不是目的，天宇不是終點，向上又向上，背負著蒼涼已逝去的世紀，飛翔再飛翔，是響應明天無聲的召喚，抑是尋求未知的永恆？如此肅穆，又如此沉默，越接近最高處越是孤寂。而高處又渺茫無垠——我靜靜凝注著你：飛「翔」中堅毅的鷹隼！何時來一個衝刺，衝碎淡黃的月，衝出幽邃的藍，黎明在等待。

自「翔」的旋律，自生命的飛躍，音調由高亢降落成低沉，由驚歎！轉成逗點，只用一支瘦長纖細、珊瑚枝般鮮豔的腿，支撐著龐大的身軀，佇立在水中央。雙翼收斂，長喙收藏於翅底，風蕭蕭，水瀲瀲，疏疏落落的蘆葦隨風搖曳在溪畔。「水鳥」，你的夢中有什麼呢？一群夥伴遨遊於天空？一位伴侶偎依於水邊？抑是嚮往於穹蒼的遼闊，星辰的閃爍，卻淪陷在泥沼？風在流動，水在流動，而夢只是憩息；是另一次遊獵生涯的準備。

屬於白晝的擾攘已平伏，屬於陽光的灼熱已消退，屬於生命的活動，也已停止。獨留一脈荒涼的赭色土山，起伏在黃昏的陰影裡。三五簇枯禿的枝椏伸向蒼白甬升的月亮，冷冷的月光彷彿就冰凍在空間，天籟肅穆，夜色淒迷。那一份深潛的「沉寂」，一筆筆鐫刻在刀鋒裡，一絲絲滲透在畫紙中，一點一滴浸染你的感情。面對亙古以來，天地的沉寂，蒼涼中唯有一人！

生命的路如此漫長；當你一路跋涉，曾經歷過崎嶇顛仆，從荊棘中勇往直前，也曾遇到柳暗花明，自絕境踏出新的路徑。生存的路如此曲折，當你彳亍獨行，一路上不盡生活的搏鬥，感情的糾葛，創業的艱辛，責任的重負——也曾忘懷，也曾縈懷。偶然佇足回顧，卻煙塵蒼茫，掩映於過去那森鬱的濃蔭下，隱蔽在時空那幽邃的陰影裡。哀愁也罷，感傷也罷，一切只在「憶」念中。

藍天無垠，平原遼闊，擴展了心智的視野，透過樹的拱衛，平坦的路向無窮伸展；伸展處，兩條牛悠閒地相對併立，是在默默交換心聲，還是靜靜地共享那份安謐？沒有勞役，沒有鞭策，只有寧靜，只有和平，只有生命與自然的融合，天地與萬物的和諧。由於內在心靈那份對自然的契機，乃藉圖案的規律，色彩的韻致，烘托出一片莊嚴的空曠，一脈秋高氣爽的豪邁，和一份神聖的安詳。噢，好一幅「秋野」！

似曾相識，似乎熟悉，那一身紅豔豔的小襖褲透著喜氣洋洋，油紙燈籠上輝煌的「春」字炫耀著萬象更新。恍惚間耳畔升騰起鞭炮鑼鼓賀新歲，眼前湧現出歌舞升平迎豐年。燭影搖紅，感謝平安吉祥，香煙繚繞，迎接明春福祉。家人團聚，融融樂樂，童年來復，鄉情如醇酒甘冽……凝眸處，燭影淡去，鼓聲消失，只有那提燈的女孩，高舉炫耀著「春」字的油紙燈籠，燃起了熾烈的鄉情，也燃亮了迴廊曲折。

虎視眈眈的大貓，張牙舞爪，垂涎著籠中小鳥。一籠之隔，美食不能到口，可恨復可惱！幾支柵欄，是剝奪自由的囚牢，還是阻止侵犯的保障？而剛韌的筆觸，益顯出貓的傲兀：細緻的線條，更襯得鳥的柔弱。對稱排比的「雙魚」和「三雞」，古拙雅氣，富有樸質的裝飾趣味。熱鬧的「廟會」洋溢著歡樂的氣氛，人們單純的願望，東方古老的風俗，還有對鄉土濃郁的感情。淡淡雅雅，彷彿透明的葉叢，掩映著玲瓏輕逸的小小葫蘆。似白石老人的風格，有傳統的神韻，而半具象的表現，更流露出新的創意。

從小便曾嚮往一支多采多姿的彩筆，而造化卻配給笨拙的我一支只能爬格子的禿筆。我羨慕那些神妙的畫筆，畫出夢想，畫出人生，畫出宇宙萬象，畫出消逝的過去，和渺茫的未來。我更崇拜那些擁有彩筆的藝術家，那樣無私地奉獻自己的智慧、思想、熱忱，以及畢生的精力，創造出不朽的美！於是——

一次又一次，我悄悄叩訪那些小小的殿堂：那些雅緻或樸素的畫廊，我清心淨慾，肅然默然，低低呼吸，輕輕移步，唯恐冒瀆了她——那無處不在的繆斯女神。

春秋藝廊陳其茂版畫展・一九七二年八月六日

編註：本文原刊於《中國時報・人間副刊》，一九七二年八月六日，第十二版。

寧靜地帶

各式車輛的急流洶湧奔騰，

倥傯行人的潮水湍激沖流，

噪音囂聲的波浪翻滾起伏，

我泅泳在急流中，飄蕩在潮水裡，浮沉在波浪上。像一支羽毛陷進了流轉的漩渦，被揉著，推著，擠著……倏地一放鬆，推送上一處淺淺沙灘——噢，竟是一角寧靜地帶！

寧靜地帶，並不在郊野，也不在山谷，更不是遙遠的地方。就在鬧區，就在都市的心臟。宛如沙漠中的綠洲，塵土中的鑽石，謙遜地、優雅地舒展於層層疊疊高樓大廈之間。不受市囂干擾，沒有怪物橫行，點綴有樹木噴泉，安排著座椅石凳，是一片寬敞明朗的廣場。

也曾來過，也曾經過，像古老的建築物一樣，場地的存在原有它久遠的歷史；不是昨天才開拓，也不是今天剛建造。只是在混沌時期，那是交通的三岔口，抄近路的捷徑。車輛四處流竄，行人穿梭來往，誰也未曾停下來多看一眼。如今，不知哪位當權者的德政，廓清四野，使它面目煥然一新，呈現著難能可貴的清靜、寧謐、安詳、悠閒……

我喜歡住宅前面留一塊園地，好有迴旋的餘地。

我喜歡生活中留一些閒暇，好有思想的時間。

我也喜歡在那擠擠攘攘、嘈嘈雜雜的市區中覓得一處空曠，好從緊張中喘一口氣，忙亂中定一定神，累得昏頭轉向時，獲致片刻的清醒和解脫。

且擦一擦汗珠，掠一掠散髮，舒舒泰泰地坐下來，先望一望天空。可憐都市的居民，生活在一層層現代化的鴿窩裡，行動在大大小小的鐵盒子中，步行在夾峙於高樓大廈間的路上，幾乎忘記了天是什麼顏色，雲是什麼姿態，縱使偶然瞥一眼，也只是被污染了的狹隘一線。而在廣場上空，你會覺得久違了的藍天藍得特別鮮明耀眼。上帝就在一望無際的藍石坪上放牧祂雪白的羊群。當我全神凝注那片悠悠飄浮的白雲時，一瞬間遠離俗世。腦中什麼也不想，心裡什麼也不煩，恍惚自己就是那片雲，隨風飄颺……

蔚藍已點亮了黯淡的視線，再讓翠綠來潤澤倦澀的雙眸。看那些英挺頎長、青氣蓬勃、在陽光下排列得整整齊齊的羅漢松，正等得你去檢閱。一隻隻巨大的石盆盛載著厚墩墩的蒼綠，看到那樣大的盆景，會覺得人忽然縮小了。鳳尾蕉閒適地款擺著她多褶的綠羅裙，嫋嫋婷婷。無限柔情。鑲嵌了縷花白欄杆的一塊塊草坪，像綠絨剪貼，貼兩塊在彎彎有致的紅磚道畔，襯得紅磚更鮮豔，白鐵涼椅更靈巧；貼兩方在莊嚴門樓前面，古老的建築物乃有了春的氣息。

古老的建築與巍峨的華廈，都是廣場的屏障，一組凝固在四周的音符。陽光每天用億萬隻金色的手指一遍遍按撫，雨珠也曾用億萬隻纖細的手指急促彈奏，只是莊嚴，只是肅穆。而在那傲兀的鋼筋鐵骨內部，卻重複著一組及一組永不休止的旋律——那是屬於人類的活動。有思想的、智慧的、精神的、行動的，有國是的商榷，文化的流傳，藝術的展示，真理的傳播，也有欲望的徵逐，生存的競爭……人就是那麼一種永遠驅使自己旋轉不停的動物。有點可愛，有點可笑，也有點自以為聰明的愚昧。儘管一切活動在進行、循環，莊嚴的終歸莊嚴，沉默的依然沉默，像山脈屹立拱衛。而廣場，是洋溢著光輝的小小盆地。

莊穆中蘊著和諧，安謐中涵有秩序，小小盆地唯一活躍的是那注銀色的噴泉，不停地溢射，愉快地吟唱，炫耀自己的晶瑩和幻彩——不管你信不信，我說它是有生命的，就像《婀婷》中那位頑皮而溫柔的水仙變的泉水，不同的噴濺，顯示它的感情和語言。看那一注當先，欣然沖向上空，騰躍又騰躍，揉升又揉升，銀光燦燦，迸濺出一顆顆水晶音符，那是生之舞，祈禱之舞，奉獻之舞；緊隨著輕快的旋律，四周溢射出一注注匀致的細流，一道道優美的弧線，簇擁著舞之后，纏綿地迴旋，曼妙地翩舞——驀然彷彿一聲口令下，自底層又猛竄出一群玲瓏剔透的水精靈，圍繞成一圈快活地跳躍舞蹈。有的拚命甩頭髮，有的用力捽胳膊，有的扭腰頓腳跳靈魂，有的聳肩抖腿跳雞舞。一個個跳得興高采烈，如癡如醉，就像有十二支樂隊在伴奏，有半打合唱團在嘶喚……光影一閃，一剎那又全都銷聲斂跡，影蹤全無，只剩下一注泉湧，還在騰躍向上，寂寂地灑落滿池清涼。

負載著歷史的憂傷，那位奉獻自己，畢生致力於博愛和平的民族偉人，他偉大的精神是不落的日月，萬古照臨。他不朽的愛，循環在每人的血液中，他莊重的雕像，屹立在廣場中央，接受人們心靈最深的注視，最高的崇敬。

一道道通路隱蔽在巨廈的陰影中，當人們一進入寧靜的氣氛，立刻如釋重負般，解除了緊張，放慢了腳步，變得從容不迫，顯示出屬於最有教養動物的優越風度。舒展一下坐得僵硬的筋骨，洗濯一下滯澀的眼睛，片刻的小憩，生命將更充沛。那邊一個蹣跚學步的小女孩，雙手抓住欄杆，正膽怯而勇敢地試探人生的第一步。這邊一雙小兄妹甩開父母的牽挽，就像小鳥逃出了囚籠，在廣闊的天空快樂地飛翔、追逐。有人手執一卷，樂在其中，有人左顧右盼，恭候一個約會，也有人什麼也不為，只是怡然自得地享受那份閒暇，那份安靜。

一陣悠悠揚揚的鐘聲，彷彿一陣陣音樂的雨從雲霄飄灑下來，匯成一股股美妙的微波，一波接著一波，緩慢地起伏，只覺得心緒便浮漾在起伏間，載浮載沉，悠然神馳。又彷彿是繽紛的落英，細小的花瓣自天際密密撒下，滿天輕盈地飛舞，飄墜，沾在衣襟，沾在眉梢，沾在不染一塵的靈台上。當鐘聲停止，餘音嫋嫋，半天，身心恍惚仍在柔波中盪漾，氤氳中猶自留著淡淡約約的芬芳。

幾次我來廣場，總是將近日暮黃昏。寧靜地帶半沐著夕陽餘暉，半涵蘊著淡淡陰影。清風拂面，湧泉更清冽涼沁。日影緩緩地移動著，把屋脊簷壁塑成浮雕，把欄杆刻畫出明暗對比的圖案，逐漸地，沿著紅磚地攀上了座椅，悄悄爬到我身上，移過藍旗袍上一朵白花，又一片葉子……終於滑下座椅，留我在掩攏來的蔭涼中——從來時間消逝，總恨不見形跡，此刻我竟親眼注視它無聲無息，卻分明一小步一小步輕輕走過，這感覺又何等奇妙！一生常為沒有好好把握時間懊惱，我卻不曾惋惜這越我而過的時光，因為我已真正享受了它最美好的一刻——寧靜，安詳，以及和平。

悅耳的鐘聲又悠揚敲響，廣場乃浸溶在微波起伏，花雨繽紛中……好一個寧靜地帶！

中山堂前廣場・一九七二年八月二十三日

編註：本文原刊於《中國時報・人間副刊》，一九七二年八月二十三日，第十二版。

嗳！你，和平的使者

一串清越的銀笛聲，劃破了黎明的寧靜，喚醒了童年的春睏。拭一拭惺忪的倦眼，小手推開窗牖，淡金色曙光裡，閃耀著一隻隻輕靈的身影，迎風張翼，流星般疾迅地破空而上。一朵雪白，一掠銀藍，一握紫灰……銀鈴聲穿刺過清新的大氣流，激盪成一渦一渦的音波。悠悠忽忽，逐漸擴漾——上升復上升，超越又超越。鈴聲一路散揚如心底的歡笑。終於，隨著影子隱逝於一方視野之外，鈴音杳然，笑聲寂寂。眸光映著初升的朝陽，小小的心靈充溢著朦朧的憧憬，童稚的渴慕，且縈在鴿子翼尖，飛向不知何處的遠方，飛向不知多高的雲霄——而日影移動，時光悄悄流轉，嘹亮的哨音又震顫於岑寂的午後，召喚惦念著的小心靈。雙手支頤，獨坐於小院石階上，凝視中迎來一握紫灰，一掠銀藍，一朵雪白……背負著嫣紅的夕陽，絢麗的彩霞，纖巧的身影倏忽間一個俯衝，翩然下降，雙翼微搖，徐徐飄落。三五隻停駐在我家屋脊上，儷影雙雙，並翼偎依於脊簷，獨來獨往，便悠然整理羽毛，從容安詳，彷彿從未經歷過長途的飛翔，辛勤的追求。我輕輕地說：「歡迎你們回來！鴿子。」

牠們也側著注視我，發出友善的咕嚕咕嚕，好像回答：「謝謝妳，小鄰居，這一天過得可好？」

噯，鴿子！由於分享你們的喜悅，我寂寞的童年乃蘊藉著自由的嚮往，高飛的夢想。

晴空一碧如洗，萬頭攢動，旗幟飄揚，音樂奏出雄壯激昂的序曲，人類公正的競賽即將開始，人們莊嚴的集會正待揭幕。就在熱潮澎湃激盪之際，驀地裡一片震撼耳弦的撲翅聲，蓋過音樂浪潮。一股強大的飛行之風，捲起灰沙滾滾。彷彿地上猛湧出一注巨大的噴泉向上迸射；一群數不清的鴿子奪籠而出，振翮飛翔。一瞬時遮掩了天光。舞動的雙翼翅尖相疊，交錯比翼，又紛紛散開，自如舒展。陽光被俏利的翅尖攪碎切割，如滿天璀璨的金液自翎羽瀉落。幾乎是與鴿子聲勢奪人的出現同一剎那，靜靜的，悄悄的，像斑斕的煙火噴發自莊穆的火山，一簇簇彩色繽紛的氣球，嬝嬝婷婷飄向空中，那濃濃豔豔，渾圓渾圓的紅、綠、黃、藍，隨風擺動搖曳，益顯得鴿子們體態玲瓏，身翅矯捷。那屬於靜的圓，那屬於動的靈羽，浩浩蕩蕩，擠擠攘攘。在億萬雙眼睛矚望中，湧向蔚藍，湧向浩瀚。分不清是氣球簇擁著鴿子升騰，抑是鴿子牽引著氣球飛躍。只有一片燦麗的光芒，只有一片閃耀的彩華。雲騰霧升，氤氳縹緲。飄蕩的仍在飄蕩，飛翔的卻超越一切，如脫弦的弓箭，投射更高更遠的雲霄，奔赴更深更廣的穹蒼——薄雲掩映、模糊了，一點一點羽影。留下一大片燦爛耀眼的金，一大片澄澄亮亮的藍。而地面，沸騰著震撼山河的歡呼，旗幟招展處，人們展開了美與力的活動。

噯！鴿子，你奮翮疾飛，超越時空界限，追求自由，追求完美，最後終究降落於自己的家園；你翩躚翱翔，奔向無垠無極，天涯海角，任意遨遊，從來就忠貞不渝，堅守那份高貴的情操。

猶如桂冠之於詩人的榮譽。

V字之於勝利的記號。

你是和平的代表。

正義的象徵。

自由的標誌。

幸運的符號。

人們鐫刻你的形象於徽章上，描繪你的神韻於圖畫中；織繡你的手姿於旗幟上，歌頌你的情操於文字中……從亙古迄今。

而今天，你們來自世界各地，融融洩洩，共聚一堂，彷彿一次民族大團結。平時只瞻仰你們飛翔的英姿於空中，此刻乃得一一拜識手采：瞧一個個芳姿綽約，儀態萬千，原來竟是如此多采多姿。

一眼看見妳，就令人想起十七世紀畫家筆下歐洲的貴夫人，齊頸一圈柔柔細細、密密長長的輕羽，似精緻的荷葉領烘托，優雅的頭顱舒適地偎依其間，襯得一脈雍容華貴，氣質不凡。與其叫作「披肩」，不如封為古典美人。

妳的神態好安詳，好端莊。矮墩墩的身材顯得四平八穩。任色彩繽紛，只愛單純的黑與白。一身潔白的長袍，繫一個黑涎兜。黑臉頰又戴一頂純白色木耳邊燒賣帽。人們稱妳「修女」，卻不知由於妳的虔誠莊穆，抑是為了那頭巾式的白兜兜帽？

驕傲的孔雀為炫耀牠的美麗常展開尾巴。妳又為展示什麼呢？謙遜的鳥兒，那一位在牠矗立的白羽扇上鑲嵌了一道黑邊，緩緩擺動時可真威風八面！那一位竟把棕夾白的尾巴乾脆似花環般翻置在背上。讓我悄悄問一個祕密：當你們飛行時不知又如何安排這樣的「扇尾」？

妳那玲瓏體態真美妙！從頭到腳，不染一塵的白，閃耀著聖潔的光輝，修長的尾巴有「燕子」的俏麗，覆蓋在腳上那細細茸茸的兩叢白羽毛，卻像沾自天際的兩朵白雲，也許，妳不用擺動雙翼，雲朵便已擁托著妳升騰。

而你，你的模樣很奇特，長脖子，長喙，長腿，分明是屬於另一族「喜鵲」的長相，聽說你亦有好鬥逞強的性格，不清楚你究竟該列入鴿裔鵲籍，還是算鵲裔鴿籍？

噢！你叫「壽星」，一點都不錯，看那高高突起的白額頂，凹陷的雙睛，活像北極三星中老壽星的塑像，而你卻昂首挺胸，老當益壯。你叫「吹氣」，原來有個強壯的胸部，一副白金漢宮門口禁衛軍的雄姿。你是「鷹頭」，目光灼灼，神氣凌厲，很有兀鷹目空一切的氣概，你是「球鴿」，的溜溜的圓眼睛，渾圓渾圓的身材，憨態可掬，煞是可愛！

哈！「觔斗」和「滾飛」，你倆一定是表演界的奇才，善於飛行特技。一個騰躍半空，一連串地翻觔斗；一個筆直向上，一路滾筒式飄升，這一會卻情致悠閒，以逸待勞。你題名為「笑」，說你的聲音悅耳動聽，是一位快樂天使；你叫「特別」，因為你雙翅特別修長，但一身漂亮的淺沙色外衣配著白襯衫、白褲，卻是位風度高雅的紳士。「東方皺背」，你的名字很中國，那一身白底織花紋的羽衣，可是請以織綢紗馳名湖州織工為你紡織？而你們，「摩登鴿」，一個個花花公子，時裝模特兒，錦繡的衣裳一代代變換，花色繁多，斑斕華麗，每隻初生的乳鴿都創下新的構想，新的流行。純然是羽裝界的傑出設計家。

嗨！你們這一群，鳥類的先驅，鴿界的前鋒。一個個體態矯健，神采飛揚，俊逸的丰韻，炯炯有神的目光，處處顯示出血統的優秀，智慧的高穎。飛渡過千山萬水，你們創下了輝煌的飛行紀錄，穿越過烽火電網，你們為人類光榮的服務，鴿舍中安適的憩息，對你們是養精蓄銳，等待再出發，再建功！

依稀相識，依稀熟稔，當我熱血激奮地凝視你們時，你也偏著頭，從瑩澈的眸子流露出那份親善。喉際低沉地咕嚕著，你披一身皎潔的白羽卻在頭頂俏皮地潑一撮黑。噯，是了，你們正是那在我童年給我無限憧憬的「點子」——有名的「耐翔鴿」。如今為逃避飢餓暴行，竟也遠離破碎的故園，撇下即將滅跡的家族，飛越海洋，歷盡艱辛，投向自由祖國。請勿悲哀，切莫憂傷，在這豐饒的土地上，且暫安頓罷，等風雨黎明，等春暖花開，等家園重見光明，重獲自由的那天；再率領更多優秀的子子孫孫，浩然賦歸！

而我將追隨你於後，和平的使者。

世界名鴿展覽・一九七三年二月二日

編註：本文原刊於《中國時報・人間副刊》，一九七三年二月二日，第十二版。

慧心和巧手

宇宙是多麼荒涼；如果沒有日月照耀，雲彩輝映。
世界是多麼冷酷；如果沒有青山綠水，四季花開。
人生是多麼枯燥；如果沒有愛情的潤澤，希望的鼓舞。
生活是多麼寒傖；如果沒有智慧的閃熠，思想的光彩。
日子是多麼蒼白；如果沒有色彩的渲染，美的綴飾。
人類是多麼可憎；如果只有利慾、貪婪，而缺少了藝術的愛好，對一切美的感受。
人們是多麼愚昧；如果只知道徵逐權勢、虛名，而忽略了性靈的灌溉，情趣的培養。
但是，只需，
一塊石頭，幾粒貝殼，宇宙就圍繞在你左右。
一抹色彩，一個形象，世界就安排在你四周。
一截樹樁，一撮泥土，自然就進入你住宅內。

一朵小花，數片葉子，季節就納入你屋簷下。

一點感受，一點巧思，使生活中平添無限情趣。

一份耐心，一份手藝，把人生點綴得多采多姿。

一份構想，一份創意，所有古典的、新穎的美就展示在你眼底。

造物者創造了萬物，開拓了宇宙，聰明的人又使萬物不朽，世界恆新。

萬物不朽，塑之以形象；世界恆新，付之於創造。一座雅潔的小樓，一片安逸的靜土，兼容了人類的智慧，自然的美妙。彷彿淡淡約約，呼吸到遠古的檀香氣息，當你從現代都市的繁囂中，進入這寧謐的氛圍；似乎悠悠忽忽，感染到東方民族傳統的閒情逸致，當你自庸庸碌碌的人群中，進入這超然的境界。能擁有一份悠閒的情緒，一段閒暇的時間，將是眼睛怎樣一次可愛的豐收，性靈怎樣一次美好的享受！

在深山，在曠野，樹木的生長只是一種自然的發展。而在這裡，人卻給了它千百種姿態，幾千年以前偉大的人格藉此重生，如日月萬古照臨。那先聖孔子雕像，岸然道貌，令人肅然起敬。那關公秉燭夜讀像，神態凜然，一副威武不能屈的氣概溢露於外。那漁翁一支垂釣願者上鉤，悠然自得，樂在其中。彌勒佛笑呵呵地高舉雙臂，袒裎著肚臍，望著他展眉開眼，笑容可掬，誰也忍不住會心一笑。

看那雙目灼灼的神鷹，那憨態可掬的雙熊，那栩栩如生的貓頭鷹，凝視一注，彷彿有所待命。原來牠們全護衛著一隻錶，告訴人們冷暖自知。

唯妙唯肖的八駿圖，從畫上雕成具體，或站，或息，或仰天長嘯，或揚鬃馳騁，一隻隻姿勢美妙，神態生動；馬給人的印象是馳逐騰躍，而溫馴的牛，呈現的是一脈安詳和穆，有半躺半臥，緩緩反芻，有背負牧童，悠然踱步。那玲瓏可愛的小象和袋鼠，揹著的，袋著的，竟都是牙籤，伸長了頸脖子的憨頭鵝吹灑出來的卻是胡椒粉。

一片片圓潤的葉子，一朵朵玲瓏的花兒，一個個突出的人物，那樣光滑細潔，又那樣具有立體感。掛屏、屏風、寶箱、案桌，全精工浮雕著代表我國民族性的忠孝節義故事，衣冠楚楚的鬚眉男士，裙裾飄曳的婀娜仕女，具體而微，彷彿呼之即出。與細緻精巧成為對比的是厚厚實實的原木巨屏，原始意味的樹樁几凳。簡單的形象，卻散發著山林的趣味，樸拙的美。而一尊尊線條粗獷、形狀奇特的木刻雕像，讓人聯想起神祕的印第安部落、傳奇性的高山族，稚拙的刀法刻畫出如許樸質的感情，含蘊著如許單純的理想。

一簇簇修竹，一叢叢幽篁，臨風搖曳是天生韻姿，人類纖巧的手又賦予多少美妙的形態！看那一組組靈巧的古樂器，小小的三弦，小小的古箏，小小的琵琶和月琴，將彈奏出一支陽春白雪，抑是高山流水！就在凝視的片刻，恍惚輕撫出一縷縷思古幽情。看那些素淨美麗的竹燈，修長修長，渾圓渾圓，稜稜角角，方方正正，不以色彩炫耀，朦朦朧朧，亮起一個詩意的夜，一個幽靜的夜，一個瀟瀟灑灑的夜。怎樣一座玲瓏軒敞的宮殿式鳥籠！如果鳥亦像人一般不慕自由只求享受，一定樂於終老一生在其中。別致的篾籃竹盤，兜盛著優美的圖案，古拙的竹節畫框，框一框超凡脫俗的幽雅。

幾千年，幾萬年，深深掩埋於荒山的頑石，沒沒蘊藏於巉岩的礦苗，小心磋磨，仔細雕琢，於是，呈現在世人眼前的是怎樣琳琅滿目、明燦光輝的一片！一件件光澤美觀、紋理清晰的大理石成品，從小巧的鎮紙、彩蛋、花瓶、花盆、洗池、雕像、檯燈，到石鼓石屏。一塊塊色彩迴異、形狀怪譎，紋理幻成山水含輝、人物象形的奇石，一尊尊墨綠玉雕琢的珍禽怪獸，如意古鼎，一叢叢鑲玉嵌石的盆景古屏，一串串晶瑩圓潤的紫晶葡萄，一株株玲瓏剔透的綠玉白菜，豈僅是美不勝收，簡直愛不忍釋。

海洋的神奇居民，扛著住宅生活的小生物，誰能想到一旦登上陸地，便被巧妙的手安排成這樣一幅生動的美景：好小好小的小寶貝，小螺螄、小蛤蜊，陪襯些紅豔的珊瑚、潔白的砂礫，勾勒出一幅「歲寒三友」，又一幅「清風亮節」，一幀「松鶴長青」，又一幀「瀟湘夜雨」，喜鵲棲於紅梅的「春在枝頭」，唯有黃花晚節香的「秋菊佳色」。掛一幅室內，既呼吸到海洋的浩瀚，又領略了美景的幽馨。

何等晶瑩澄澈，何等剔亮皎潔！這小小一角水晶世界，竟如此纖塵不染，那些五光十色的花瓶、水盂、煙灰缸，環繞著彷彿流動的濃豔色彩，美得好新潮，那些璀璨奪目的小玩意，獨特的創意及柔和的線條，全賦予新穎的美：引頸偎依的雙鵝，昂首揚角的蝸牛，稚氣十足的小象，騰躍竄跳的鯉魚，聳立索食的小熊，嬌小伶俐的松鼠，還有纖纖弄姿的玉手——好一片冰清玉潔，純淨無垢！置一方案頭，也讓人思念澄澈，心如明鏡。

正好與水晶玻璃的新的造型成對比的，是歷史悠久、最富東方色彩的陶瓷器。陶的樸茂古拙，瓷的細緻典雅，任何一件藝術製品，都讓人緬懷起豐富的歷史文化。象牙的雕刻更精細到令人難以想像，觀音菩薩慈眉善目，煥發出聖潔的光輝，象牙球層層疊疊，教人撲朔迷離。那青銅黃銅的佛像、蠟燭台，閃耀著亙古迄今的光彩，恍惚時光倒流，檀香繚繞，燭影搖紅，守歲燭畔迎來一個吉祥如意的太平年……噯，東方的東方、藝術的藝術，帶給人怎樣一份民族性的驕傲，又怎樣一份懷鄉的哀愁！

花開得鮮妍，卻不是生長自泥土，更不問任何季節，茸茸的毛線康乃馨，閃閃發光的玻璃塑膠杜鵑，光澤柔美的緞帶豌豆花和紫羅蘭，壯麗碩大的麻質向日葵，彩色繽紛原是輕飄飄的雞毛花，不管春夏秋冬，擷一束把無限春意留在身旁。

上一層樓，再一層樓，好一個小小大同世界！當你輕輕躡足進去，卸下世故的外衣，只有童心悄然來復，幾時見過千百種膚色不同，服飾不同，習俗不同，來自世界各國的玩偶，聚集一堂！一個個神采奕奕，姿態迥異，世界上各個不同的民族在這裡炫耀他們的服飾和藝俗，歷史上多少著名的人物就圍繞在四周，更有傳統的國劇一齣齣在眼前上演，儘管是短暫的相對，片刻的逗留，卻已遨遊天涯，經歷了多少時代。

中華工藝館・一九七三年四月十二日

編註：本文原刊於《中國時報・人間副刊》，一九七三年四月十二日，第十二版。

永恆的一剎

什麼是一剎？三十分之一秒，六十分之一秒，一百二十分之一秒，二百五十分之一秒。

生命倏忽展示，萬象瞬間顯現，海中浪濤升落，天空雲彩詭譎，感情真切的流露，人生難忘的境界，時代行進的旋律，歷史演變的軌跡……在時間無限之流，都只是一剎那間迸濺的水花，閃耀的光影。

什麼是永恆？留住一去不返的時光，抓牢稍縱即逝的年華，固定瞬間萬變的自然現象，捕捉這永無止境的世界中每一個珍貴的片刻。

那奇妙的一剎，通過光的孔道，經過光的幽徑，是動盪中的安定，騷亂中的平靜，浮動中的穩固，行進中的靜止。

那神祕的一剎，經過光的幽徑，通過光的孔道，是人生的縮影，社會的速寫，景物的素描，時代的拓本。

那微妙的一剎，通過光的孔道，經過光的幽徑，短暫的長存，飄忽的肯定，溶化的凝結，幻滅的永生。

那美好的一刻，經過光的幽徑，通過光的孔道，花開了不謝，雲聚了不散，人是長生不老，宇宙是恆久常新。

一剎便是一個完整，一個肯定，一個單元，一個真理。

永恆便是最真的真，最高的善，最純淨的美，最真誠的愛。超越時空，凌駕一切。

一剎成為永恆，只是，噢，只是「咔嚓」一聲！

咔嚓一聲，當手指溫柔地、穩定地，輕輕觸及快門的按鈕，光影砉然交接，抓住了真實，也抓住了自己的感情，捕捉了意象，也捕捉了自己的精神。畫家用顏料和油彩，雕塑家用木石和金屬，而攝影家用心靈的眼和熟練的技巧，創造他融貫了意象和寫實的藝術。

不用文字，就是一首首可愛的小詩；不用詮釋，就是一則則動人的故事；不用音符，就是一支支輕快的曲子；不用彩筆，就是一幅幅突出的圖畫。不管匆匆一瞥，抑是深深諦視，僅是目光交會時火花迸發的一刻，便已心領神會，回味無窮。

沒有國界的距離，沒有種族的藩籬，沒有言語的隔閡，沒有政治的排斥，不管仔細端詳，抑或匆匆一瞥，只是視線接觸時火花迸發的一剎，便已感情交流，思想溝通。

何等柔美的時光！你也有過，我也有過，偎依在母親溫暖的懷抱中，像小船兒安逸地停泊在和平的港灣。一個純稚的微笑是一朵世上最嬌柔的花蕾，綻漾在胖嘟嘟的雙頰，睜著黑亮明澈的雙眸，懵懵懂懂看這神奇的世界。而流露在母親眼中的是比海還深的親情，比月光還柔和的光暉，整個物欲世界都在她身邊退隱，只有和平，只有愛。

童年，生命的朝晨：新鮮活潑，生氣蓬勃。一撮泥土，一根竹竿，一個皮球……沒有一樣不好玩的東西，但最疼愛的還是小動物！那小頑童這一刻靜下來坐在台階上，一手摟著他親密的伴侶，紅紅的小臉頰緊貼著茸茸的毛毛臉，那樣雄壯的大狼狗只溫順地傍著小主人，半是親暱，半是保護，拳拳摯情盡在默默無言中。那一身白紗裙的小女孩，像剛被晨風吹送到人間的小天使，嬌小的身影掩映在金色海洋一般開滿雛菊的田野裡，小胖手拈著一朵花兒正聚精會神地研究哩；耐心地佇候在幾步外，為她開路的那隻鬈毛狗側著頭在注意她的行動，好像唯恐小不點的她迷失在花叢中——孩子與狗之間，永遠有著最深的默契，最好的諒解。

青春，青春多燦爛，閃耀著愛的光輝，揚射著力的丰采，得一位傾心相許彼此相屬的伴侶，扶攜著漫步在人生道上，前面，生命之河正奔流躍進。岸那邊展延一片壯麗而又莊穆的遠景，背後，寂靜的沙灘上留下雙雙履印，在密切偎依的片刻，心跳和脈息一致，靈魂交流融洽——且留住這生命中甜蜜的一刻，這一刻便是永生。

彷彿可以聽見響徹雲霄的歡呼聲洋溢於外，彷彿可以感受興奮的情緒奔放於其間。那一群精力充沛、歡欣若狂的青年正揮著手，搖著旗，踮起腳尖，屹立在崢嶸的山峰頂上。他們剛征服了那座大山，建立了勝利的里程碑，揭開生命史上光榮的第一頁！

怎樣一張被歲月精工雕琢的臉！額上深深鐫刻著生活的軌跡，頰畔縱橫交錯憂患的痕印，生存是一場搏鬥，這漫長掙扎過來的一生，該經歷了多少滄桑，多少艱辛苦難？為何凝望著靈空的雙眼，兀自流露出如許惶惑和迷茫？是依舊擔憂近一世紀來人類戰亂頻仍，流離失所的日子；抑是為了後代的逆叛不孝，老境寂寞凄涼？欣賞傳真之餘，回去也仔細看看老人臉上歲月雕刻的皺紋罷！

迴旋，起伏，引伸，展延，彷彿歐普畫風的趣味，卻是遼闊無垠的沙漠。遠遠地角上單人一騎，顯得那樣孤零零渺小而畸零，好冗長枯燥的旅程！在人生途上，不亦橫亙著無邊的寂寞，苦惱，煩慮，憂愁……如同無法跨越的沙漠？那份無奈，那份蒼涼，兀自滲入一路淡去的腳印，只有向前，不復回顧！

肥沃的泥土，富饒的大地，那黃澄澄鋪滿廣場的是人的糧食，是一粒粒飽滿的穀粒，是無價之寶。那對莊稼夫婦正一個握著竹耙，一個揮動掃帚，耙開又掃攏。風霜侵蝕的臉上，同樣流露出平靜的滿足，收穫的喜悅——這不是米勒的名畫，鮮活的現實又比畫更生動。

嵐煙縹緲，晨霧迷濛，層層疊疊的遠山掩映在虛無縹緲中，隱隱約約，若有若無。惺忪的河流撲朔迷離，潺湲自流，一葉小小漁船悄悄地穿出蘆叢，輕輕地滑過水面，人也朦朧，影也朦朧，只緣一夜捕魚，遲遲歸航，渾不知身在圖畫中。

那危巔巔平地拔起的高架，那大剌剌直指穹蒼的鋼鐵V形，不正代表高度的工業化時代，人類從地面征服空間的勝利符號？那驀地裡從地底冒出七股白煙，在空中畫了個大括弧，七架神鷹以優美的隊形衝刺上升，令人震懾的凌厲氣勢，令人驚悸的超音波速率，不正是突飛猛進的時代，人類超越時空的見證？

留住盛典佳節的慶祝，留住人們心底的歡欣，那燦爛的焰火，光華奪目的火樹銀花，是一幅黑絲絨上絢麗七彩的亂針刺繡。

散髮飄揚，紗裙展漾，輕靈地凌空躍起，盈盈地迴旋欲飛。舉手，投足，縈繞著優美的旋律。宛如敏捷的羚羊騰躍，宛如高雅的天鵝振翅，噢，只是芭蕾舞女郎，獨自忘情地翩躚於春之山崗，奔放於生之原野。

兩隻絨球似的雛雞，打從密封的蛋中出來不會很久罷，怎麼爬上了這巉巖崇嶺？（原來是水泥磚呀！）一隻嚇得蹲在峰頂直呼救，一隻神態儼然，彷彿在想法子，奈何中間還隔著條深壑。別急，別急，且耐心等媽媽來營救！

蔭蔽在枝椏間的鳥窩中，三隻醜小鳥張著比半裸身子還大的短喙，聒吵不休，白鷺母親剛覓食回來，頭上毛冠蓬鬆，雙翼白羽凌亂，珊瑚喙裡銜著一條辛苦尋來的蚯蚓，面對三張嗷嗷待哺的小喙，卻煞費躊躇。

彩色斑斕的粉翅待啟還斂，纖細如絲的觸鬚上翹猶垂，彷彿禁不住風微微顫抖，受不了光怯怯閃避。尾尖尚半沾著一枚透明的空囊，原來小小美麗的蛺蝶，蛹自繭中脫穎而出！瞬時間柔和的光輝中散布著花的芬芳。波動的氣流中奏起了蟲鳥的音樂，都為這新生命的誕生歡慶！

咔嚓一聲，一刹那捕捉了所有的美。而美的事物，是一種永恆的歡樂。

國際攝影展覽・一九七三年六月二十九日

編註：本文原刊於《中國時報・人間副刊》，一九七三年六月二十九日，第十三版，原題〈永恆的一刻〉。

美好的星期天

彷彿泉水噴湧，彷彿山澗出谷，彷彿溪流奔瀉，一支愉快活潑的旋律，驀地裡在空中迸濺四溢……

星期天早晨愉快地來到。

這是個多麼美好的日子啊！

嗨！嗨！嗨！

美麗的星期天……

喚醒了隔宿的沉瘁，快樂的歌聲從樓梯翻滾到樓下。金絲雀欣然聞歌共鳴，高唱起婉轉動人的自撰曲：起初是試探性的單音，緊接著便串珠般從小喙裡滾落一連串金屬音符，津津津，唧唧唧，咯嚕嚕嚕嚕……

遠遠地自天際引來教堂沉緩的鐘聲，悠悠揚揚，有如柔波盪漾，一波一波近來，又一波一波遠去——

輕快的節奏，圓潤的鳥鳴，悠揚的鐘聲，匯合成星期天早晨的組曲。

Sunday morning up with the lark
I think I'll take a walk in the park
Hey hey hey it's a beautiful day
……

突破黎明的靜寂，歡欣的樂曲自陽台飄蕩在園中。新鮮的空氣像沁甜清涼的醍醐，金色的陽光從穹蒼氾濫傾注。朝陽花嬌憨地仰起一張張嫣紅的笑臉，蔦蘿舉起數不清的紅寶石喇叭，奏出生之鼓舞。一串串珊瑚瓔珞在晨風裡搖曳叮鈴，一叢叢絢麗彩葉幻變出欣欣向榮。優美的旋律，璀璨的陽光，鮮妍的花朵，交織成星期日早晨的圖景。

盥口盅叮噹，自來水嘩嘩，哼著輕快的曲調，踏著音樂的步子，花晨衣翩舞在門樓欄杆間，醒自一夜沉酣的甜夢，星期日早晨，女兒年輕的臉龐，竟是如此容光煥發，神采飛揚！

……

嗨！嗨！嗨！
美麗的星期天，
多麼美好的日子啊！

像火花迸飛，像火焰騰躍，像火龍遊騁，熱烈歡暢的樂曲滾動在鬧哄哄的街頭，摩肩接踵的行人一個個穿戴得端莊高雅，打扮得漂亮瀟灑。懷著輕鬆的心情，跨著從容的腳步，去赴那七天中一天的「休閒」的約會。

「休閒」多麼奇妙，「安息日」又多麼美好！隨意巡禮街頭；五花八門、琳琅滿目的櫥窗是最現代的藝術，唱片行終日播送免費音樂，書店是長期開放的知識寶庫。服裝綢緞店炫耀著繽紛色彩，畫廊、紀念館、百貨公司的各種展覽，吸引著無數好奇心和欣賞者。美的創造喚起心靈的共鳴，建設性的設計引起一片讚賞，史蹟的展示激發起民族的驕傲。有人迷失在美服的絢麗光澤中，留戀不捨，有人自願罰站在高矗的書牆前，浸入物我兩忘的境界。還有那座小小親切的兒童書城裡，活潑的小手小腳忽然都乖巧地安靜下來，一雙雙流動在書頁上的眸子閃漾著智慧的光，暫且撂下重甸甸的書包，隨著魯濱遜去荒島歷險，跟著愛麗絲去漫遊仙境，還有許許多多馴良可愛的小動物，一一從書中跳出來，圍繞在四圍……噢，噢，多美好的星期天！

……

多美好的星期天，
讓我們去兜風，
讓我們去公園散步。

輕風吹拂，和風駘蕩，清風播揚，輕快的音樂乘著風的翅膀，在公園上空迴旋翱翔，噴泉隨著韻律起伏升降，鳳尾草和大王椰歡欣舞蹈，滿花架金紅、橘黃、玫紅的，九重葛巍巍顫顫似蛺蝶蹁躚。一池塘紅白相映的睡蓮盈盈舒展於田田荷葉，小橋如虹，流水潺潺，亭台飛簷，廊榭曲折。輕蔭下安詳地並坐著老伴兒倆，石凳上親密地偎依著情侶雙雙，兒童活潑的身影嬉戲於草坪花堦，青年人矯捷的腳步蹓躂於陽光大道。年輕夫婦推了嬰兒車，交換幾句絮語，一個微笑。音樂台上有合唱團唱著讚美詩歌。笑語盈盈，歌聲抑揚，都市中的綠園瀰漫著和平的氣氛，到處是音樂，到處是生意，到處是喜悅，噯，這樣的辰光，又多麼美好！

Ha ha ha beautiful Sunday

This is my my my beautiful day

When you say say say say that you love me

Oh my my my it's a beautiful day

一枚枚活潑潑的音符，輕捷地跳躍於指鍵間，又迅疾滑落四溢溶入幽雅，溶入朦朧，溶入檸檬黃、葡萄紫、鸚鵡綠、珊瑚紅、寶石藍、瑪瑙、琥珀……音波和光彩交織放射，分不清是光之音樂，抑是音樂之光。棕櫚的輕蔭掩映中，霓虹及吊燈的暈染下，軟軟的座位，鮮豔的轉椅，水晶杯裡漾著象牙、嫩黃、淺粉的玫瑰花蕾，衣香鬢影，杯叉交晃，咖啡、龍井散布著芳香。電子琴一曲又一曲助興，且在這人類的加油站——餐廳、咖啡館，充一充飢，解一解渴，養養神，享受片刻閒暇的趣味，優美的情調——哦，這樣的星期天多麼安逸，又多麼美好！

多麼美好的日子。

讓我們去兜風，

去追逐陽光。

讓美麗的星期天永遠伴隨。

似海濤沖激，似波瀾洶湧，似浪潮起伏，歡暢的音波飄揚在海邊，迴盪在沙灘。似山風獷厲，似松濤呼嘯，似百鳥啼唱。奔放的旋律，縈繞在林間，盤旋在山谷。似天籟悠揚，似自然呼喚，似麥浪淘淘，愉快的節奏旋舞在田野，繚繞於草原。

陽光普照，空氣澄淨，輝朗的穹蒼深邃亮麗，浩瀚的大海一碧萬頃。青山綿亙起伏，原野廣闊無垠，且摒除那些煩慮塵思，解脫那些名韁利鎖，忘卻那些繁瑣俗務，放棄那些生存競爭，走向自然，走向海洋，走向山林，走向曠野，讓生命盡量奔放，讓心胸盡情歡唱。聽那熱烈的曲調，來自年輕的吉他手，一群年輕人正拍手、頓足，長髮飛揚，短髮飄拂，從心底唱出青春的熱狂。聽那振奮的旋律，來自一只只小小的提盒，隨著拎它的手一路撒下跳躍的音符；有人在山徑哼哼，有人在林中高唱，有人在溪畔吹口哨，也有人只唱在心裡。一樣浸沉於韻律的共鳴，陶醉於自然的瑰麗——噯，似這般返璞歸真的時光又多麼美好！

……

Making Sunday go on and on

Hey hey it's a beautiful day

誰，誰唱得那麼荒腔走調？沒有吉他伴奏，沒有電子琴彈唱，也沒有身歷聲在播放，我停下開鎖的手，環顧四周，夕陽下，暮色輕攏，小園幽幽靜靜，只狗兒親切地迎上來搖頭擺尾，金絲雀在籠中啾啾唧唧——原來是我自己，倦遊歸來，情不自禁哼出荒腔走調。

噢，美麗的星期天，美好的日子。

嗨！嗨！嗨！

一九七三年十一月二十四日

編註：本文原刊於《中國時報．人間副刊》，一九七三年十一月二十四日，第十二版。

若和春同住

從風雨淒寒的隆冬中解凍。
身肢似乎有所感受，
心臟似乎有所躍試，
精神似乎有所提升，
靈魂似乎有所醒悟，
只由於二十四番花信風殷勤催生，季節將更換。

自長長一季蒼白的陰鬱中超度，
有人在尋尋覓覓，
有人在到處探詢，
有人在焦灼地等待，

有人在迫切地引頸翹望，
只因為氣象預告，今年春早。

今年春早。那麼請問，
春從什麼時候、什麼地方開始？
春有沒有起點？
又從何處獲得春的消息？

請先別嚷嚷，且敞開靈魂之窗：從四周，到郊野，到山林，到天空，放眼去觀察：
樹椿萌發的新芽，枝頭舒展的嫩葉，莖梢含蘊的蓓蕾，階前初長的小草。
杜鵑的嫣紅奼紫，山茶的粉嬌白潔，迎春花星星閃閃，蒲公英燦燦的黃。
鳥雀成群結隊翱翔，雙翼背負無雲的藍天，驕陽滑下光澤的羽毛，待斂翅憩息，一隻隻在電線上組成美妙的五線樂譜。
蛺蝶甫自蛹繭蛻化，輕盈地翩翩於花間，粉翅閃耀著新的光彩，舞一陣歡暢，旋即又醉吮於蜜汁的芳醇。
天空更遠，更深邃。藍得碧澄澄讓人目眩神馳。太陽更高，更白熱。金色的熔液氾濫了大地。

星座加速轉移，星雲忽聚忽散，星群越來越繁密。夜空中，閃閃爍爍，顯得明亮而低懸。

這裡，那裡，不都是春的徵候！

請先別擾擾，且屏聲寧息，自寂靜，自安謐，自肅穆，自和諧，仔細地諦聽：

微妙的天籟，輕輕細細，隱隱約約，彷彿仙樂自雲際飄飄，彷彿山風在幽谷迴盪，彷彿回聲從四方呼應——那是星辰移動，大地解凍，生命成長的聲音；是季節的號角。

天風掠過山巔，松柏歡欣呼哨，清風吹過樹梢，新葉喁喁低語，和風拂過竹林，搖曳一片清韻，微風吹動屋簷串串風鈴，迸發金屬水晶的清脆，散揚於晨昏。

穿越過田野，澗溪淙淙奔騰，沖躍過岩石，山泉鏗鏘流瀉，水位上漲，湖沼湲湲地滿溢，潮汐升湧，海浪澎湃地激盪。

嗶嗶喇喇，是種籽在土中迸裂。悉悉索索，是初芽勇敢地竄出地面。滋滋屹屹，是幼苗在陽光下迅速茁長——這是一組可愛的旋律，但輕得卻不是肉耳能聽見。

雲雀嘹亮的歌聲從天而降，金絲鳥巧囀豐盈的自撰曲繚繞不絕。鷓鴣只唱牠獨特的短調，麻雀歡喜得吱吱喳喳，還有新雛的啾啾唧唧。鳥們的合唱最是悅耳動聽。

從長長的冬眠中甦醒，動物各自亮亮嗓子，顯顯生之威風。也有那求侶找伴的，重重複複哼著那支傳統的古老戀歌。

而沉寂了許久的蒼穹，猛然爆出一聲春雷，震撼了大地河山。

這些，那些，不正是春的信號！

請先別盤問，且深深呼吸，從空氣，從輕風，從陽光，從霧雰，好好地聞一聞：新鮮的空氣流轉在身畔，澄清得像剛濾過的甘泉，斟上又斟上，洋溢於無色無質，吸吮再吸吮，清冽涼沁肺腑，提神，醒腦。

生長中的草木散發著「青青」的氣味。幽幽淡淡，清清爽爽。若有若無間飄進鼻孔，滲入血液，使人神清氣爽。

花香隨風四溢，薔薇的甜美，玫瑰的馥郁，蕙蘭的幽雅，素馨的純淨，水仙的清冽，梔子的濃烈……凡是花的芬芳，總教人陶醉。

泥土重新翻耕的氣息混合著有機物的化學成分。溫潤而帶點沉濁，宣告它正在發酵，在醞釀，在孜孜懇懇準備另一次孕育和誕生。

陽光醇醇厚厚，溫馨暖熱的氣息，吸進感冒一冬的氣管，有被伏貼熨過的舒暢。摻一些被蒸發溶化的青味花香，更帶點薄薄的醺意。

霖雨潤濕清涼的氣息，浸漬著淡淡的蜜味、薄荷、茴香。啜下那些清涼沁冽的滋養，從神經到血管彷彿都已經過洗滌和潤澤。

大氣中滲揉了如許生命的氣息，自然的氣息，花木的氣息，泥土的氣息，海洋湖沼的氣息，白晝和黑夜的氣息……飄忽放播，又融匯凝聚。充沛於天地中，播揚於宇宙間。

這般，那般，不正是春的預兆！

請先別詢問，且平心靜氣，讓感官，讓性靈，讓心跳與血脈，讓生命自己去默默體會：

你可曾覺得四肢靈活，動作敏捷，腳步輕快，肌膚滋潤而光澤，行動充滿力量。正待抬頭挺胸向前，接受生活新的挑戰。

你可曾感到血液激進，像澗溪暢流，快速的循環，使一身活力充沛，精神振奮，一股銳厲的勇氣，蓄勢待發。正待再接再厲，打人生那一場仗。

你可曾感到心臟強有力的跳躍，似潮汐起伏，氣勢磅礡，胸魄豪邁，滿懷熱忱和信心，正待整裝再出發，踏上新的里程，邁向理想所揭示的目標。

你可曾覺得胸際有什麼衝動想振翼飛翔？你可曾覺得心頭有什麼沸騰想引吭高歌？你可曾感到無限青春氣概充塞於每一個細胞？你可曾感到自心底升起什麼熱烈的欲望或興趣，渴慕於超越自己創造新的軌道，探索一切新的未知。

這一切趨勢，不都是春的召喚！

春來時，並不選定何時何地開始，彷彿悄悄地，默默地，一點一滴慢慢地滲透浸潤，常被粗心的人忽略。又彷彿忽然間從天空，從山巔，從海之角、地之涯，從四面八方洶湧氾濫，來一個目眩繽紛，措手不及。

春沒有固定的起點，來在所有的地方，所有的生命，所有的事物中。也來在純情的人心裡，當你尋尋覓覓，遲遲疑疑，徬徬徨徨，懵懵懂懂，卻已熱熱鬧鬧瀰漫了人間。

春是青春的季節，一切重新開始的季節，充滿希望和信心的季節，只是，來得匆促，駐留也短暫。

若要和春同住，

就該在你剛感到春的預兆，剛發現春的徵候，剛亮起春的信號，便接受第一次召喚，迎頭趕上！

倚風樓・一九七四年二月二十六日

編註：本文原刊於《中國時報・人間副刊》，一九七四年三月三十一日，第十二版。

純樸智慧的境界

我覺得我是那個《小人國遊記》裡的格列佛，
當我無意中闖入這座可愛的小樂園；
玲瓏的小桌小椅安排得如此周全，
精巧的矮書架環列在四圈，
那巍然豎立中間的羅馬式大柱子卻不是城堡的巨擘，圍繞以一圈杏黃色軟墊：竟是天使寶座。
深靜的一隅更有弧線柔和的室內立體草坪，
旁邊雛型的舞台簾幕沉垂，正等待誰來扮演一個動人的故事！
我覺得我像那個住在豌豆樹頂上的笨拙巨人，
當我莽撞地衝進這片安靜的小天地。

一個個活活潑潑的小身軀斯文地安頓在座椅中，
一顆顆黑髮頭顱優雅地低低俯垂，
一張張會叫，會唱，會笑的小嘴緊緊地抿攏，
一副副矯捷的肢體乖巧地伏伏貼貼。
沒有老師鎮壓，也沒有大人干預。
多麼有教養的一群小紳士和小淑女！

孩子，生命中的清晨，兒童，人生的曙光。他們剛從上帝那兒來到人間，充滿了去發現一切的蓬勃朝氣、冒險精神，和好奇心。這廣袤繁複的世界，在他們尚未誕生之前，已存在許許多多稀奇古怪的好東西，正急不容待地要去認識、嘗試、體會。在他們加入以後，又不知有多少新鮮有趣的事物，等著被探勘、發掘、開拓。電動火車、會唱歌的洋囡囡，是大人為他們製作的玩物。跨一支竹馬，捏一個泥娃娃，是他們自己創造的玩具。打球，做體操，是學校教的運動。跳橡皮筋、玩彈弓是他們自己發明的遊戲。一堆瓦礫堆堆砌砌是國王的城堡，幾張椅子拼拼接接，便是上月球的火箭。爬牆攀樹，調皮搗蛋，玩笑惡作劇，小手小腳從不閒息，小小身心從不疲倦，只為有的是源源活水——取之不盡、用之不竭的充沛精力。

而這一刻，當智慧和喜悅引導他們的小腳來到這兒，又是什麼改變了他們的氣質，約束

了他們的行為，收斂起他們頑皮好動的天賦？看他們三三兩兩，成群結伴而來，有的是兄弟姊妹，有的是街坊鄰居，有的是同學好友，一路也曾嘻嘻哈哈、推推攘攘，待臨近門口，便自然而然放輕腳步，屏息寧聲，一個個安安靜靜地走進去，走進綠色的和諧，走進寧謐的氣氛，像一滴滴雨滴，溶入一泓清澈明淨的池水裡。書架上一疊疊七彩精印的故事書正親切地招呼著哩，打從小心眼發出默默的歡呼，眼睛煥發著光彩，腳步輕快趨前，小手旋揀旋取，每一冊未曾看過的都是一些奇妙的寶藏，一座豐富的礦山；小心翼翼地捧著寶貝，找一個舒適的位子坐下來慢慢地發掘。生動鮮明的圖畫是那麼可愛，魔法似的字粒更是引人入勝，就那樣一粒粒串疊起來，便組成一篇篇動人的故事，一則則有趣的寓言，一首首美麗的小詩，一個個好笑的笑話，小心靈浸潤其間，跟著高興、跟著擔憂、跟著快活、跟著焦急！那是個多麼、多麼親切可愛的世界！原來所有的動物、花草、星星月亮，山水泥土什麼的，都有它們多采多姿的生活，堅韌向上的生命。有光輝的時光，也有生長的艱辛，而那些溫柔的公主，勇敢的少年，好心的仙女，公正的老公公，仁慈的母親，正直的孩子，善良的人們，以及糊塗蟲，壞蛋，戇大……所發生的各式各樣故事，就是用天上的星星來計數也數不清。

看他們端坐在椅中，支肘在桌上，倚靠著柱子，俯伏在平台，就那麼靜悄悄地遠離現實，潛入另一個充滿夢幻、神祕、冒險、驚奇、歡樂的美妙世界；以心靈的語言和動物、和大地和風雲星辰說話，以赤子的真純跟花、跟草、跟小鳥做朋友。而那副心無二用、自得其樂的憨態，那一會皺眉一會發笑的傻相，那種一本正經而又稚氣十足的表情，那種聚精會神、沉迷如癡的小模樣！更是鮮活可愛的大書，生動美麗的圖畫！噯，我讀，我欣賞——

蓬鬆的短髮覆著眉眼，胖嘟嘟的臉頰下巴還帶個窩窩，儘管桌子那麼矮，短短的胳膊還吃力地抬起來擱上桌子，雙手捧著本書像架小屏風似的遮在面前，那樣小一個小不點，一準還沒念過ㄅㄆㄇㄈ，卻看得那麼入神，是三隻小熊抑或是三隻小豬呢？能有隻毛茸茸但不是絨布做的小熊好好哦！

那張臉看來就透著點頑皮，小鼻子翹翹的，好像隨時會從鼻孔裡不屑地哼一聲，否決一切，那一撮短髮也有點桀驁不馴，一會臉靠著手肘，一會下巴擱在手背，人和書的姿勢都時常變換，只有眼睛盯得牢牢地，想是《湯姆歷險記》中那個跟他一樣頑皮的主角對了口味，活躍的小心靈也跟著去探險犯難了。

天上的星星，地上的小花，還有，那小女孩瑩澈的大眼睛，有什麼比這更美的？同情和仁慈的閃耀，又更添注了盈盈柔暉，是擔心那個善良的白雪公主會被騙吞下那枚毒蘋果，還是生怕可憐的灰姑娘從王宮回家的路上被耽誤了，華麗的金馬車將變還大南瓜？

那麼渾圓渾圓一個小平頭，真像個熱帶椰子，配上結結壯壯的身子骨，厚敦敦的憨相，活脫是運動家的雛型，口袋裡鼓鼓的不知是彈弓，泡泡糖，還是一隻青蛙？不過這一刻這些寶貝似乎都不在他心上，淘氣的木偶皮諾丘才是他最關心的，為了逃學被人變作驢子耍，真是划不來！

多麼沉靜，多麼端莊，那個小姑娘坐得挺挺的已有了淑女優雅的典範，長睫毛在柔嫩的臉上微微閃動，顯得那樣用心，厚厚一冊是《小婦人》罷，四姊妹間有著多少親愛感人的故事！也許是《苦女努力記》，那女孩從苦難中奮鬥過來，又多麼令人感動！

不嫌重了些嗎？那樣大一副鏡框架在清清癯癯的臉蛋上。小小年紀就為心靈的明窗加上了玻璃。準是個小書獃、小書迷，還是個小學究！聚精會神是在研究孫悟空怎樣一個觔斗十萬八千里，竟翻不出如來佛的掌心，還是思索小飛俠彼得潘怎麼能永遠不長大？嗨，眼鏡都滑下來了，快托一托吧。

好安逸喲！那圓臉女孩雙手支著下頦，俯伏在平台上。白紗裙襯著綠毯，像春天的雛菊綻開在草坡，朦朧的眸子似夢似幻，想是被愛麗絲的小手牽引到一個奇境：沒有身子的貓臉，撲克牌皇后，兔子的小屋，還有喝了縮小的藥水和還原的香菇，真真假假，又怎不教人目眩神迷？

哈，看得那麼入迷，連大門掮走了都不知道，那個傻小子咧著嘴，露出缺了門牙的洞穴，獨自笑得好開心。一定是看到自命為遊俠騎士的唐・吉訶德，穿戴了鎧甲頭盔，騎著瘦骨稜稜的馬，去攻打他心目中的長臂巨人——那些轉動著的風車。相信嗎？世上就有那種可笑又可愛的傻瓜。

……

天上有數不清的星星，人間就有數不清的童話。地下有挖不盡的礦藏，世上就有掘不完的故事。它們是從原始純樸的智慧、不滅不朽的人性、生命的奧祕、天真的欲望所蛻化的奇蹟，是人類一代代祖先遺傳給後代的，懷念和憧憬的弦琴。當琴弦輕撥，愉悅的旋律便引領心靈神遊於一個奇蹟世界。在那裡一切生命如朝曦初上，光芒萬丈。所有事物未經世俗沾染，明淨純潔。那是孩子們的伊甸園。幻想和夢在那裡實現，仁慈在那裡播種，愛在那裡滋長，希望的花朵在那裡開放，小小的心兒在那裡馳騁。更汲取智慧的養分，潤澤純稚的心園，儲藏「甜蜜」和「美」，在未來「回憶」的倉庫。

好羨慕你們，幸運的孩子！但願數十年歲月只是段真空，許我進入時光隧道。退回你們的時代，與你們共遊這可愛的小樂園，共享這安靜的小天地，也讓童話故事引領我進到純樸智慧的境界！

中央圖書館兒童閱覽室・一九七五年二月九日

編註：本文原刊於《中國時報・人間副刊》，一九七五年二月九日，第十二版。

莊嚴的語言

白圖多對米開朗基羅說：
雕塑，那是種莊嚴的語言。

是一種感受，一種意識，一種思想，一種心象，一種意欲，使之存在，占有空間，成為凝結的形態。

是一種信念，一種勇氣，一種精神，一種氣魄，一種力量，使之具體，占有空間，成為固定的狀態。

是一種感情，一種概念，一種渴慕，一種嚮往，一種憧憬，使之有形，占有空間，成為不變的姿態。

是一種動作，一種行為，一種過程，一種情況，一種反應，使之再現，占有空間，成為持續的動態。

是一種構想，一種追求，一種創新，一種突破，一種奉獻，使之表達，賦予空間永恆延續的生命。

莊嚴的語言：表達言詞所不能表達的持重、肅穆、端莊、尊嚴，敘述文字所不能敘述的生命的意象，內心的衝擊，思想的旋律，精神的提升，無聲勝有聲。

觸覺的藝術，實體之存在，可以觸摸，可以感覺；空間的架構，可以瞻仰，可以環視，更超越平面的視覺藝術。

從古希臘羅馬到現代，從米開朗基羅到羅丹，從單純的形態雕塑到空間造型的境界，從原始的玄奧、神祕、野蠻、魔幻，充滿神話色彩的東方古藝術，到具有現代意識，展示出衝力、動盪、掙扎、不安、迷失、成長與變動，走向多次元表現的前衛，未來派，抽象造型，景觀雕塑……種種雕刻變貌。

雕塑者獻出心力，付出技巧，揉入性靈，融進觀念。鎚鑿塑捏，千錘百鍊，乃化朽木為神奇，賦泥石以生命，使堅固的頑石，冰冷的金屬，鈍拙的原木，鬆散的泥土，賦有新的風貌、新的韻致，從深山絕崖、荒原幽壑中脫穎而出，以傲岸卓絕姿態，屹立於人類的世界。使易碎的玻璃、輕脆的塑膠、柔韌的纖維、化合的金屬，具有新的形象，新的光彩。自機械熔爐，燒窟模型中搖身蛻變。以超然獨特的丰儀，兀然挺立於無窮時空。

而木、石、黏土、金屬、化學成品，任何原始的物料或科技的材質，供雕塑者完成思想、情感、心象、意欲的具體表現，展示出美與力的真象，成長與變動的韻律，以及刻劃出人性的尊嚴與浩然之氣。融貫了抽象與寫實，融合了原始、現代，以及未來。

進入古色古香的軒敞樓榭，進入恢宏高雅的文化殿堂，進入古典的現代，現代的古典，那莊嚴的語言便默默地回響在雕欄彩簷的畫廊，悠遠地激盪於紀元前到二十一世紀的時空：

那裡，一艘斧鑿鈍拙的木船凌空行駛，彷彿正被波浪高舉，顛簸起伏。船上四個划槳的青年，有的偃伏閃躲，有的舉臂攔擋，有的伸手防禦，有的側身迴避，看似驚險萬狀，一臉恐惶，卻都凝注前方，沉著與風浪搏鬥，顯現出無比堅韌的生命力；自瞬間的臉部表情及反應動作，構成一股震撼人的壓迫感，幾乎可以感受到四周掀起波瀾萬丈，浪濤洶湧，小舟正面對狂風駭浪逆流前進，正是：「我當激流，不撓不折，同心共進，風雨同舟。」最具體的見證。

把握住一剎那的緊張情緒，捕捉到瞬息間的行動高潮，那一座「安全上壘」，一壘手猛然俯衝向前，伸雙手搶球，盜壘者卻已一溜煙就地滑倒，順勢自胯間疾竄一腳直觸壘包，小小人形所表現的矯捷身手，靈活動作，機智反應，及優美姿勢，恰如青春健康的生命之源泉，奔放洋溢，如此生動、緊湊、扣人心弦。

年輕的漢子穿一身代表國家榮譽的戎裝，手裡緊握的卻是鑿石挖土的十字鎬，那樣專注而又從容地揮舞著。一旁是精神矍鑠、拄鋤小憩的老農夫，正比手畫腳熱切地向面前那肩著鐵鍬、一臉渴望的少年述說什麼，是同心合力墾拓田園，開發資源，抑是建設國防？好一座「全民建設」和穆的氣氛顯示出人際的和諧、融洽、團結；更塑造出明日天清地朗，國泰民安的美麗遠景。

腦後梳一個鬆鬆的髮髻，老花眼鏡高高地架在鼻樑上，緊抿著微癟的嘴，嘴角一道道堆疊的皺紋裡便洋溢著無限慈愛，不盡關懷。那盤膝而坐，手中拈著針線正聚精會神縫紉的老婦，不正是人人都熟悉的形象：天底下億億萬萬母親的典範，偉大的愛的象徵！噢，是哪個天涯遊子，將內心拳拳的親情，深深的感恩，殷切的懷念，全一絲絲、一縷縷，銘刻在這座黑檀木的「慈母手中線」上，籠罩著如許濃濃的鄉愁！

山嶽站著，靠它深厚廣大的基礎，樹站著，靠它自己的根和幹，人站著，靠他自己的脊骨和力量。「魄」所表現的正是人昂然挺立於地球上的美與力，強壯的體格，堅毅的神態，豪邁的氣魄，從厚實的木質裡滲透出人類原始粗獷的生命力，撐持日月，俯臨河山，有似米開朗基羅「大衛」像的第二。

好一隻角稜稜，富有骨感的擎天巨掌，自黑色生存的基部高舉、伸展，伸向自由，伸向完美，伸向人生最高理想，伸向某種未知。「從黑夜到天明」，塑造一個具體的宣言，一個有力的指示。是一種期許，一種追尋，一種突破。是人對所生存世界的超越。

誰能納繁複的生命於單純？是那以一種厚實的橢形原木，飾以微妙的凹凸變化，簡單柔美的線條，便儼然構成擁愛兒於懷中的母子蹲像的雕塑者。頭部正中一隻無瞳的雕空獨眼，竟傾注如許愛憐於懷中嬰孩，每一條清晰的木紋裡都湧現出深執的「親情」，而整個優美圓熟的形象，又呈現出如此滿足、安詳，蘊含著無限生命成長的愉悅。

沉沉的黑檀木琢磨得有如大理石的光滑細潔，又溫潤如玉。自腳趾到反合在頭頂的指端，柔潤的弧線勾勒出「裸舞」精致優美的形體，迴旋、圓轉、揉升、沉醉於音樂的旋律，動作的韻致，讓體內燃燒的情熱，化作生命歡樂的擢升。與這「動」態正成為對比的是「婂」的「靜」態，長裙盈盈及地、嬌姿優雅地斜倚小憩，低眉、俯頰，一手輕按膝際，顯得嫻靜而安逸。同樣是雕塑者手下一些柔美的線條，不同的構想，賦予截然不同的形態：一個是現代的奔放，一個是古代的含蓄。

「自由的飛翔」，卻是五把生鏽的大花剪，那樣巧妙地重疊架立，鑲嵌銲接，居然就製造出那股騰躍的勁勢，那種展揚的氣氛，讓人感受到一翼沖天，自由飛翔的意向。

從原始的印第安圖騰、非洲黑人雕像、古希臘雕塑、東方的神像、中國的彩陶……到現代的抽象造型，雕塑，這莊嚴的語言，一直是通行世界的語言。它生動地述說人類的文化、思想、生活、信仰、風俗……自遠古，直到如今。

歷史博物館雕塑展覽・一九七五年十二月十五日

編註：本文原刊於《中國時報・人間副刊》，一九七五年十二月十五日，第十二版。

剪一幀「萬象春回」

剪出一點慧心，剪出一份巧思，剪出一種崇敬，剪出一片赤忱。

剪出虔敬的信仰，剪出誠摯的祝福，剪出樸素的願望，剪出單純的喜悅。

剪一季豐收，剪一年吉祥，剪那歌舞升平，國泰民安，剪四時美景，剪風調雨順，剪那福慶有餘，積善之家萬萬年。

剪一尊神祇，剪一尊菩薩，剪那普度眾生，佛法無邊；剪忠孝節義，剪神話故事，剪那歌功頌德，百世流芳。

那古老又古老，東方又東方，中國又中國的民間剪紙藝術，起源於我國遼闊廣袤的領域，孕育自歷史悠久的傳統文化，發祥於炎黃子孫善良的民風與宗教信仰，根植於中華民族特稟的天賦與本能。沒有著作，不用印刷，更不需教學和推薦。自小耳濡目染，看在眼裡，記在心裡，加添一點自己的創意，一剪刀、一剪刀，默默地流傳下來。不是宮廷藝術，不是學院課系，也不是什麼「家」嘔心雕琢，只是多半出自女性細緻的慧心，美的本能，和一雙巧手——有書香宅第的大家閨秀，沿街淺戶的小家碧玉，莊稼田舍的農婦村姑，耄耋的老祖母，年輕的主婦，小姑娘，以及民間平凡的愛好者。一剪刀、一剪刀，剪出人們共同的願望，真實的感情，淳厚的生活風習，原始樸拙的趣味。

歲朝吉慶，預占佳兆，剪一幀「萬象春回」、「龍年卜太平」、「三陽開泰」、「五福臨門」、「喜上眉梢」、「金玉滿堂」、「松鶴長壽」、「百年和合」、「三星照戶」、「年年有餘」。祈求生活吉祥、如意、平安、美好，原是人類最初最樸質的願望。

良辰佳節，鼓舞歡欣，剪一幀「龍戲珠」、「舞獅」、「鬧元宵」、「團圓宴」、「龍船競渡」、「乞巧圖」、「嫦娥奔月」、「玉兔春靈藥」、「百子嬉春」、「放炮竹」、「家園樂」、「重陽放風箏」。善良繁富的習俗，正代表一個古老民族敦厚淳樸的民情。

日出而作，日入而息，剪一幀「春耕圖」、「漁家樂」、「嘉禾生春」、「牧童騎牛」、「繡女」、「柳浪聞笛」、「敦親睦鄰」、「課子圖」、「漁」、「樵」、「耕」、「讀」四季圖。勤奮和休閒，譜出農業社會單純、安逸生活，恬適和諧的節奏。

愛好自然，喜愛動物，剪一幀「百花獻瑞」、「石榴多子」、「牡丹富貴」、「竹報平安」、「梅開五福」、「松柏長青」。剪一幀「好鳥枝頭亦朋友」、「龍鳳呈祥」、「鹿鶴雙仙」，「麒麟送子」、「福祿鴛鴦」、「祥龍呈瑞」。字義和物體鑄在一起，愛心及祈福相互交融，已是物我渾融的境界。

人性至善至美的尊崇愛慕，佛法嚴正慈悲的敬仰頂禮。剪一幀「忠義千秋」武聖關公、「正氣浩然」文天祥、「孝勇雙全」、「木蘭從軍」。剪一幀笑口常開「彌勒佛」、大慈大悲「觀世音」、嚴正無私「玉皇大帝」，這就是中國人四維八德的倫理思想和虔誠的信仰。

一剪刀、一剪刀，巧妙地把字和字重新排列組合，凝成「歲歲平安」、「招財進寶」。把字和物重疊穿插混合，配成「福（蝠）慶（磬）有餘（魚）」等斗方。一句句吉祥佳句顯得那麼四平八穩，堅固扎實。將字的意義和象徵融為一體，字的諧音和物體鑄成一起，「喜（鵲）上眉（梅）梢」，「四季（月季）平（瓶）安」。一張張吉祥畫又多麼生動諧趣，剪成大大小小、各式各樣的字和畫，便貼在門扉、窗櫺、牀檔、牆壁。裝飾在器皿用具上，點綴在供盅果盤裡，把願望、歡欣、祝福散布在生活四周，如同將陽光撒布於居室住所，處處溫馨飄溢。

剪紙字畫，線條簡潔圓熟的，有著纖柔勻稱的美，造型粗疏素樸的，具有樸拙原始的風味。但不管南方的溫柔、北方的豪放，同樣都有著突出、明顯的主題，天真地、直率地訴說著相同的願望，真實的感情，虔誠的信仰，無邪的歡欣，赤忱的愛心。自然地、真實地表現出生活的勤奮、安逸、悠閒、情趣。帶著濃濃的鄉土氣息，獨特的地方色彩，帶著歷史性的醇厚，傳統文化的芬芳，與那古老民族的特性、感情、思想、信仰，一脈相連。

剪不盡五千多年歷史文化豐富的寶藏。

剪不完五千多年優秀民族蘊厚的內涵。

唯有，唯有歷史最悠久，領域最廣闊，文化最高深，民族性最堅強，傳統習俗最根深柢固的中華民族，才能產生這般優秀的民間藝術，擁有如此豐富的民藝資源。

只是，幾十年外患內憂，烽火摧毀了生活的安逸，這份閒情雅致似乎已逐漸被終日惶惶碌碌的人們所遺忘。

只是，近年來工業突飛猛進，人們執迷於物欲的追求，這份珍貴的文化遺產，似乎正漸漸被機械文明所淹沒……

龍，這東方的瑞祥：當龍年龍騰之時，東方的性靈也隨之恍然擢升於物質的污染。猶如春雷驚蟄，衰微中的剪紙藝術甫自冬藏中復甦。卻從民間、家庭，堂皇地進入文物菁華薈集的歷史博物館，而且即將遠渡重洋，把古老中國民藝的風采和幽香，散播到海外世界。

濃濃的鄉土氣息瀰溢於畫閣迴廊。那些久暌的剪紙圖形，帶著如許親切感，恍惚又喚回了過去美好的時光。那生動的「舞龍」、「鬥雞」，威風凜凜的「黑白二將軍」、「威鎮門戶」、「甲辰門神」、「武聖關公」、「魁星占元」，兩老相對作揖賀年的「恭喜發財」，六位笑臉神祇「天官賜福」，神態唯妙唯肖的吉禽瑞獸「鳳凰」、「孔雀」、「麒麟」、「石獅子」、「雙鳳」和「四鯉」的圓形，還有形狀不一，「竹報平安」，「麟趾呈祥」，「梅蘭竹菊」等好些幀圖、字鑲嵌的「窗花」，依稀賦有傳統的風格，纖柔圓熟中揉合著原始樸拙的趣味。

「紅梅多結子，綠竹早生孫」，參差交織的梅花竹葉中湧現一張張稚真的孩兒臉，溫馨可愛。「好鳥枝頭亦朋友」，「菊花與小鳥」，花叢中小鳥雙雙對對，一襯以粉紅麻織品，一黑色鏤空卻以淺綠絹裱紙顯示物體，使畫面突出而饒有圖案的風格。

頭上頂甕的少女「頂上功夫」，流星錘的女孩「溜錘」，腳上玩木桶的女人「頂」，表現出力與均衡的美，「木蘭從軍」白馬騰躍，英姿俊逸。「牧童與村姑」，相互呼應，舞姿優美，「回娘家」推著獨輪車送媳婦回娘家卻戴一頂現代的一把抓絨線帽，詼諧有趣。這些取自過去生活背景的素材，摻與新的手法，給予一種生動的韻律感。

花朵和綵帶飄拂飛舞，仙姿綽約的「花之神」；合掌端坐蓮座，繞以香花朵朵的「佛」，頗有敦煌壁畫的情調；少女策馬繽紛的梅花叢中，「馬蹄香」典雅中有詩意的感受。

「伴」三隻紅嘴，紅粉胸脯、腳肢，黑背的鳥，襯以灰綠、淺藍色布紋紙。層次分明，有立體感。「企鵝」也是三隻側立彷彿正喁喁對話狀，黑線條紅喙藍眼，神態儼然，很有靈氣。「鴛鴦」，悠然相依微波中，半襯水藍色迴紋桑皮紙，有如漣漪擴揚，這三幀畫面優美神韻十足，簡單的形象中寓有無限生機。

「心聲琴韻」，「問女何所思」，古典仕女已是現代風味的剪貼畫，「苗峒月夜」、

「阿里山之歌」、「山胞杵歌」，全是山地生活的現代造型。「民康物阜」戴笠帽低眉淺顰的現代村姑，正俯視耕作圖，四周圍繞以農產品、家畜。是這一時代的真實生活剪影。

一系列風景建築人物剪紙，蔣總統傳自城樓飛簷、忠孝傳家的「武嶺晨曦」到「以寡敵眾」，革命精神「嘉陵巨浪」、「蔣山長青」到「太武雄風」，以及十項建設高速公路、台中港等，構圖很美，氣魄雄偉，線條勻淨、工整穩重，卻更像木刻版畫。

鄧老太太一連串剪紙包括神話故事、民俗、動物和即興之作，古拙、稚氣而十分俗豔，顯出童心未泯和樸拙的趣味。

典雅合宜的裱襯烘托得更生動突出，是新的貢獻，但太多新的觀念、手法、刻意雕琢揉入原有的風格中似乎減損了傳統淳樸醇厚的特色。如同保留過去美好時光的回憶一樣，何不一面多保留那些原始樸拙的純民間藝術，一面再融入新的觀點、新的創意，拓展未來吻合這一時代生活習俗的創作；讓這份可貴的剪紙藝術從民間進入文化殿堂、學校課室；又從學府殿堂回歸民間，更普遍地發揚擴展。

祝「祥龍呈瑞」，且剪一幀，

「萬象春回」！

民間剪紙藝術展出・一九七六年二月除夕

編註：本文原刊於《中國時報·人間副刊》，一九七六年一月三十日，第十二版。

◎輯二　藝術步入生活

從起點出發

從起點出發，不必走動，卻享有凌風駕雲的速度。

從起點出發，不須移位，卻擁有任意馳騁的空間。

從起點出發，地球的面積似乎縮小了。因為轉瞬間便自甲地到乙地、自郊區到達城市。

從起點出發，生存的空間似乎擴大了，因為短短數十分鐘，便縱貫城鎮，橫越市街……而在這奇妙的生存空間，在這超越時光的速度中，是主人也是過客，是欣賞者也是巡閱使。可以入世探訪，也可以超然物外。

領略這份馳騁的情趣，只要費戔戔之數一張車票，乘上隨時待發的一輛公車，可以選擇任何一個目標，一路直赴，也可以順著行馳的方向，隨興之所至。

隨興之所至，揀一個晴好的日子，揀一個不是擁擠的時間，揀一個臨窗的座位，可以擁有一望無阻的視野，可以擁有整個活動的空間。可以無視於車廂裡的騷擾擠軋，可以控制窗扇、調節空氣、任意召輕風呼太陽。當車子一開始行駛，便放鬆心情，把自己付託出去。讓生命的活動靜憩，讓輕逸的思想雲遊。任由感覺去感覺，意識去意識。迅疾的速度有似醇酒淺酌，浸沉其間，使人感到微醺，感到薄醉，而車行的韻律是一支持續不變的進行曲，和著脈搏的跳躍，心的律動，彷彿已合而為一。

寒冬季節，揀那太陽照臨的一邊，一路沐浴在溫暖的冬陽裡，想像自己是一尾游魚，趁著春江水暖，順流而下。悠悠忽忽，潺潺湲湲，流向陽光之海，時間的大洋。流向滾滾的長江，靜靜的蘇州河。

春秋時分，迎風向陽都無妨，秋陽煦和吻頰，春風吹入襟懷。眼看世界紛紛後退，想像自己是匹駿馬，御風揚蹄、穿越煙塵，馳騁於陽光大道，騰驤馳驟，奔向莽莽大野、青青草原。馳向萬壑千峰，無垠的時空。

炎夏溽暑，早上最好。敞開車窗，和風撲面，散髮飛揚。想像自己是隻鳥兒，翼生雙腋，駕著清風，沖上晴朗天宇，自由翱翔，順著氣流，展開心之雙翅，輕盈地飄向樹梢。胸中全無罣礙，紅塵只是雲煙。

也有風風雨雨的時刻，涼風輕拂，沁入心脾。細雨霏霏，飄灑在臉上，給人一種被淋洗的清新和潤澤。雨密時，千絲萬縷織成天羅地網，雖在網中，卻透網前進，窗外景物隱隱約約，若即若離，平添一份朦朧的神祕，淒迷的美。車中人默默凝神，彷彿已溶入迷惘，化作詩情一片。

當風雨交加，豪雨如注。濃濃的濕霧堵塞前後左右，穿霧破雨，只在重圍中。司機小心把持，緩緩行進。龐大的車身也被狂飆急雨吹打得搖搖晃晃，車廂內卻保持乾燥、安全。且閉目養神，想像自己還是那個小嬰兒，躺在搖籃裡。母親搖搖籃的手，擋住了世上一切風暴。

當夏天的風暴突擊，一霎間驟雨滂沱，雷電閃襲。周遭漆黑，車子彷彿陷入混沌中。而每一記從高空劈下的霹靂，似乎都將擊碎車子的鋼甲冑把乘客擊成齏粉。馬達失聲、人人噤默，速度與時間膠著，每一道閃電卻可能引爆……待安然抵達，不禁慶幸逃過一次天災浩劫，經歷一次驚險衝刺，高興又重新回到起點。

從起點出發，揀一個晴好的日子，揀一個不是擁擠的時間，舒舒閒閒，穩坐窗畔。車行如風，大千世界在展示，文明在展示，風景在展示，人也在展示。

高高低低，參差矗立兩旁的建築物，可以當空間的立體具象藝術觀賞，也可以當城市發展進化史披閱。那磚瓦斑駁、樸拙古老的平房，可以想像很早以前人們蓋它，只為在地上圈一角遮風避雨，小小溫暖的家，或謙遜地經營一份事業謀生存。當物質文明越發達，人類的野心也越大，嫌占據地面不夠，更向空間拓展，一幢幢高樓巨廈竄上半空。冷峻、矜傲、炫耀著各種造型的美，哥德式、羅馬式、歐美式的屋頂有異國情調，而樸拙的老房子，予人親切踏實的感受。古榕修竹掩映著一角飛簷紅瓦，更牽引人回到悠久的東方文化。

懸空的、立體的、或橫或豎的招牌，一路殷殷招呼，有的實實在在自我介紹是什麼行號，什麼公司，有的謙遜地告訴人提供什麼服務，什麼小吃。有的誇耀是什麼中心，有的狂妄地自封是什麼大王，天下第一……語氣不同，目的一致，只是告訴人它們所以存在，隨時提供社會大眾生活的需要。

每一條陌生的路口，都是一種誘惑。常引起探勘的衝動，不知坦蕩的道路伸展到哪一個方向；每一條幽深的巷衖，都是一種神祕的未知數，常引起步行的欲望，不知曲折的長巷通向何處？一瞥之間：路的那端一抹隱隱約約，若斷若續的遠山，一團如火如焚、將墜未墜的落日。巷內那一幢綠蔭涵蓋，披覆著爬山虎的翠屋，那一座蒼榕低垂，瓦楞間憩睡著黃貓的屋脊，都令人心嚮神馳，永懷難忘。

綿延無盡的道路和建築只是鋼筋和水泥，而路樹，給這一切添注了生命。儘管局促地生存在泥磚密封的小小洞穴，儘管長年累月受煙塵污染、灰沙蒙蔽。樹群毫不畏懼地挺立成長，深深植根在瀝青砂礫下的泥土，婆娑弄影於車水馬龍的安全島與人行道上：大王椰英姿挺拔，招展迎風，茄冬濃濃郁郁，垂拂留情，尤加利軒昂出眾，鮮亮的葉片閃閃發光；蒼勁的老榕樹總被修飾得儀容端莊，憨厚的橡皮樹那深淺不一的大葉子，就像現代的畫面，最是風骨稜稜；傲岸不羈的木棉樹，光禿禿的枝椏上竟迸發出火焰般的花朵……每一種樹有它自己的風貌，一路上，全似守護神般肅立兩旁，撒下一抹蔭涼，播散一片祥和。還有安全島上一些灰撲撲最不起眼的矮枝，忽然間盛放紫、紅、粉、白的杜鵑花，當車子穿過夾道花徑，通過杜鵑甬道，那一叢叢花團錦簇，就在眼皮底下，鼻子底下，輕疾滑行。車速變成翅膀，恍惚自己就是蝴蝶，就是蜜蜂，逐朵逐株淺逗俯掠。

紅燈亮時，以龐大之軀，雄蹲十字路口，居高臨下，憑窗俯瞰車群，摩托車是敢死隊，專門鑽縫罅、軋空檔，計程車、小轎車各逞神通，擠擠攘攘、密密麻麻；就像沙漠奇觀拍攝的，那些蠕蠕蠢動爬行的甲蟲和螞蟻，而這是文明奇觀的現場製作，車中人體會到真切的臨場感。

而那些臉，那許許多多排列在站上的臉，行駛時一張張滑過眼底，像一頁頁翻過去，停靠時便坦率展示眼前。人經常用衣服遮掩住沒有表情的軀體，卻讓洩漏自己祕密的臉裸露在外，不知不覺地寫著思想和感情，寫著冷漠和矜傲，寫著熙灼和不安，寫著疲倦和煩躁；生活經歷和歲月更在皺紋裡刻下了不可磨滅的紀錄。窺視別人的祕密實在不敬，但不想讀也得讀。公車人生，正是現代人同時享受機械便利與精神壓力的寫照。

倦遊歸去，將近黃昏。空氣污染，已不及早上清新。煙塵迷濛裡，忽然冒出一注注鮮明的黃色潮流——是戴著黃帽子、揹著黃書包的小學生，像數不清的黃菊花，浮動在光和灰土的大洋；不斷湧現、氾濫、四溢，又一小注一小注分散，滲入人之流、車之流。於是，一些小小稚氣的臉加入臉的隊伍，進入車廂，儘管重甸甸的書包和一些零碎壓垮了肩膀，儘管找不到座位擠在人牆中顛簸搖晃，沾著汗水和泥土的手臉，亮亮的眼神，毫無顧忌的笑語，活潑而又不安分的舉止，立刻在昏昏慵慵的氣氛中攪起了泡沫。當一個小不點蹣跚下車時，不忘記回頭向幫她扶書包的車掌說：「謝謝阿姨！」清純的童音，換來了大家的莞爾。另一站，一個抱在媽媽懷裡的小男孩，轉身朝車頭喊叫：「司機叔叔再見！」微笑的漣漪更擴漾在每人唇畔；冷漠隔閡全消，竟是一車的祥和愉悅。

車抵終站也是起站，抖一抖灰塵，整一整衣襟，也在心裡輕輕說聲再見！多謝，給我一路暢遊，一路觀賞，一路平安！跨出車廂，走向一天絢麗的晚霞。

一九七八年九月二十二日

編註：本文原刊於《中央月刊》第十三卷第九期，一九八一年七月，頁一三〇～一三三。

假日，花展

假日花展。

假日，花展。

假日，花，展。

是人的假日，花被展出。

是花的假日，人在展示。

花自遠遠近近，各處苗圃、花園、溫室、養花人家，送來這兒集合、展開，人從城市的高樓華廈、公寓宅第，趕來這兒觀賞，呼吸著混合花香、葉的青味，泥土氣息的鮮美空氣，瀏覽著綠的翠、花的妍，生命鮮豔的顏彩。人們穿梭在花叢間，繞著花花草草流轉、低迴、沉醉，顯得多情而迷戀。花草靜靜佇立於架上、地下，對著不息圍繞流轉的人、顧盼讚賞的眼光，只是脈脈含情，悄悄散布芬芳。人花間那份默契，盡在蘊藉不言中。

先要觀賞的是展出「主題」。噢！花草當然不會寫文章。所謂「主題」，就是正當時令、當天領銜展出的主角，應廣泛邀請這一品種的直系親屬、血緣親戚，一系列陳列在展示台上，作個別介紹。那真是難得一見的洋洋大觀。

印象中，玫瑰穠豔馥郁。可是，那天在展示台上，一眼望去，幾百朵瓶插盆栽的盛開花朵，全都淡淡雅雅；那樣柔和，那樣嬌嫩，那樣瑩澈溫潤，讓人覺得別的花都嫌太濁，世上的顏彩也太庸俗了。那凝脂滑玉似的花瓣，象牙雕刻似的花瓣，滲染著柔柔的粉紅，淡淡的鵝黃，淺淺的霞紫，乳白中泛著隱隱淺橙，嫩黃中溶著一抹輕紅，水綠漾在象牙白裡，真是淡至若無還顯，淺到透明猶溢。這其間也點綴了幾株似暗紅絲絨剪貼的黑玫瑰「皇后」，猩紅的「迪奧」和亮橙的「比比」小姐，相映烘托，益襯得深的更穠豔，淺的更柔美。

蘭花作主題時，那種豪華絢麗，真箇是奪目耀眼，滿場只見成群結隊的紫、白大蝴蝶，抖抖擻擻停憩在細長的柔莖上，翹揚低垂，欲飛還休，原來全是盛開的蝴蝶蘭；三五成簇的黃粉蝶，卻是野生蘭；玲瓏的紫蛺蝶，又是石斛蘭；美齡蘭如此優雅端莊；嘉德麗雅蘭顯得雍容華貴；素雅精緻的拖鞋蘭，不知愛神的纖足是否真正套過；一葉蘭煢獨孤挺，威風八面，似乎很有個性；東亞美娘蘭一枝枝開得厚厚憨憨，那模樣十分富泰而帶點性感；最美妙的是一種來自新加坡的金色文心蘭，細細緻緻，輕輕巧巧，彷彿剪碎一片片陽光又串綴起來，搖曳著閃閃爍爍的金色光彩。

先別以為忽然來到了沙漠，那許多平時罕見的多肉植物和仙人掌，不過是當天領銜的主角。不說模樣有多稀奇古怪，芳名尤其奇妙有趣；像火勢燎原的是「火祭」，似立體凹字的是「曲玉」，蓬首飛髮是「狂獅子」，腰子元寶狀的是「銀河」；「冬星座」猶如海星，「青龍角」像麋鹿角；還有很氣派的「異想天開」、「新天地」、「象牙宮」、「延壽城」，神話式的「風雷神」、「牛郎織女星」、「龍山怒帝王」，文雅的「十二卷」、「夕陽」，很玄的「般若」、「秋思」，純中國風的「紅樓夢」、「四馬路」、「楊貴妃」、「花和尚」……真是美不勝舉，它們有遠自非洲、墨西哥、歐洲高山，也有印度、日本、中國雲南。也許就因為是生長在沙漠和乾旱地帶罷，它們似乎比任何植物都更能吸收和貯存水分，囤積養料，不管有刺或無刺，都長得那麼肥厚豐腴，充滿了生命的液汁。

最富中國情調的還是國蘭之日。那屬於古老東方的高雅氣質，清麗韻姿，幽遠馨香，沒有一種花卉能與它比擬。一進入場地，首先接觸的嗅覺，似遠還近，飄忽縈迴的幽馨，超越所有的花香，沁入心脾。展示台上沒有鮮豔奪目的花姿，只見一株株清癯挺拔、淡雅脫俗的春蘭、寒蘭、劍蘭綽然列陳，而每一朵俯、仰、偃、側的花朵，韻姿生動，充滿靈氣，彷彿隨時都將辭枝飛去。更有未著花只觀賞「葉藝」的蘭，像葉面有黃白線紋的「華山錦」，黃色細線的「芙蓉殿」，葉邊鑲金線的「太陽」、「錦旗」，有虎斑的「瑞寶」，葉尖白色似鳥喙的「金華山」，淺綠中夾有深綠影線的「曙」，起黃色綠條斑紋的「龍鳳呈祥」，以及「金玉滿堂」、「天松」、「白扇」、「金鳳」、「真鶴」……葉的名堂，比花的品種還多，真有點喧賓奪主哩。

只為我國地形像海棠葉，海棠花任誰都熟悉。開粉紅花的「秋海棠」，點點胭脂似的「貼梗海棠」，嬌柔含羞的「垂絲海棠」，和小巧伶俐的「四季海棠」。不想「觀葉」海棠也比花更多：看那葉面披覆水漾光澤絨毛的大葉「蛤蟆海棠」，綴滿銀白色星星的「斑葉海棠」，橄欖綠浮凸紫紅色莖脈的「撒金海棠」，葉緣鋸齒有銀色環紋的「立克斯海棠」，厚厚實實的「質葉海棠」，斑斕有致的「麻葉海棠」，楓葉般鮮豔的「珊瑚海棠」，披一身茸茸白絨，細長下垂的蔓莖上又萌生小葉的「虎茸海棠」……形狀那樣奇幻多變。據說全世界約有一千多種，如不說明地形像哪一種海棠葉子，怕不把別人給弄迷糊了。

且不管誰領銜作主題，其他族類也都踴躍參與。還有空運赴會的嬌客貴賓，是花草民族的大結合。有的心儀已久，乍然相見，恍若故友重晤；有的早已識荊，這才得知芳名，自有一番驚喜；更有素昧平生，卻一見傾心，猶如萍水相逢，結識了幾位新朋友，相交不嫌晚。

仰慕已久，「玉簪」果真玲瓏剔透，溫潤如玉，好想攜一枚插在母親鬢邊；「天堂鳥」高擎著火焰花瓣，似巨喙伸張，展翼待飛，很有鶴鳴九皋的神采；奇特的金黃色「五指茄」，讓人聯想起《西遊記》裡豬八戒吞食的人參果；「荷包花」密密綴滿枝梢，也不知裝的是什麼小小祕密；彩紋細致的「葛鬱金」像美麗的孔雀羽毛；少女的髮絲原來是婀娜多姿的「鐵線蕨」，彩色莧五色繽紛卻又渲染得那麼勻稱，參差配色，層次分明，是最佳圖案設計；同樣擁有豐富色彩的變葉樹，又完全採用印象滲透筆法，斑斕絢麗，就是同一株樹上，幾乎沒有兩片同樣著色的葉子，形狀更是千變萬化。大自然製成它們，似乎就是為了要給我們看它能製造出多麼奇妙的葉子。

賞花人也許只是一時湊興，對花事一無所知，也許天性愛好，渴望多懂得些園藝知識。那麼，隨便哪一個花攤主人，都樂於提供意見，傳授經驗，就地隨機教學一番。

——種玫瑰哦，要那種鬆鬆的沙土，它比較喜歡肥料，一個月加兩次，細枝一定要剪掉。那個一身泥土氣息的花農，熱心地告訴買主。

——養蘭花是一種藝術，你看，別的花草都用「種」，只有蘭花是「養」，這裡面就有很大的學問。四戒是春不出，夏不日，秋不乾，冬不濕。還有十二月口訣……那個長者風度的養蘭人恨不得將心得和喜悅一起度給別人。

而那個介紹花書的園藝家，卻向詢問者試著詮釋植物的生態生理、品種改良、嫁接繁衍……

入花山又焉能空手而返？那就順便攜走點花花草草罷，從大到需人抬走的大盆景、樹苗，到小得二三寸的袖珍盆栽，輕如羽毛的花秧；自數千元一株的名貴蘭花，到十元、二十元用繩捆紮的花草，任憑選擇。別愁沒有花材容器，這邊準備有各種肥料、蛇木屑、水苔、蛭石，甚至培養土；那邊有各式各樣大小花盆、花盂，精巧可愛的花鏟、花叉、花耙，印製精美的花書、花簽……縱使什麼也不帶走，卻已留下滿眼綠意，滿心蘊潤，一衣襟花香幽馨。

假日，不必準備，不用趕車。悠悠閒閒，逛一逛花展，也算回歸一次自然，洗滌一些俗念利欲，換來一番心曠神怡。

民眾活動中心花市・一九八一年四月十九日

編註：本文原刊於《台灣新生報・副刊》，一九八一年四月十九日，第十一版。

視聽藝術的幻境

不是悠悠閒閒等著聆賞輕柔的旋律、抑揚的節奏，且提高聽覺，預備承受怪異的電子震盪，和特殊音響效果的衝擊。

不是從從容容等著觀賞典雅細緻的舞姿、淒美感人的劇情，且敏銳視覺，準備接受燈光色彩瞬息萬變的迷惑和震撼。

那不是魔術，是舞蹈，活的雕塑，靜的造型，蛇一般遞蛻，鳥一般羽化，泡沫般幻滅。只是波動的光影，閃爍的顏彩，在戲弄著人體，轉換著背景，誇張線和形的變化，不住擴張、舒展、伸縮、扭曲，倏忽隱現，變化萬端，奇妙詭譎的氣氛，使人產生虛虛實實的錯覺。

那不是幻境，是舞台，銀河橫亙，太空迫臨，星球搖曳，大地翻騰，山川旋滾，都只是時、空藝術的巧妙運轉。是繪畫、雕塑、幻燈、音樂的融匯；是造型、空間，與人的組合。是電、化、聲、光、布景、道具的結果，彼此投射輝映、互放光彩、穿梭融貫、互相感應，交織成一片玄奧神祕，撲朔迷離，將人帶進奇幻詭異的化境。

而無韻的旋律，無調的節奏，一會沉重的敲擊，記記著實；一會艱澀的摩擦，搓揉著神經。一會尖銳拔揚，將心弦緊緊拉直；一會洶湧澎湃，似海嘯怒潮，又戛然終止。猛然間巨雷轟響，地動天驚，又倏忽屏息，突兀、衝動、爆炸性的即興音響，左右著觀眾的情緒，操縱著飄忽的精神狀態，控制了全場。

在這一段演出的時空，舞者的肢體只是另一枚音符，一枚優美的也是粗獷的音符，一枚跌宕的也是詭譎的音符，一枚溫柔的也是桀驁的音符，隨著無調的音響，緩緩蠕動，徐徐律動，款款擺動，瘋狂扭動；急遽旋轉又騰身縱跳，劇烈奔馳又敏捷躍升，輕盈滑行，又起伏漂浮。一個舞者是一枚音符。許多舞者是無數音符。彼此參差，相撞、顛撲、混合、糾纏、堆疊，又各自分開，各自舞蹈；舞在流動的光譜中，舞在閃爍的燈彩間，舞在突兀的音響裡。當聲音驟然沉落、燈彩倏忽熄滅，音響突然靜止，舞者也退隱、消失。

在這一段演出的時空，舞者的身肢只是另一種語言。一種原始的也是超時空的語言。一種生活的也是抽象的語言。一種誇張的也是晦澀的語言。在手舞、足蹈、俯伏、舒展、騰躍、顛撲、匍匐、伸縮……之間，似乎表露出現實壓抑下的苦悶、緊張、矛盾、恐懼，是生命的吶喊、掙扎，是人性中的衝突、欲情，是對未來的祈求、追尋，是由自身的限制中獲得解脫，被壓抑的能量發出來……你可以用自己的想法詮釋，用自己的感官接受，動作的語言，直接感受比傾聽更具震撼力。

在這一段演出的時空，舞者不是主角，不是重要因素，也不是唯一的憑依。是任何造型，是活的雕塑，是各種幾何圖形，是布袋玩偶。是舞台美術的配件，是整體劇場的部分，是多元性媒體綜合藝術的單一元素，是表達某種意念的活動道具，是有機體中的個體。燈光任意搓揉、撚捏、戲弄、撫愛，顏彩任意塗抹、漆刷、調配，斑斕絢麗，條紋迴旋，一忽化入光彩中，變成布景，一忽隱入彩渦裡，成為泡沫。在聲、光、色彩的宇宙裡，人只是具象作抽象表演，構成舞劇的三要素之一。

「聖堂」何在？一片空漠，彷彿水波漾晃，從地面緩緩起伏、輾滾、升高，一尊尊塑像模樣紛紛起立，人體在柔韌的環狀布套中彎成雕弓，張成四方，架立成三角，參差重疊，長短排列，身影移動，或曲或凹。突然樂器轟響，轟轟隆隆，似黃鐘大呂，幕後陡然聳起巨影幢幢，森嚴迫人，舞者肅穆頂禮，瀰漫著神祕的宗教氣氛。悠悠鐘聲裡，燈光轉明，巨影倏忽消失，朗朗然竟是兩座稜角威峻、氣勢崢嶸的大理石現代雕塑，崛立於舞台中央。

「元素」是蝴蝶的幼蟲，是美麗的蛹，三個柔軟的胴體，裹在紅白相間的圓錐形服式中，輕盈地滑行，優美地浮動；倒行似沙灘上鮮豔的圓傘，輝映著陽光和水色，凝立如層層疊疊燈塔，流轉著水很光亮；伸展俯仰卻像摺疊燈籠，熒熒燭火閃耀著紙殼的彩繪，閃耀著圓熟的丰采，生命的歡樂流露在搖曳的舞姿，溢盈於輕快的舞步，「元素的雜耍」三人舞，帶給人感官上無限美的享受和喜悅。

空間忽然擴大，地球迅疾轉動著迫臨眼前，蓊蓊鬱鬱的森林，斑斕塊壘的地層，縱橫矗立的山脈，攝人心魄地撲面而來。蠕動在山川大地的陰影裡，舒展在宇宙輻射的極光中，是三個長方形的軀體，扯成梭形，拉成長條，彎折成各式模型，凹凹凸凸，歪歪扭扭，擴張又收斂，流竄又靜息，騰躍又凝止，是生命在束縛中掙扎……是人類在壓抑下搏鬥，在圍困中衝突？驀地，布袋如蟬殼滑落，躍上石凳，昂首屹立於天地極光中，三具偉岸體魄，彷彿三尊莊嚴巨神，那是「面具、道具與動作」中人的「本體」。

機械化的律動，木偶式的舞步，有如夜裡的軀體，流轉幻變的燈彩是富麗的紋身舞衣。猛然間一陣金屬砸碎的巨響，紛紛迸散自高空，又是列車槓桿的鋼鐵摩擦，不絕於四周。鼓聲咚咚，恍惚進入蠻荒的原始時代，又是長鳴尖銳如絲帛撕裂，隨著忽高忽低迸發的怪異音響，舞者神經質的跳躍、跌撲、摟抱、接觸。忽聚忽散，旋合旋分，滑稽突梯的撫愛，生硬逗趣的擁抱，襯托以抽象動畫，戲劇臉譜，「愛撫」被誇張、渲染、戲劇化，人的激性顯得如此荒謬、可笑、愚蠢，而又無奈。

彷彿混沌初開，彷彿天地乍分，星球閃閃，白色篷帳似巨朵睡蓮，盈盈綻開，似綿綿雲蓋，冉冉浮升。當平平鋪展，人類忙忙碌碌，如熱鍋上的螞蟻；當徐徐捲攏，人類惶惶棲栖，如網中之魚，籠中之蟹。當飄舉懸空，人類雀躍攀緣，爭先恐後；當驟然下降墜落，沮喪頹廢，炫耀的生命，變作死亡的面具。「帳篷」是宇宙，是人間，是永恆。芸芸眾生，追求虛榮，謀取幸福，只是過眼煙雲，瞬間浮華。

高度的科技，豐富的想像，純熟的舞藝，是空間與時間藝術巧妙的組合。是物質領域和精神領域擴張融貫，也是實際人生的抽象表現。突破傳統超現實的藝術創新。

看一場尼可萊斯現代舞，也看過活的雕塑，躍動的畫，飛舞的顏彩，幻變的光，視覺上享受了一頓豐富的大餐。

看一場尼可萊斯的現代舞，神迷目眩地漫遊了一趟奇異幻境，一次次驚奇，一陣陣震撼，感受上經歷過一次美的狂飆。

不僅是感官的愉悅，美的享受，更喜歡那種新鮮和衝擊。

一切藝術，貴在突破傳統的模式，創造時代，開拓未來。

今天的前衛，焉知又不是日後的傳統？

觀賞艾文．尼可萊斯現代舞．一九七九年十一月二十八日

編註：本文原刊於《台灣新生報．副刊》，一九八五年十月五日，第七版。

藝術家的遊戲

震撼於藝壇一代大師的顯赫名望，

心儀於難得一見的珍藏陶瓷藝品。

揀一個微雨放晴的初春早晨，人潮洶湧前的清靜空檔，去造訪古典的東方藝術殿堂，去瞻仰現代的西方開創性陶藝。

一百八十六件。不只是一個數目，也是一堆分量。甫踏進場地的空間，那些密密排列的瓶瓶盤盤，彷彿正從四面八方擠壓包圍；那些淋漓炫麗的色彩，似乎正在明亮的玻璃櫃中閃動流溢。屏氣懾聲，躡足移步，逡巡在壺瓶盆碟、頭臉人體間，繞場一圈。一個多小時彷彿一剎那，卻已瀏覽了積二十五年的輝煌成績。眼睛滯澀，頭頸也疼。深深吸一口氣，環顧四周，此身已陷重圍中。只是，看過的人，那種懾於權威性又莫測高深的嚴肅神情，都已舒展開朗，唇畔浮漾著淡淡一抹會心的笑意——這才感到自己神經放鬆，嘴角也微微掀起——噢，該不是感染自瓷盆上那一張張既憨且傻的大臉吧！

沒有預期中震撼心靈的鉅構，技藝精深的極品。沒有銘感肺腑的激賞，心悅誠服的讚歎。陶藝不是傳統講究的火候、精純。繪雕仍是大師一貫的風格，常用的題材。但是，透過那些趣味的造型，誇張的人物，稚拙的臉相，怪異的形象，活潑優美的魚鳥，親切熟悉的景象，鮮明強烈的色彩，瀟瀟灑灑的筆觸，卻讓人看到藝術大師更真切的一面——一個任性、風趣、自信，喜歡藝術、醇酒、美色，才華洋溢、精力充沛，而又童心未泯的老人。

就是那個享有一生成功的老人，半帶藝術修養的嚴肅、半帶玩世不恭的嘲謔，隨心所欲地在黏土、陶坯、顏料釉彩中捏弄雕塑、塗塗抹抹，就像一個逮到機會的孩子，不住用到手的泥土捏弄成種種的形象。玩得那樣熱衷而開心，渾然忘記了身外的一切。

繪畫是不斷創新，突破客觀的束縛，樹立個人的風格；製作陶器也不按傳統的規律，只把陶土當作表現的材料；可以在既成的器皿上繪畫刷釉再燒製，也可以將陶坯在黑泥中浸濕再鐫刻。還有以石膏製模壓在黏土上，或直接在陶板上雕繪……而在所有作品中揉進奇特的想像，注入生命的氣息，以及他的戲謔、稚氣、幽默感，和愉快的情緒。

希臘神話中代表森林的牧神，半人半獸，亦善亦邪，生性浪漫不羈，想是大師心目中仰慕的偶像罷，曾經頻頻出現在他畫中，如今更列隊排行。大盤裡、小碟中、水壺上，頂著兩支犄角的頭臉，有眼如銅鈴，齜牙咧嘴的；有毛髮如獅鬃，兜住細小的五官；有一臉刁蠻惡作劇，有向日葵般純稚的孩兒臉偎依在綠葉裡，有粗獷慓悍一副海盜相，有牛頭馬臉四不像，有叉手叉腳如幼稚園小兒畫人，倒是猙獰稚氣中似乎都還帶點和善的意思，讓人親近。沒有比那更現成的鬥牛場了，圓的、橢圓的，大瓷盤兜住一股搏殺激鬥的氣氛。紅布翻飛，身影閃躲，激怒的牛騰躍奔馳，衝刺撲擊。著墨不多，人的狡詐陰險，牛的瘋狂狠勁，躍然盤上。最具諷刺性的是一只笠帽形的碟子，人臉陷在凹處看似動彈不得，牛身變成似長蛇，環繞馳攻神威莫敵。「憤怒的牛」該是畢卡索最傳神之作，據說他八歲時第一張畫便畫的是鬥牛。

女性的形象，變幻出現在立體塑像、水壺、花瓶、陶板雕刻中，線條柔和、姿形圓熟、體態豐滿，都只在強調胴體的美感，對於容顏，卻任意參差重疊，歪曲變形，總覺得缺少點尊敬，不是一般人能欣賞的。

看到那許多臉譜，才發現人的五官不管怎麼樣安排，總還是人臉。最簡單的三條弧線，一條直線，畫在大瓷盆裡，竟也有如此安逸的睡相，團團的笑容。圓的、方的、六角形的瓷碟陶坯上，五顏六色、大小高低的眼睛，歪歪扭扭如氣球般的長鼻子，腮頰刷二把竹籬紋，十足一副副嘲笑人生的小丑臉。那個嘻皮笑臉的大下巴好像史努比；那隻巨眼的瞳仁中卻嵌了一張慈眉善眼的佛相。連幾片碎瓷破瓦也是擠眉弄眼的。眾生相既醜且傻，狡黠、揶揄、驕矜……卻沒有愁苦。眼中嘴角，全漾著迷迷的笑意。

完整的魚骨蝕刻在棕褐色的盆裡，竟是那樣淒美的天然圖形。讓人想起洪荒時代，想起千年化石，卻沒有想到是被人類啃食的殘骸。就是那琴鍵般的韻律，引起了老人捏陶藝的靈感。只是，當所有的魚都兩眼並列在面孔中間，向人平視時，卻說不上是什麼感受。試想想端上桌的魚，若正在盆中兩眼瞪著你，又怎能下箸！

造型構圖最優美的，應該是有翅膀的飛禽。鴿子和梟，在鳥族中是完全不同性格的類型，卻一概蒙受榮寵。純白坯土的鴿子那樣乖巧地蹲伏著，聖潔、安詳、文雅，圓顱微側，凝視的眸中流露出如許溫柔，仔細端詳，又似乎稍帶憂愁。像是有點擔心，擔心牠維護的和平可會被破壞！墨黑如夜的錳土，塑成深沉的梟。圓眼怒睜，展翅兀立，顯得機警矯捷，威猛有神。另一座抽象模式，彷彿巨把的水壺，壯碩偉梧，有大理石般的光澤。小鳥的形象都十分純真可愛。一座鳥的抽象雕塑，有如帶環的炮座。繪有貓頭鷹的雙耳水壺，壺口是圓睜的巨眼，壺腹也是圓睜睜的巨眼。還有一只壺，梟的嘴臉在高聳的雙把上雄視眈眈，讓人覺得如握住雙環時，掌心準會有被啄的感受。

題為「泳」的二位蒼白的男性裸像，比起一旁美神的豐腴，更顯得單薄、羸弱，像是現在的紙雕作品。

「太陽與眼睛」，充滿了童稚的想像。大眼睛有著長長如禾草的睫毛，太陽有張扁方的臉，輻射線密密彎彎地圈抱著；幾乎可以感受到四面八方的光和熱。

水壺的造型線條簡潔勻淨，有典雅也有樸拙。題為「花」的色調柔和，構圖美妙。「兩個面孔的顏色水壺」，鮮明強烈、門神似的凶臉相，充滿諧趣。「太陽與魚」，瓶口像剝開下垂的香蕉皮，游魚挨近太陽，水想是沸騰的罷。「兩隻小鳥」，棕色和黑的構圖，烘托出潔白純稚的小鳥，顯得情趣盎然。

從童年開始，跨越兩個世紀，前驅一個甲子。在世界藝壇上已有卓越地位，在生命中也有豐盈的收穫。一個六十多歲，已經將比一般人更悠長的歲月和心力奉獻給藝術的老人，而在晚年，卻又愛上了陶藝，另一種開始，另一種嘗試，再度讓自己投入其中。也許，他那用之不盡的創造力渴望有新的開拓，也許，他覺得製作陶藝比揮動畫筆更能直接表現自己，可以觸摸、搓揉、捏弄，可以分掰開又黏牢，毀掉再重來。實質的存在，又超過平面的圖形，同時融合了繪畫和雕塑的藝術：捏捏弄弄，竟又捏弄了整整二十五年。

二十五年，捏塑雕繪了三千多件。怎樣地傾注心力！通過那些作品，再加上最耀眼的一件畢卡索本人穿著無領衫，鬆垮垮的短褲，雙手舞動著布片作鬥牛狀的放大照片，動作誇張、神采飛揚，皺紋縱橫的臉上，洋溢著童稚的歡欣——可以看到老人的暮年，是怎樣愉快地浸潤涵泳其間。享受著未泯童心，享受著創作的樂趣。一任興之所至，隨心所欲、揮灑自如。得意時，揚一抹會心的微笑，扮一個揶揄的鬼臉。或者撮唇長嘯，拊掌稱快。精深熟練的藝術造詣，做這些在他已是一種遊戲，輕鬆愉快，開心暢懷，絕不會有畫《格爾尼卡》那種嚴肅的態度，沉重的心情。

一個人，能夠擁有如此久長的生命，生命中能夠擁有如此豐沛的創造力，創作又使人永遠年輕。浸潤在創作樂趣中直到最後一口呼吸，這樣的人生，真箇是：生活即藝術、藝術即生命！儘管大師早已離去塵世，作品依然散發著他愉快、自信、嚴肅而又稚真的氣氛，和幽默詼諧的趣味。看過陶藝展覽，彷彿參與了老人的藝術遊戲。不僅領受到那股創作力的衝激，也分享了那份孩子氣的喜悅。

畢卡索陶藝展・一九八一年四月二日

編註：本文原刊於《青年戰士報》，一九八一年四月二日，第十一版。

把世界穿在身上

只因為那是「文化中很燦爛的一部分」，
只因為那可以「賦予一種宗教所不能賦予的和平」。
只因為那可以顯示一個人的尊嚴、氣質、風度、教養……
只因為那可以「告訴未來人文」……
我走進了繽紛的顏彩；走進了七十年代的春天，置身在未來的風潮流行。
淺粉的天空，飄浮著粉紅的雲朵，快活的小白兔嬉戲躲藏在粉撲似的雲層裡。
青青綠綠的田野，香菇像樹，草莓遍地，一幅幅鮮明可愛的房屋，竟全是靴子、南瓜、包心菜……

笑咪咪的海豚、鯨魚，躍出水面，緊傍著各式輪船，像是在比賽游泳。

穿著奇奇怪怪太空裝的小朋友，手裡舉著望遠鏡，高高低低巡逡穿梭在天空，窺探星球的祕密，宇宙的玄妙。

什麼童裝款式、衣服樣子，都只是大人在欣賞。穿著童話世界，穿著幻想王國，能把小心靈所崇拜的太空人，嚮往的海洋探險，和可愛動物穿在身上，才是真正滿心歡喜。

造物者創造萬物，最美麗的是花草，人類專揀最美的裝飾自己。模仿自然，吐自筆尖。一朵朵盈盈展瓣，千萬朵花團錦簇。韻姿萬千，躍然紙上。繁複重疊，千百種顏彩凝成濃豔，浮凸欲現，疏朗有致，千百種彩色化作淡雅，柔柔潤潤滲透紋理。輕輕柔柔的花雨、飄飄逸逸的花雲、纖纖細細的花網、稠稠密密的花潮……穿著不凋的花朵，把花季穿在身上，乃擁有永恆的春天。

那一抹湛深的藍，刻畫著斜橫的銀白線條，像閃電掠過穹蒼，瞬間停駐。

夜空似的漆黑，一束束七彩放射線，像是焰火流竄，貫穿長空。

只是圓，大大小小的圓，彩色的圓，空心的圈，串綴互扣，虛虛實實、疏疏密密，組成和諧之美。

只是方，端端正正的方，大小重疊，黑白相印。稜稜角角、清清爽爽，排出明朗的美。

簡單的組合，隨意的排列，穿著線條，穿著圖形。把幾何穿在身上，方圓中自有和諧的韻律。

那一幀渲染得如此燦爛絢麗，可是採擷了光輝的晨曦，抑是剪下了一段天邊的晚霞！

那一張如此鮮豔奪目，像是燎原的火焰，奔流的熔岩，似乎可以感受到灼熱。

也有像山川的聚合，河流的交會，天光水色，映著大地翠黛。
還有漾動著大片青綠、稻黃，和赭色泥土的田野。
不是潑墨是潑彩，有油畫的厚重堆砌，有水彩的明快色澤，水墨的輕逸滲透；也有墨西哥的強烈對比，穿著抽象，把晨曦、彩霞、火焰、熔岩、山川河流、大地田野全穿在身上。
走到那裡是一團熾熠的火，一塊未拓的地，一疊揉碎的雲霞。
亮麗又深邃的景泰藍，鑄成古代中國的雲天，墨金色的蛟龍騰躍遊騁其間。
高聳的梧桐綠蔭扶疏，襯著東方尊貴的黃底，華麗的鳳凰驕矜地棲息枝梢。
蒼松下，紅冠白羽的仙鶴悠然佇立。
梅樹旁，斑斕優雅的雙鹿自在盤桓。
玲瓏如意，卍福花結，全化作迎祥納福的圖案紋飾。
雕刻印章：篆文、隸書、正楷，一方方看似任意蓋印，卻也是別饒風味的設計。
變不盡東方精緻文化的豐富內涵，穿著古典，穿著優雅，把高貴的傳統、尊嚴的標註、福祉的象徵，穿在身上，散發著芬芳的思古幽情。
密密的原始森林，奇異的花草，長頸鹿探首枝梢，虎豹竄跳葉叢間。
璀璨的冰河岸，映著瑩瑩雪光，拉著雪橇的狗群，在雪地裡留下長長一串跡印。
一片迤邐展延的沙灘，盛開著彩色繽紛的傘花。

長葉招展的椰子樹，陽光、鮮花、草裙舞是人們夢中的島嶼。

奇異的圖騰、羽毛、箭鏃，構成古老湮遠的部落。

鮮豔的披肩，高頂草帽下是永遠做不完的夢。

森嚴的古堡，乾淨清爽的鄉村……

濃縮了時空，拉近了距離。穿著異國情調，穿著各地風光。把熱帶森林、阿拉斯加冰河、邁阿密海灘、夏威夷島、印第安部落、墨西哥風俗、歐洲景致，穿在身上，天天心旅，日日神遊，只在凝神一瞥間。

那隻披一身鮮紅羽毛的大鸚鵡，當胸而踞，張著彎彎巨喙，正得意洋洋地說個沒完。

那條伸著尖尖長嘴的大劍魚，悄悄從肩際潛游胸前，又狡黠地回眸含笑諦視。

襟上踩著那隻圍著白兜兜的毛毛熊，傻不楞登地，好一副乞憐模樣。

總是衣冠楚楚，黑白分明的企鵝，挺立身側，莊嚴有如守護神。

小象捲起鼻子，咧著嘴憨笑的神態好純稚、好可愛！

不管是溫馴的、凶悍的動物，駐足在這裡，全顯得那樣親切、可愛，而又逗趣，穿著飛禽走獸，把寵物攜帶身邊，追隨左右。人和動物，原本天生是好朋友。

祥雲輕攏掩擁，神龍蜿蜒騁遊，鬚眉翹揚，嗷嘯天外。

荷葉亭亭高擎，荷花盈盈出水，引來蛺蝶雙雙，花前迴旋。

浩淼海洋，風平浪靜，天邊海鷗三兩隻，水面白帆悠悠。波濤洶湧，掀起浪花萬丈，踏著浪板的弄潮人，凌空衝刺。

整疋輕輕柔柔的紗料是一幅完整的構圖，完整的圖是一襲襲寬鬆的衣裳，穿著白雲遊龍擠公車，穿著夏日荷香進冷氣房，穿著輕舟揚帆踏在紅磚道上，穿著衝浪弄潮走在鬧區市廛，隨著走動，隨著微風，隨著呼吸，花葉顫顫欹欹，蝴蝶翩翩飛舞。白雲舒卷掩攏，神龍張牙舞爪，海鷗迎風翱翔，輕舟揚帆駛航。浪花滾滾翻騰，弄潮人隨波起伏，顧盼睇視，是一幅立體走動的畫，是一種獨立的景觀。

有人設計，有人製作，有人欣賞，有人喜歡。人人可以穿一身幻想王國，把童話穿在身上；穿一身奇花異草，把春天穿在身上；穿一身山川林野，把自然穿在身上；穿一身小橋流水，把詩情畫意穿在身上；穿一身月圓花好，把美好時光穿在身上；穿一身龍鳳呈瑞，把福祉吉祥穿在身上；穿一身篆印如意，把古典穿在身上；穿一身衝浪蹈水，把新潮穿在身上；穿一身豔麗奪目，把豪華穿在身上；穿一身柔和淡雅，把高貴穿在身上；穿一身海洋，乘風破浪；穿一身彩雲，長空萬里。今天把萬物穿在身上，明朝把世界穿在身上──

民族調、叢林調、自然調、波斯調、新舊組合調……都是那麼精緻的構圖，柔和的色澤，顯示出單純的趣味，和新穎的美，融貫傳統，創造時新。印染作品是藝術與商品融合的具體表現，把藝術帶進了實際生活，拓展了實用藝術的新境界。從七十年的春天，進入未來世界的風行潮流。

印染作品展・一九八一年五月二十一

編註：本文原刊於《台灣新生報・副刊》，一九八一年五月二十一日，第十二版。

野柳，岩柳

名字，常常和地方一樣，有的名字聽過看過，也就忘了。有的地方去過玩過，印象不深。有的名字卻富有魅力，引起嚮往；有的地方一度蒞臨，難以忘懷。

嚮往那個名字，嚮往有那個名字的地方，很久，很久。

那地名，意味著粗獷、豪放、不羈，也象徵著飄逸、輕盈、脈脈柔情。兩個字的組合，竟含蘊如許。

——門前，一道流水，夾岸兩行「垂」柳……是怎樣一種輕盈幽靜的美。

——「左公」柳，拂玉門曉。塞上春光好。大漠飛沙濺落照，天山溶雪灌田疇……是怎樣一種豪邁壯麗的美！

而「野」柳，顧名思義，該又是怎樣一番氣象，怎樣一種風貌，怎樣一派情景。

且讓想像付諸實現，讓意念化作行動。就在月圓前夕，晴好明朗的秋光裡，在一個平凡的小人物在大時代誕生的日子。輕車載著嚮往，載著想像。疾馳過金色大道、金色山徑、金色的城鎮和郊野。人和車，心維和意念，都浸沐在一瀉無際的陽光之海裡浮泛，時間和空間全變作金色的泡沫升化。二小時也只不過是一連串閃光的泡沫，飛掠過時空的大野。當疾馳靜止，便是那金色的崖岸，莊穆地橫亙於前方。

陸地終於此，海洋始於此。崖岸以迂迴蜿蜒之姿，兜攬著海，以突岬崎角之險，伸探向海。而海，浩浩淼淼地展向無垠，海上無風也無浪。而天，蒼蒼茫茫地展向無涯，天上無雲也無翳。上下周圍只有一片望不透的藍，溶在金色的霧雰裡。顯得深邃、神祕，又撲朔迷離；橫貫其間一道明亮的海平線，截齊得像是剪貼。貼一隻小小的船，似近還遠，彷彿在行駛又不在行駛。

聳峙的岩崖似一隻骨骼嶙峋的大怪獸，想是混沌初闢時便兀然蹲伏在海天之間，袒裎著赭黃斑斕的腹背，挺著苔蘚披覆的岩脊。多節肢的臂彎兜起一泓泓深潭，一彎彎淺水。驕陽下最是蔭涼的好去處，那些熱帶魚找到了安身的所在；會噴水的噴水蟳、扯著三角旗的海神仙、像木瓜的木瓜魚、小小紅目、伶俐蘋果劍……淺游深潛，穿梭來去，好不逍遙自在——忽然眼前多了層障礙，原來是一只小小的兜網，網住了搜索觀賞的視線。

——撈魚罷：十五元租一個。小女孩企盼的眼神從網上迎上來。

噢，不！為什麼要把魚撈起來？這原是牠們生存的王國，牠們的領域。人類有什麼權利剝削牠們的自由，主宰牠們的生命！倒是很想移植幾株石罅縫裡的海岸植物回去栽種：那厚肉的龍舌蘭，矮矮的海芙蓉，帶刺的南國薊——可是，覓遍岩岸沙灘，獨不見以它為名的那種植物。

噢，沒有，沒有迎風飄拂、無限柔情的垂柳。廣闊迤邐的岩牀上，高高低低，密布叢生的，全是一株株、一棵棵、一堵堵，聳峭挺立，堅實穩固的岩石。那應該叫岩樹岩柳岩花。是天生天化的礦物，卻不是扎根在泥土中的植物。

千百年浪濤的衝擊，千百年風雨的侵蝕，千百年海水的溶解，千百年空氣的氧化。堅硬的砂岩層沖蝕成大大小小的蜂窩，鑄塑成一株株石樹岩花，如從高處遠眺，只見沙灘上星羅棋布、塊塊壘壘，彷彿古時作戰部署的迷魂陣。當我置身其間，又恍惚自己是《愛麗絲夢遊仙境》中的那個女孩，誤喝了縮小藥水，迷失在山丘似的香菌林中。

但香菌不是香菌，蘑菇不是蘑菇，而是大自然天斧神工的鑿刻，大地與海洋孕育的結晶，雕塑出宇宙間最神奇的雕塑。

看那一座座參差排列，一尊尊默默凝重；一株株肅穆挺立，一疊疊屹屼崛起。是引頸佇候，是閉目養神，是屏息諦聽，鑄成一種姿態，塑就一種形狀，凝結一種神思。朝朝暮暮，守望著日出月落，迎送著潮升潮退。在永恆的歲月裡，在邃遠的時空中。千萬年是一次潮升潮退，一次潮升潮退便是千萬年。

嵯峨金冠高高聳起，覆蓋住崢嶸的額頭。小丘般的隆鼻下，是抿得緊緊的薄唇。堅毅的下頦冷然上翹。長頸如玉柱，背樑似山脊。時光、鹽分風化了皇冠上晶瑩珠寶，卻不曾減損高貴矜傲的威儀。「女王頭」像，傳說是埃及女王，卻不知為什麼飄逐來東方寶島。那樣肅穆凝神。也許，那曾經叱咤風雲的王朝曾出現在矚望中，幻作海市蜃樓。

那是最有力的證明，證明她曾經下凡過——那位美麗的巨靈。為探勘十丈紅塵，為嚮慕繁華人世，真箇飄然下降，又悄然離去。匆遽間，竟遺落了一隻拖鞋在岸畔。儘管浪潮沖激，再也沖不走。留著「仙女鞋」在凡間，讓人們平添一份綺麗的遐思。

是天上的神龍貶謫塵世，抑是海中龍王困陷陸地！巨龍見首不見尾，鎮壓著萬千噸砂礫，再也不能矯捷游騁。那份桀驁不馴凝成筋脈僨張，頭角虬突昂揚之姿，化為奇崛峻厲的「龍頭石」，嘯傲海天。

突出於林林總總的岩柱群中，是那醒目的一雙儷影。男士有著粗壯的脖子，碩大的頭顱，短髮下露出青青的後腦杓，顯得魁梧偉岸。女士秀髮高挽，粉頸柔腴，美人肩微微斜削，十分優雅古典。雙雙並肩觀賞著一齣永不落幕的時序長劇，「情人石」，真是一對天長地久，有著深深默契的好伴侶。

揹著厚重的冑甲，竭力伸展短小的四肢，自碧海爬上傾斜的沙灘。昂首極目探望，「海龜登岸」，不知是為了曝曬太陽，是探險大陸，抑是待尋覓一塊僻靜地，好安排生小寶寶？那模樣神態，緊張而帶點期待，可真是栩栩如生。

好一隻巨鸚鵡，貼著藍天，雄偉地蹲踞在岩岸上。俯首伸喙，正餵胸前那隻引頸張口、嗷嗷待哺的雛鳥。不叫鸚哥叫「鶯歌石」，想來是跟守望著瓷器鎮的那隻長得十分相似，不知牠們是同胞姊妹，還是孿生兄弟。

從來不知道陸上的龐然大物竟那樣愛水，看那隻巨象長年累月浸在深潛的海水中，只露出一個骨骼崚嶒「石象頭」。那圓顱突腮的「猩猩抱子」懷抱著猴崽，卻作出一副哲學家深思冥想的睿智模樣。擱淺在岸上的「鯉魚」石，飢渴地垂涎著面前一客客看來美味可口的櫻桃布丁。可是那叫「石乳」，擁有那許多豐滿的乳房，大地又是多麼富足的母親呵！那一群小小石柱圍聚在一起，說是「二十四孝山」，倒像是一群幼稚園的小小孩童在做遊戲：鬈髮覆額，短短胖胖的身軀微微向前俯衝，只待老師琴聲一響，便開始做律動。這一帶岩岸彷彿屬於母系社會，除了「女王頭」，還有些髮髻高挽，袒裎著粉頸玉背的「美女出浴」，「日本女人」，怡然享受著海水陽光。「駱駝石」悠悠舒舒地俯伏在淺水裡，浪花輕拍，海濤浸潤，想是完全忘記了沙漠的乾旱。長長的「列車石」停歇崖畔，似乎正升火待發。更有那許多神奇美妙的豆腐石、蜂窩石、蕈石、珠石、乳石、溶蝕盤、波蝕柵、層次分明的千層岩，陡險的大削壁，怪石奇岩四十八景……而矗立於天然群石中最突出、最「人工」的，是那尊名叫林添禎的雕像，背海負天，巋然屹立於海風濤聲中。代表至善至勇的人性，在永恆的時光之流裡默默煥發著人性的光輝，就像日月在蒼宇照耀人間。

髮中帶著鹽味，手臉染上驕陽的光澤，腳底沾著海水中的柏油，我來回於心所嚮往的地方。沒有看到柳條依依，萬種風情，卻深深被頑石感動懾服，造物者展示那許多奇詭峻嶒的岩樹、岩花、岩獸、岩像……只是要人們知道天工造石之美，是多麼神奇美妙！

一九八一年十一月二十四日

編註：本文原刊於《台灣新生報・副刊》，一九八一年十一月二十四日，第十二版。

藝術步入生活

從隆冬進入另一個絢爛的季節，
從地球進入另一層更深的層面，
從紊亂進入秩序，
從喧囂進入安靜，
藝術，是文化的春天。

與物為春，是揉合人生、自然萬物、社會、生活，與藝術，融和為生命的喜悅。低於地平，深入大地之腹，偎依在孕育萬物的母親懷中。春之藝廊，擁有泥土的親切溫暖，擁有母親胸懷的寧馨安逸，擁有生命的喜悅，乃四季如春。

天生萬物，但萬物並不是天生，一山一水、一花一樹、一沙一石、星辰日月、飛禽走獸，莫不經過造物者神工設計。

芸芸眾生，但眾生並非自生自滅，自哺養、教育、成長、獨立生活，到獻身各行各業，無不是愛心的安排，周密的計畫——從開天闢地，人類活動開始，設計便早已存在。

而在這藝術之廊，在這思想之廬，在一系列一系列圖片展出中，有人設計夢幻童年，有人設計詩情畫意，有人設計理想王國，有人設計今日桃源，有人設計明日世界。有人設計工商企業，有人設計科技文明，有人設計精神文化，有人設計美好人生……將藝術融入生活，生活亦即設計。把藝術帶進工商企業，成為設計的繪畫。

一年之計在於春。但生命中只有一季春天，唯有顏彩使青春常駐。一日之計在於晨，金色的童年正是生命的朝晨，純潔如曙光甫現，清新如晨風吹起，赤忱如旭日初露。想像的天空，澄澈明淨，萬里無雲。別讓如此美好的晨光平白過去，拿點什麼來滋潤初萌的智慧，陶冶幼稚的心靈，引導無底的好奇心，啟發豐富的想像力，滿足旺盛的求知欲，訓練活潑潑的手？於是，藝術家和作家義不容辭地扮演了那個快樂的角色，用生花彩筆，為孩子們繪寫了如此多采多姿的童話世界。

那些古老的神話，民間的傳說、習俗和慶典，原始文化的源流，就像綿綿不盡的血脈相傳，一代一代流傳下來，在當今畫家的筆下，呈現出新的圖形。一幀幀白蛇傳、划龍船、舞龍燈、嫦娥奔月、唐僧取經……樸拙而帶點稚氣的造型、鮮明的色彩，充滿了動感和諧趣；遙遠的年代，卻顯得那麼接近，近得就在孩子們身邊。光說那幅新年舞龍圖罷：看六個身手矯捷、圓頭圓臉、笑口大開的紅娃娃，舉棍弄棒，跳躍奔跑，把一條滿身圓點斑斕的長龍舞得風捲雲飛，馳騰迴旋，彷彿活了過來，瞪著電燈泡鑲嵌的晶圓雙眼，咧開寬深大嘴，帶笑帶喘氣。爆竹的火花化作滿地迸射的金星。那鑼鼓喧噪、爆竹聲響，和歡笑喊嚷狀況繽紛的畫面洋溢出來，渲染了仰面觀賞的孩子，一個個直看得目眩神迷。

具有中國剪紙趣味，和皮影戲神韻的構圖，散發著那樣濃濃的鄉土氣息。端碗的老婦、荷鋤的農夫，樸拙而親切；放牛圖顯出農忙後的悠閒。耕作、收穫、莊稼、農具……這一系列簡潔單純的插圖，聯繫成一幅樸實和諧的農家樂。而錢鼠來了，快腿兒，又是充滿了諧趣的故事畫。快腿兒是兩條蜥蜴，母蜥蜴告訴公蜥蜴等她生下小寶寶一起去找尋食物，公蜥蜴卻獨自偷偷地出去飽食了一頓蒼蠅。正撐得迷迷糊糊時，一睜眼發現一隻大貓張牙舞爪地向自己撲來。一逃一追之間，只得捨棄了一截尾巴，騙大貓上當而逃脫了性命。蜥蜴姿態優美靈活，大頭貓咪威武而帶點憨態，造型都很可愛。一個有趣而寫實的小故事，給予孩子的不僅美的感動，還有動物生態的智識。

鮮明亮麗的色彩，生動活潑的形象，使那一組動物躍然紙上，呼之欲出：壯碩的河馬，像一座小丘般，矗立於水中央，張著大嘴不知在打呵欠還是在歌唱，一隻小鳥怡然停息在山巒似的臀部，一群七彩小魚傍著樹樁似的粗腿優哉遊哉；龐然大物看來竟是如此寬厚、容忍和善良，彼此相處得一團和氣，雖然不知道那是什麼故事的插圖，它那繁富的畫面便涵蘊了最好的故事。纖巧的蜜蜂鑽在絨絨花蕊中，蜂窠似一簇晶瑩珠寶，烘襯著輕盈透明的花瓣構成如此柔美的圖形，金甲蟲莊重地蹲伏於青翠欲滴的葉子上，炫耀它一身紅底黑點的冑甲。一群螢火蟲提著熒熒閃閃的圓燈籠，檸檬黃的光暈，照亮了藍藍的夜，點燃起孩子的夢幻；敢情是照耀森林裡的小仙女出來跳舞，抑是為小精靈領路？只有無邪的童心，才能和動物溝通，只有藝術家的想像力，最接近童稚的心靈。

擁有悠久文化的中國人，原是最崇尚吉祥和平的民族，四時佳節，隨時把祝福心願，用有關字義和事物編串成吉祥口采、錦繡佳句，納入生活中、融入字畫裡，閃耀在四周。而在這裡將傳統精神披上新的風貌，濃豔強烈的色彩早就洋溢出喜氣洋洋的氣氛。三隻蝙蝠圍繞著梳雙丫髻的女孩迴旋，是鴻福春日來。彩鳳從天而降，是鳳來春光溥。又鳳凰飛臨並蒂花，是花開春富貴。騎乘麒麟的胖娃娃，是天官賜福。古老的花轎乘著盛裝的新娘，是榮華富貴……簡潔的線條繪出圖案趣味的人物，竟別有一種新穎的美。

那一幅大白鵝作人狀踮起腳趾，在孩子臉上輕啄的畫面，彷彿可以聽到他倆的叫鬧歡笑，兒童與動物的感情是多麼親暱融洽。另一幅兩個小孩，與鱷魚、袋鼠，以及腹袋中的小袋鼠一同刷牙的畫面，大家帶著早起的開朗心情，刷得泡沫飛濺，舒暢愉快。如果說那是鼓勵孩子刷牙的宣傳設計，不知要比父母嘮叨的勸告要有效多少倍！

童話和童畫，最能將美和同情、仁慈、忠誠、勤懇、勇敢，這許多人類的美德，灌溉給純真的小心靈。不僅塑造了快樂童年，更儲存了未來一生最珍貴美好的回憶。設計者在這裡發揮了最豐富的想像力，和投注自己全部赤子之忱，同時也引領我們大家重又回到純樸智慧的境界。

如果不為商業需要作美麗的誑言、誇大的渲染，房屋廣告的設計，往往是一種誘惑。在噪雜、擁擠、污染的城市住久了，人人都想回歸自然、住得安逸，一帶林蔭、一片草坪、一點山光水色，都令人憧憬不已。於是什麼山莊、什麼別墅，出現在設計圖上，都成為今日桃源、人間仙境。有的不著一字，只寫了個「廬」，那掩映在綠蔭中的精致木屋，幽雅寧靜，引人入勝。有的圖文並茂，一個滿臉慈祥中泛著滄桑的婦人，正灌溉著陽台上數盆花草，底下一則文字寫著：「媽，我知道這許多年都委屈妳了，妳一直那樣熱愛花草，喜歡園藝，在辛勤操勞家務、撫育兒女的漫長歲月中，那是妳唯一休閒身心的寄託，可是妳總是只能局促於陽台一角播弄那些小盆小草。今天要告訴妳的好消息是：我終於為妳找到了一處可以讓妳沾泥弄土、盡情栽種花草的地方……」在那樣一篇充滿孺慕之情的文章旁，配著一幢幢有庭園的房子，怎能不令人為之動心！

使人驚訝的是那一幀幀建築設計圖不過尺餘，怕不至少容納了數千坪社區！比髮絲還細的針筆線條，清晰地勾勒出密密層層的高樓大廈，縱橫交錯的通路大道。汽車比螞蟻還小，猶自往來穿馳，樹木不比牙籤粗，居然疏朗有致。不但分布得均勻齊整，規模分明，還真有立體感哩。

但是，最能喚起思古幽情、往日情懷的，還是那顯示出典雅莊嚴的中國建築藝術，一系列老屋的攝影。翹揚的飛簷、雕刻的屏門、幽靜的迴廊、軒敞的廳堂、古色古香的書房、花木扶疏的庭園，處處涵蘊著安逸祥和、散發著古樸的芬芳。面對著圖片，心早已穿過歲月長廊，走進邈遠的承平時代，重溫那悠閒溫馨的時光。

有那人物造型，表露了各種喜怒哀樂的情緒，頗具感性。有那封面設計，類型繁多，各有獨到之處。有那電影廣告，人物特寫十分突出；有那花花草草的各式唱片封套，別饒趣味。有那融合了漫畫形式的水墨畫插圖，風格獨特；有那字體的設計很有剛毅之美；有些商業插畫，很富敦煌壁畫的典雅韻味……聯合繪製的狗年狗展，是最吸引人的一組。造型奇特、姿態各異、表情豐富、個性特出、充滿諧趣。一片迎新之欣悅，溢然紙上。

在這工商業起飛的時代，藝術早已介入大眾生活，擴大領域到「繪畫的設計化」、「設計的繪畫化」。而進入「藝術步入生活」、「生活就是藝術」的境界。期待藝術家能更深入社會各層，發掘出生活的本質特徵，把握中國人的氣質和觀點。設計比現實更高更美的作品，以及承繼東方的、傳統的文化優點，揉合現代的技巧和新的創意。為我們設計一個純樸淨化的生活環境、一個溫馨和諧的生存世界，和一個明朗美好的康莊遠景。

設計家聯展・一九八二年一月二十四日

編註：本文原刊於《台灣新生報・副刊》，一九八二年一月二十四日，第十二版。

來自泥土的控訴

生命來自大地，
泥土孕育了生命，
呼吸彷彿吐露泥土發酵的氣息，
心悸似乎透過泥土受擠壓的顫慄。
力量來自生命，
泥土哺養了豐沛的生命力，
將悲憤和沉痛化作身體的語言，
深刻的表情凝成無聲的抗議和呼籲。

走進美文中心，置身在如此沉默凝重一群中，立刻感到空氣沉重，心情沉重，脈搏沉重。近於窒息中迸發一股瘖啞的聲波。誰有權利迫害我們的身心，剝奪我們的自由，殺戮我們的生命、摧毀我們的家園、拆散我們的親人骨肉？誰？誰？誰？……那一聲聲悲痛的嘶喊、蒼涼的申訴、絕望的求告、憤怒的控訴、哀傷的嗚咽、辛酸的啜泣、悽愴的呼籲、沉痛的抗議……強烈地表達在臉部身姿，匯成一注洶湧的暗流，衝激人心，令人血脈僨張。人類加諸人類的暴行，人類施予人類的浩劫，他們是最有力的見證。

早在螢光幕上，當圖象迅疾閃現，那悽愴的表情，那要墜未墜的淚珠，曾深深地震懾了我。雖然浮光掠影，螢光霎間消失，那印象卻一直留在我心版上。如今，我踏入這共產最後統治下的「煉獄」，躋身在越南逃亡的流民群中：面對一個個佝僂的、疲憊的、形銷骨立的軀體，一張張憂傷的臉，一雙雙深鎖住悲憤的眉眼，一張張把嚎啕吞下去抿得緊緊的嘴，和一顆顆留在臉頰上要墜不墜的淚珠，可以感受到他們出生入死，為生存經過怎樣一番慘烈的搏鬥，為爭取自由付出怎樣的犧牲和代價！每個人都經歷過世上最悽愴的遭遇，每個人都申訴著人間最慘痛的悲劇。

穿過炮火，逃過殺戮，流亡顛沛的途中飽受飢寒風雨折磨，衣不蔽體，心力交瘁。那個男人已耗盡生命中的精力，頹然倒下，倒在泥濘中，讓泥土將息他。閉目蹙眉的臉上猶自流露出未能保護妻兒的無奈。兒子就蹲在他頭旁，埋首抱膝縮成一團，縮成胎兒的姿態。也許，在這恐怖的時代，唯有躲在母親腹中才是最安全的地方。而跪在一旁祈求的母親，憔悴的臉上堆砌起惶恐虔誠。不是呼救，不是哀告：只求上蒼賜予更多的力氣，讓我們走完這一段苦難，活著奔赴自由。

小女孩雙臂圈抱著少女，將淚痕斑斑的臉蛋緊貼在她腰腹，像要把小心靈載負不下的哀傷全揉進她身子裡去；做姊姊的溫柔地抱住她顫慄的雙肩，一手握住小手，只想把關愛和鼓舞渡給她；另外一個女孩已欲哭無淚地蜷靠在她腿畔。那樣密切偎依的三位一體，她們是三姊妹，雙親已喪身在戰亂中，長姊代母，帶著妹妹逃離了迫害，卻不知何去何從？年輕的臉上交織著愴痛、憤恨又無奈的神情，但掩不住一股堅毅傲氣，不管怎樣的逆境，總得帶領妹妹生存下去。

頭上頂著重甸甸的包袱，肩揹曳著敝舊的草蓆，那婦人低眉垂目，帶著她全部財物孑然獨行，默默承受著比負載更重千百倍的，失家失鄉、骨肉離散的悲痛。壓斷了頸項，壓碎了心靈，壓抑下反而昂揚的是求生的意志，堅定朝前，別無反顧。而另外那個蹣跚的少婦，衣衫已破碎難掩，卻只顧惜胸前懸掛著的累累贅贅，被扯得頸彎肩垂，腳步踉蹌，不勝壓力。什麼都已失去，什麼都不剩。但是，要活下去就得要有維持體力的東西。掛在胸前比貴婦鑽石還寶貴的，只是延續生命的一點糧食和罐頭，靠著那些，可還得走很長很長的路。

可憐的孩子，一面忍受著驚駭與飢寒的煎熬，一面拖著痠疼的小腿不停地隨著媽媽趕路，把委屈和眼淚吞在肚中，小小身軀卻被折騰得疲累不堪，迷迷糊糊躺下來，頭就重重地枕在媽媽腿上，雙臂鬆弛地垂掛在胸前，虛脫得像一袋沒有生命的布絮。母親仰天長跪，高擎雙掌，那樣全心全意，將靈魂捧在手裡，禱告訴願：神靈菩薩，請保佑孩子平平安安逃過這一場劫難罷，我願減少自己的壽數，換取他的，我將終身奉祀，修廟吃素！

好一對親親暱暱的小兄妹，是誰家可愛的小兒女！只高半個頭的哥哥，知道那樣疼他的小妹妹，一手挽著她肩膀，臉貼著額，妹妹就乖巧地偎在他身前，自然地流露出純摯的手足之情。只是小女孩一臉悽楚，愁眉不展，太長大的舊衣服像掛在架上，一截褲腳鬆垮垮地踩在腳跟下；小男孩卻一手扠腰挺立著，極力裝出一副勇敢的神氣，低聲安慰妹妹說：不要怕，有哥哥在，心中也許正迴響著母親平時的囑咐：「妹妹比你小，做哥哥的要保護她。」可是母親呢？還有父親呢？他努力忍住自己的悲痛，摟緊了妹妹。這世界上如今只剩下他倆相依為命，他必須表現得像個男子漢。

那個少女，正值青春韶華，活躍飛揚的年歲，卻獨自孤悲地用憂傷埋葬自己。看她抓髮捶首，身子折成二截，一任痛苦齧蝕她的心。日暮黃昏，蹲在海邊，漠然凝聽著煙雲渺茫的遠方，故鄉家園被摧毀，親人不知流落何方？結伴同行的未婚夫，卻在逃亡中途被射殺，從此生死兩隔絕，留她孑然一身，帶著顆破碎的心活在苦海中。

小嬰兒安逸舒適地蜷伏在母親溫暖的懷中，從乳房吸吮著生命的原汁，雖然離開了母體還是密切地聯結在一起，充滿了親情和恩情，多麼安詳可喜的哺乳圖！然而，做母親的神情卻是憂慼重於喜悅，低眉含愁俯視著孩子的年輕臉龐，彷彿「悲慟」的聖母像。只因逃亡耗去精力，又缺乏食物。乳汁變得稀少清淡，填不飽小肚子，看他不安地吮著哼著，又疲乏地睡去，恨不能教自己體內流著的血液全釀成濃濃的奶汁，好讓命中多難的孩子吸取養分，茁壯成長。

衣衫襤褸的老人佝僂著身子，伸出顫抖的雙手，沮喪地望著枯瘦的手掌中，一把從甕底掏出的碎穀。貼著春字的甕已碎裂在腳邊，再也沒有存糧，沒有可以充飢的食物。站在一旁盯住期待的女孩，吮著食指，兀自饞涎欲滴；另外一個卻絕望地投進母親懷中，母女相擁對泣。那個一家之主的男人，悲憤又沉痛地跪在地上，無語問蒼天：這樣的苦難，究竟要忍受到什麼時候？誰來拯救我們於飢寒交迫、水深火熱中！

沒有一齣悲劇比真實人生，將自己的遭遇現身說法更可悲；沒有一種聲音語言，比流露在臉上身姿的神情更能表達內心深重的創痛憂傷；也沒有一種生命，比忍受過煉獄折磨，暴力迫害，而依舊掙扎著活下來的生命更堅毅深邃。而在這一系列用泥土塑捏複製的人類中，是如此動人地告訴了觀眾這些——不是秦時威嚴尚武的英雄戰士，不是唐代慈祥喜樂的菩薩陶俑；不是古希臘表現人類力壯美的雕像，不是米開朗基羅的聖神和奴隸，羅丹的六市民。更不是廟宇神殿的供奉，公園會堂的陳列。他們是活生生的人——從苦難中站起來，自泥土中走出來。可以感受到生命的氣息，體會到感情的衝擊，生命在壓抑下所反射出來的堅忍剛毅，和逆來順受的韌力。他們反映出大陸上共產統治下，和越南難胞海上漂流的悲慘生活，也代表了這一個動亂時代中所有受暴力迫害的人類——過去最殘酷慘烈的要算日本侵略中國，不知多少人民被蹂躪殺戮，不知多少土地財物被破壞摧毀。只是沒有人像畢卡索畫《格爾尼卡》那樣，本著藝術家應有的社會良知，畫出當時悲慘的場景，作為他對人性泯滅的侵略者的控訴和指證。而今天，我們這一代的雕塑家，那個來自泥土的年輕人，雙手將這些震懾人心的作品，重呈在世人面前。

握一把單純的泥土，握住躍動的生命，握緊創作的衝動，以悲憫的胸懷，關愛人類的苦難。以自己坎坷的身世，體會生存掙扎的歷程，而以敏感的觸覺，去感受那感覺世界，把抽象的感受，直接塑造出具體的形象。粗糙的泥土質感使造型有堅定的力量，細致的表情生動地傳達出內在的感情和精神，衣褶皺紋裡留著把捏的痕印，那靈巧的手指更賦予生命。沒有自我炫耀，沒有刻意經營，摹仿和跟進，也沒有虛偽和矯飾。雕塑者只是憑藉自己對藝術的熱愛，對宇宙生命的敬誠，孤獨地、赤忱地，把自己如同柴火般投進藝術的洪爐，燃燒復燃燒，鑄煉出自己獨特的風格。至善的理想和完成，也只有在這種恆力不斷錘鍊淬礪之後，才能實現。

而那個一身散發著泥土氣息，自稱為藝術被迫上「梁山」居的雕塑家侯金水，巡逡於他心愛的塑像間，看來顯得那樣樸拙、壯健、粗獷而深具潛力，自己就像一座帶有原始意味的塑像。沒有任何學歷的他，自泥土得到豐沛的生命力，自生活得到經歷，自社會得到教養，自工作得到技巧，自悲劇人生得到靈感。就是那麼一個自我發現，自我教育，自我訓練，自我奮鬥的人。他為這一代受苦難的人類留下永恆的見證，也為我們根植於豐沃土地上的民族文化，創出新的源傳。

「煉獄」雕塑展・一九八二年十月七日

編註：本文原刊於《台灣新生報・副刊》，一九八二年十月七日，第十二版。

童心・童趣・鄉土情

對遲鈍的心靈來說，大自然了無生氣；對啟發的心靈而言，整個世界都在燃燒，閃耀著光芒。

——愛默生

那閃耀著的是金色的陽光，是藍藍的天空，是廣袤的綠野田疇。
空氣中蒸發著稻香，草木的青氣，和泥土的芬芳。
農舍前雞犬相聞，阡陌間牛羊漫步，
踏板嘰咴嘰咴，渠水順著尨骨車注進田裡，
風鼓呼嚕呼嚕，穀粒揚去糠皮簸入箕中。
孩子們在坪上放牛放風箏，在草叢裡捉蟋蟀，在田隴上扮演布袋戲。
農夫勤勞操作的聲音，家畜的鳴吟，兒童的嬉笑，組成一支歡暢的農村交響曲，迴盪在
自由天地，飄揚在綠疇平原——

是那顆啟發的心靈，用圓熟的線條，鮮麗的色彩，以及對鄉土純摯的感動，對生活的熱愛，對藝術的虔誠，點燃起那個美好的田園世界，向我們發出光芒。

發源最早的我國木刻版畫，鎔鑄有古時碑文，漢代石刻的雛型，傳統年畫的精粹，民間剪紙的趣味。原是最能代表中國風格，具有民族典型的藝術。而以木刻的特殊效果來表現農村生活，田園風光，鄉土風俗，民間藝術，尤其顯得樸素真切，別饒趣味。那個運刀如筆的木刻家，生長在農村，從小和稻禾、甘蔗、蕃薯等農作物、樹木青草一起成長，跟水牛、綿羊、貓狗、雞鴨，以及青蛙、蟋蟀、烏秋鳥等為伴。莊稼人自泥土中討生活的刻苦勤勞精神，大自然莊嚴和諧的美，大地的豐腴和溫暖，這一切深深植根於幼小的心靈中，涵蘊在純摯的感情裡。從繪畫中選擇了木刻版畫，將自己投入其間，孜孜不倦地琢磨了三十年。不僅是對藝術無止境地追求，更是為表達他對鄉土，對大地，對農村生活，對兒時興趣那份淳厚的感情、深摯的眷戀，和無限感恩，找對了最適當的路徑。他把握住人、事、景、物的神髓，在強烈鮮豔的色彩裡揉入豐沛的感情，以粗獷圓熟的刀法刻劃出精確的形象。呈現在我們面前的是如此親切生動意態盎然、趣味橫溢的一幅畫面。

圓滾滾的簸穀機聒噪地轉動著，穀粒像一注金色發光的流，不停地湧升、滾動、翻騰，傾瀉一地。有人忙著用長耙集攏成堆，有人忙著拿簸箕裝盛，倒進籮筐。農婦們在忙碌中顯得剛健活躍。那個小男孩緊抓住操作機器中母親的衣服，唯恐自己迷失在那股忙碌的風潮中。「農忙」洋溢著收穫的喜悅，不由得讓人想一握金色的穀粒，親親那維持我們生命的寶貴地糧。

沐浴著柔和的晨曦，比太陽還起得早的農夫，那樣肩並肩地扶著木架，動作一致地踩個不停。噢，可不是原地踏步，不是晨跑，是「車水」。隨著起伏的步子，長長地伸出溝渠中的尨骨車正一波一波汲上水注進田裡，幾乎可以聽到新苗吮著水滋長的聲音。難得哥倆靠那麼熱乎，說夠了農事，就唱一支山歌吧！哥車水嘫，妹插秧喲……

大石磨沉沉隱隱地旋轉著，四周流出稠稠的米漿似天山溶雪。嫂推磨，姑添米。「磨粿」又蒸粿，新米做成香噴噴的米粿，揉進一份莊稼人的誠敬，好酬神謝天公。而那「農婦」抱著滿懷的稻穗，臉上盈盈的笑意和照耀她的陽光一樣燦爛。一身煥發著勞動所化妝的健美，屬於大地的好女兒，正是我們現代農家女典型的形象。

若不是對動物有著深厚的感情和默契，雕刻下的牛羊雞鴨怎能顯得那樣傳神而具有個性？看牠們馴順而又自在，與豢養牠們的人完全友善相處，無言依賴，竟是一團和氣！出現最多是牛，而最特出的是牛的眼神，隱約閃爍著內斂的智慧，生動地流露出喜怒哀樂的表情；「牧童與牛」中那隻壯碩的水牛挺立在水中央，橫眉豎眼，側目睨視著待牽牠出水的牧童，眼光流露出抗拒的野性正在發牛脾氣，牧童一味笑顏安撫，低聲哄求。飛來一隻烏秋怡然停息在龐大的牛背上，人與牛的爭論和牠全不相干。「親情」中那隻脊骨稜峻的老母牛，凝視著吃乳小牛的眼睛裡，除了那股舐犢情深的溫柔，還摻著悲哀的憂愁。像一個年老力憊的母親，擔心稀少的乳汁餵不飽孩子，接觸那眼神不由得教人惻然心酸。而「晨牧」中被農婦牽出去吃草的黃牛，俯首低眉，顯得那樣乖巧溫順。還有耕作中的牛，一副任勞任怨、順從命運的憨厚相；在泥水中沐浴或蔭棚下休息的牛，垂瞼矇矇，完全與世無爭的模樣。千百年來，牛一直扮演農村的重要角色，服勞役的長工，卻從來沒有人了解牠們竟如此富有感情。

「養鴨」裡那個健壯的少女抱滿籃黃澄澄的穀粒於懷中，卻只握一把在手，逗鴨子們前來掌心啄食，看肥壯的鴨們引頸撲翅，圍向少女爭索的猴急相，彷彿可以聽到呷呷的喧嚷聲；彎彎的鴨眼盈著信賴的笑意，人畜之間是那樣親近，襯著一池塘蓮花荷葉，益顯得畫面清新生動，充滿活力。

收穫後，賀新春，左鄰右舍，大夥湊在一起吹簫弄笛、彈琵琶、拉胡琴。繁管密鑼，弦索琤琮，不管它南管北管，同聲協調，譜出悠然的「農閒樂」。

套上牛頭、扮小丑、耍功夫、牽犁耕地的不是牛，跨上駿馬，舞戡劍，翻觔斗，團旋引路喝道呈威風。鑼鼓喧天，香煙繚繞，演一齣「牛犁歌陣」，扮一場「布馬陣」，娛樂菩薩，保佑五穀豐收，六畜興旺，家宅平安，國富民泰。

「放風箏」，渴望起飛的也許不只紙紮的風箏，還有童年繽紛的幻想。像老鷹般壯健，像蝴蝶般美麗，翱翔於空中，遨遊於藍天，是怎樣的逍遙。跑得快，飛得高，且載著那小小雀躍的心靈上天去吧。

噢，看是什麼人能把英雄豪傑、歷史故事、民間傳說，全匯集在一根草垛上！是「賣玩偶」的，揹著一朵布袋戲人物，像磁鐵般吸引了孩子們的追逐，伸出雙手直嚷我要！我要！能摸一摸、抱一抱戲台上電視裡的人多好。看那個「村童」多開心，媽媽給錢買了玩偶，就在田岸上演獨角戲：藍天是幕，草坡是舞台，黑羊白羊是最好的觀眾。演一齣史豔文鬥二齒，演一齣關公耍大刀。

那四個活力充沛的小男孩忽然靜下來，看他們俯伏在地上那副屏息停氣、聚精會神的模樣，原來是參與一場戰爭：「鬥蟋蟀」。細細的草莖是導火線，發動一次又一次廝殺相拚，誰勝誰敗，總不過是遊戲。

孩子人稚真的心中，都有原屬於他們的、純樸智慧的境界，唯有仍保有赤子之忱的藝術家，才能通過藝術手法，重溫兒時情趣，讓人感到童心來復，生趣盎然。村童們更是一個個壯健活潑，神韻生動，相貌堂堂，衣著鮮明。正象徵國家明天的希望。

時光不會倒流，而那個邈遠的時代，卻透過木版重現，多麼隆重，多麼壯觀，又多麼熱鬧！錦旂招展，燈籠高照，鑼鈸嗩吶開道，弦管笙笛演奏喜樂，龍鳳絳帳轉出百年好合，披紅掛綵的新郎跨著駿馬，縷金雕鳳的花轎端坐新娘，長長一列隊伍只為迎親。婚姻是人生大事，傳統的古禮，顯示中國人對倫理和禮儀的重視，也反映歌舞升平時代民間繁富的習俗，九百四十公分長的巨構「迎親圖」，點起那源遠流長的傳統香火！

七十多幅強調寫實主題的畫面，引領人們進入一個陌生而又如此親切、遙遠而又那樣接近的田園世界：勤勞、純樸、寧謐、安詳，處處洋溢著生命力，散發著泥土和草木的芬芳。是現代農村的新風貌，自然與人合而為一的大和諧，讓我們拓寬視野，擴展胸懷。

謳歌田園，頌揚大地，不是為鄉土而鄉土，或為藝術而鄉土，完全是生長其間，從生活實踐吸收的印象，自親身體驗得來的靈感。入木三分，不只是圓熟有力的刀法，還有深厚濃郁的感情，那個熱愛本鄉本土、熱愛生活的木刻家，在每一幅嘔心傑作裡都蘊藏著他心靈的喜悅和眷戀。

提倡木刻應奔向自然、走向原野的英國木刻大師蓓克曾說：「藝術可以改造人生，而簡樸的鄉村生活，可以創造更純美的藝術品。故鄉的田園是一首抒情詩，我不能使用美麗的詞句歌頌田園，但我願意將故鄉的一草一木，像小詩般，一幅一幅表達出來——」林智信正是那樣將故鄉的一草一木、人物家畜、風景民俗，像一幅幅田園小品，生動地展示在我們眼前。像一支支動聽的山歌，迴盪在那片純淨的天空，向四周播散清新的氣息，向我們發出光芒。

林智信版畫展・一九八三年三月五日

編註：本文原刊於《台灣新生報・副刊》，一九八三年三月五～六日，第八版。

掌中別有春

我讀過許多文學小品，有的有那雋永深刻的內蘊，有的有那真摯樸素的感情，有的有那清純超逸的靈性，有的有那優美典雅的文采。全都是豐美的精神糧食。

我聽過一些音樂小品，有的有那溫馨柔和的旋律，有的有那愉快明朗的節奏，有的有那高山流水的行板，有的有那婉約曼妙的情愫。全都是滋潤心靈的營養。

我看過不少繪畫小品，有的有那高遠超凡的意境，有的有那綽約飄逸的韻致，有的有那高潔雋俊的神采，有的有那清新卓越的創意。全都是美的喜悅和享受。

而此刻，我面對著另一種可以閱讀、可以感受、可以觀賞，更可以觸摸的小品；沒有一個字，彷彿也有詩情；沒有一點聲音，似乎也流轉著音樂的韻律；不著一筆顏彩或水墨，恍惚也顯示出畫的筆意和氣韻，而更多一份三者所沒有的盎然生意，鮮活氣息——那是大自然生命的縮影，擎天巨樹、蒼鬱古木的雛型，所有花草植物自己的詩情畫意；掌中小品、小品盆栽。

生命不是奇蹟，但又似乎像奇蹟。可以頂天立地，充沛宇宙，可以納入芥子，涵蘊纖微。那片盆地，小不過盈寸，大不到一尺，只在那淺淺方寸之地，就憑那小小一撮泥土，樹木花草移民於此，開拓了植物的殖民地。有來自山谷平野的秧苗，有分自百年大樹的幼根，有截自參天古木的枝枒，有培植了五年十年的種籽。汲取著天然的養分：自陽光、空氣，和清水。接受那善意的導引和扶持，從人的愛心、耐力，和慧心。徐徐扎根，悠悠成長，歲月的催促只留下很淡很微的痕跡，往往三年、五年比不上平常一季的蓬勃滋長。凝聚昇華的生命有它自己對形象的願望，和種花人心靈所欲表達的美的構想。奇特不失自然，約束不傷生意，蘊斂不減天趣。可以是根節蟠虬，筋骨畢露。可以是奇崛突兀，風骨嶙峋；可以是聳幹參天，埋根拔地。可以是遒勁樸拙，蒼古斑駁；可以是穋曲迴旋，堆雲疊翠。可以是垂枝覆葉，俯偃生姿；可以是縱橫斜欹，翹揚返顧。可以是疏瘦清癯，幽雅俊逸；可以是峭削陡立，剛健挺秀。可以是豪邁狂放，灑脫不羈；可以是懸崖奔瀑，氣勢壯闊。可以是纖弱柔靡，窈窕有致；可以是玲瓏剔透，綽約多姿。可以是綠蔭宜人，蔚然成林；可以是自在放逸，饒有野趣。可以是孤竹清標，負霜青翠；可以是傲雪寒梅，潛虬盤錯。

蘊藉內斂的生命竟自成一種性格，一種形勢，一種氣氛，一種意境，一種韻致，一種風情。

一種性格，讓松柏有它的蒼勁樸拙。蟠虬的根端卻放射出數叢綠色太陽花，那是錦松，細細長長的針葉四向迸放，勁力十足，像箭在弦上，蓄機待發。針葉稍短的黑松是錦松的兄弟，蟠幹斜欹，五七枚松朵翹揚枝椏，宛如一把把打開的翡翠小摺扇，搧出一片清涼。細緻的蝦夷松稠密地攢集在峭聳兀立、風骨凜然的樹梢，古意中透著新潤。龍鱗斑斑、枝幹屈伸如張爪拏攫的紫杜松，有傲睨群樹的雄姿。那濃縮萬年於懸瘿累節的嶙峋水松，頂著層次分明的葉蕈，有高樹綠堆雲的軒昂。而那兩株參差排列，屈曲撐拒又返顧有情的五葉松，猶如母子相偎，枝葉輝映，竟流露如許醇濃親情。

一種形勢，讓楓和槭有它的壯麗俊逸。那一株三角楓森然雲挺，翠葉披覆如帷，顯得婆娑多情。那一棵山槭潛虬的根株陡然傾折下垂，卻又翹揚返顧，彷彿斷崖懸瀑，氣勢險迫。紅榨槭豐碩的葉子如一片華麗的彩霞，停憩在縱橫枝幹；三株青楓若即若離，參差成山字，影映高低，疏朗有致。紋刻深痕的百合姬楓，嫩葉鮮潔，纖枝似玉。矮矮的千染楓，枝梢分歧細密，渾圓撐開似絹羅小傘，卻是未秋先紅顏。鱗斑龜裂、苔蘚蒼蒼，分明是松柏樹身，卻長著五出的楓葉，錦皮楓很有古木的情趣。一種叫獅子頭的楓，枝椏粲鶩彎曲，葉子修長反捲，看來還真像毛茸茸意色酣怒的獅子。青垂枝楓翠葉披拂，纖秀柔靡，羽衣楓輕盈俏麗，一脈清幽；三七五楓，好奇特的名字，裂刻全不按規則的葉子，修長纖麗，具有竹的瀟灑飄逸。

一種氣氛，一種意境，讓榆和櫸有它的樸實和蘊藉，讓竹有它的超逸和幽邃。結實的枝幹糝曲盤旋，細小的葉片疊翠堆雲，豪邁中透著精致，那是榆。蒼秀高華，一枝高軒雲挺，綠葉低垂紛披，森然如帷，那是櫸，涵藉著濃蔭幽意。山毛櫸有著美麗的樹幹，三五株並列，影影綽綽，色澤深淺不一，很有山林的詩意。梭羅的葉子寬柔溫潤，枝梗細而直，密密群植，蔚然成林，另有一種幽意。直幹折曲彷彿躬身相迎，濃綠光亮的小葉綴滿密密分歧的枝梢，小蘗給人的感覺是豐盛又安泰，藹然可親。忍冬竟是那樣扭曲糾纏，伸展盤旋，婀娜又剛勁，光枝椏全是力的表現。纖細的墨竹，清清癯癯，蕭疏俊秀，已具有高逸灑脫的風致，葫蘆竹節節高，竹節渾圓鼓突，長葉密密叢叢，枝柯交錯，鬱勃勁節，恰似「翠竹森若堡」。

一種韻致，一種風情，讓各種不同的花樹有各種不同的丰采和神韻。小巧伶俐的六月雪，細緻的葉子還鑲上白邊，枝條纖柔，有的一枝斜橫，彷彿展伸欲飛，有的根鬚盤虯，玲瓏透剔。小銀杏木厚質精雕的葉片，就像一枚枚綠玉杏仁，密密集結柔韌無比的枝椏，彎曲自如，伸縮隨意，可以是層疊如雲，可以是懸崖倒垂，最是動靜皆宜。落霜紅，負霜鮮豔，小小顆粒纍纍攢集葉掖梢枝，真箇是離離朱實瑩如玉。而不過三四寸，卻開滿小花的米粒杜鵑，竟有十年以上的花齡。百日紅有盤曲茁壯的樹幹，樹皮卻光滑細緻美得冰肌玉骨。蔓枝纖莖依依挨挨地伸向空間，滿天星顯得那樣慵懶，等得春來竟是一副嬌柔無力的媚態。石楠撐著寬闊的葉子，濃濃綠綠，憨厚而帶點富泰。長壽梅曲折迴旋，古意盎然；叢叢翠葉似劍的石菖散發著清涼。野漆的嫩條昂揚翹致，有似燕子展翼凌空；山藤的韌枝扭絞揉升又作弧形返顧，有如蜻蜓點水……

而那些盛著泥土，栽著自然生命的容器，又是些什麼樣的陶瓷小品？質地上有樸拙的朱泥、典雅的黑陶、細緻的青釉、精巧的彩瓷。形狀有圓的橢圓的小盆，方的長方的小盤，六角八角的小缽。淺淺的小盆，深深的小甕，三角似香爐，稜楞如古鼎，配上古色古香的紫檀木花桌花几，是那樣典雅可喜。

一盆壽梅，一幅字畫，雅人深致，無限思古幽情。

一缽松柏，一尊佛像，佛前清供，一片清淨超逸。

一撮修篁，一張竹簾，相映成輝，清涼沁人心肺。

一盆青翠，數卷書帙，案頭長相隨，神遊心馳，最是提神、醒腦、養眼，靈思暢溢，心曠神怡。

盆栽盆景，這份最具有中國人精神文化色澤的生動藝術，已是歷史悠久，早在萬曆年間屠隆的《考槃餘錄》便這樣記載：「盆景以几案可置者為佳。最古雅者，如天目之松——似入松林深處，令人六月忘暑——如水竹，細葉榦消疎可人，盆植數竿，便生渭川之想。」而清朝亦有「陳扶搖花鏡」，專門教人培養盆栽。只不過時代變遷，生存空間縮小，生活步驟緊促。再也沒有軒敞的廳堂，深邃的長廊，寬廣的庭院，來安放雄偉幽邃的山水盆景，栽種繁茂的花樹植物；那就納須彌於芥子，且讓蟠虬根節，清癯枝幹，蒼松古柏，青楓修竹，野藤韌葛，纖莖嫩株，全昂揚縱橫於寸土上，放逸才華於盂缽中。凝眸處，案頭也有平野山林的情境，架上也有藤蘿糾纏的野趣。神馳間，窗台有松楓森然雲挺，修竹瀟灑飄逸，幽韻無窮。几上有六月雪、銀杏木，風姿綽約，生意盎然，真箇是：

四時青不凋，掌中別有春。

盆栽小品藝術・一九八四年元月十九日

編註：本文原刊於《中央日報・晨鐘》，一九八四年一月十九日，第十版。

古文明的魅力

當現代中國人跌跌衝衝走過二十世紀末，正在為接待千禧年擾擾攘攘，科技當道，電腦囂張，物欲橫行，文化藝術越來越黯淡失色時，外雙溪山麓的峩巍文化殿堂，卻悄悄通過深邃無底的時光隧道，從「難於上青天」的僻遠地區，迎來了公元前一千多年前的神祕客：華夏另一支被遺忘的古老族群所創造的藝術圖騰，失落在歷史邊緣沒有記載的原始文明，一九八六年在四川廣漢發現的商代古蜀國精品文物，一個被霸權覆滅的神話王國、一個為錯失遺忘的青銅時代。沉埋在地層下三千多年，古人從不知道，今人更不清楚。就是這一代人，在十二年前也未曾聽說過。而今天，我們卻有幸可以瀟瀟灑灑去故宮拜會瞻仰，是何等的福分！

微醺的暮春天氣，揀一個清新的早晨去訪古。廣場上陽光璀璨耀眼，一處處蒼翠掩擁綠瓦粉牆。推開厚重的玻璃門，疑是一腳跨越陰陽界；恍如地穴下的陰冷，祭坑中的寒悚，燈光熒熒灼灼，神其影影綽綽，展覽場所的氛圍顯得神祕詭異。

屏息仰首，視線驟然接觸，卻似電流迅疾貫穿，身心震撼，神經顫慄，卻被強大的磁力所吸住，竟是瞠目結舌，悚然懍然，原地肅立。也曾看過一些圖片，也曾讀過篇章介紹。當面對面瞻仰、當高大頎長的青銅人立像巍巍兀立於身前，巨目俯視，神情嚴峻，凌厲懾人氣勢直逼而來……而那銅人只是肅穆端立，沉默以待。

仔細端詳這位「古文明傳奇」中最大、最完美的立像，一七二公分是一般男人的身高，腳踏二層地面，地基中間四頭怪獸頂著的支架，共三層底座，全高二六二公分。必須調適距離，抬頭仰望，前後左右，觀察審視，才能瀏覽寶相及全身。

修長瘦削的身材，長頸與纖腰一般粗細，特別粗壯的雙臂高抬齊胸，特長的手指握成環形斜斜相對，看來所持之物一定不輕，比例上似將傾折。長袍下露出石柱般的小腿，結實的腳趾鐵耙般扣住地面，巧妙地取得了平衡，險伶伶如鐵塔挺立。一襲伏貼的雞心領左衽長襟衫，後襬放長裁剪成燕尾，布上織出迴字及獸面花紋。冠冕頂上雙葉拱著正綻放的花朵，帽框緣飾迴紋圖案。耳朵穿有環孔，雙腕各戴三手鐲，足上兩雙腳環。這一身穿著打扮，顯出銅人高貴的身分地位，也得悉那時的人已非常注重裝飾與儀表。

臉部五官是最誇張的突變，完全顛覆了華夏民族的傳統形象，像菩薩、佛祖、秦俑，以及所有東方人種的小眼睛、低鼻樑、尖圓下巴。看他一臉稜稜角角，雙翼般招風大耳朵，刀削濃眉，暴突而稍帶菱形的大眼、眼角斜刺太陽穴、眼神專注，蒜狀隆鼻，闊嘴薄唇、緊緊地抿成一線橫過腮頰，這樣的組合，這樣的臉譜，卻奇妙地表達出生動的神情，冷峻、嚴肅、剛毅、深沉，慍而不怒、威猛內斂、專注的觀照、認真的思考，沉默中凝聚著一種執著、一種狂熱、一種威信，可以釋放成焚燒城地、妖魔、邪惡的烈焰，可以凝斂成鋼鐵般的意志力量。大耳朵諦聽宇宙萬籟、眾聲喧嚷。大眼睛凝視天地萬象，明察秋毫。

如此莊嚴肅穆，莫非是神通廣大、眾生膜拜的神。

如此權威尊貴，莫非是統治疆土、百姓敬畏的王！

只不知雙手鄭重捧持的寶物是天杵，還是權杖？

凡塑像面具，多少總有人的實質，再加上想像、創意、模擬，審美和技巧，做成心目中所需求的造型。傳說古蜀國王「蠶叢」其目縱，而從四川出土的銅人最大的特徵就是巨目。從立人像到四、五十件大大小小的人像、頭像和面具，儘管髮飾不一，有戴迴文平頂冠，有戴雙角帽，有盤髮辮作框，有在腦後插蝴蝶結花笄，還有戴黃金面罩的，卻一個個都是菱形大眼，似乎與縱目族有淵源關係。

人面像中有一個耳朵大到斜斜向上方伸張，彷彿展翅待飛，眼珠伸出眶外成柱狀，竟長達十六點五公分，讓人想起《封神榜》中的順風耳、千里眼，原來這樣人物早就有了。但小說寫於明朝，不知作者從何得此印象。

縱目族中也有一個另類哩：圓頭圓臉、圓耳朵圓眼睛、扁鼻子、齜牙咧嘴、瞪眼瞋目，繩索似的頭髮上梳又倒翻如耙，叉腿跪地，雙手外撐，穿丁字褲，模樣猙獰而有點叛逆，想是那時候的新新人類。

那時大概神、人、動物和平相處，有好些禽獸的鑄像，比起人的嚴肅來，還比較和善些。鳥是最受鍾愛的，原形依稀、造型各具風采。最大一座巨鳥頭像，高四十多公分。神態昂揚孤傲，簡潔的線條勾勒頭顱，再向上猛一轉折變成勾喙，寬深的陰刻更凸顯出奕奕有神的巨眼、強有力的利喙，那樣默默凝視空中，竟是滿腔心事，無語問蒼天。

這隻特別渾圓飽滿的銅鳥，神態安詳，圓頭圓眼圓胸膛，長長的尾巴變成圓弧，卻平平伸出啄木鳥似的尖喙。原來頭上戴著華麗的王冠哩，鏤花高頂、迴文帽沿，後垂披兜及背，是重甸甸的負荷使牠端莊而有點小心翼翼，不知鳥神抑是鳥王，威儀中帶有稚氣。

看牠那意氣風發，歡欣鼓舞的神采，人都會受到感染。頭上翹揚著三支美麗的孔雀羽翎，與上下翻捲的花式長尾呼應對照，胸飾波浪紋，雙翼鐫刻深痕。結實的爪子緊扣住吊鐘花花蕊，圓眼前望，尖喙開啟，一副起飛前引吭高鳴一曲的英姿，生動極了。而另一隻穩穩佇立花蕊，飽滿的前胸花飾如綿，尾翼上下翻捲成迴紋，頭上竟是人的面具，與銅人相似，只是圓眼珠顯得親善、闊嘴在微笑。高十二公分不到二手指，鐫刻精細，神態生動，人鳥渾然融合為一。這幾件小品都屬於神樹的部分。瑰麗的青銅神樹未展出，有照片，高三五〇公分。樹身俯仰彎曲的枝梢上著滿花果，花上棲憩著姿態不同的鳥、鳥人，還有龍。動植物相依相親，欣欣向榮，洋溢著生命的靈性，是對植物的敬重。

如果縮小一倍陳列在飾品櫃中，品味高的女士們一定以為是創意高手新設計的胸針。只是極簡潔的幾組平面青銅線條，或延伸，或彎曲轉折，或勾勒，便完成了三隻翩飛、滑翔、下降中的抽象鳥形。動作準確，姿勢優美。

還有高八一．六公分的鳥足人像，人鳥渾然一體，更顯得奇特詭譎。

據民族史學者指出，上古時有東夷族自山東到中原被稱為「蠻」，再遷四川在古蜀國稱王為「蠶叢」，保存原來鳥的圖騰，所以鳥在縱目族特別受重視。

平常看慣了張牙舞爪的矯龍，再看到這條「蹲」在鐵柱上的長著一對羚羊犄角的變色龍，咧著巨嘴，利齒稀疏，下頦垂著一綹老夫子鬍鬚，彷彿正待呼風喚雨，躍身雲霄。轉過柱後，原來還有長長的龍身俯貼柱壁，筆直下垂至尾端翻捲成環，後爪堅扣柱側，前後身一動一靜成對照，饒富趣味。

好一隻俊俏的銅虎！虎身修長，線條柔和，虎背微隆，腰腹如削，長尾平伸微揚，耳朵尖豎似角，鼻子翻捲，張開虎口露出虎牙，一副擇定目標蓄勢俯衝的姿勢，卻又威而不凶，渾身鐫刻斑斕雲紋，嵌淺綠玉石，華美優雅。

一條長蛇委婉伸長，蛇頭擱得高高的，嘴半張半闔，眼朦朧微瞇，惺忪又帶點憨厚。

珍罕的青銅文物，除了最奇特的銅人、動物，還有眾多禮器：「龍虎尊」、「六鳥三牛紋尊」、「四羊四鳥紋罍」、鏤花「銅牌」，像巴掌大小的「瓜」形、「吊鐘」、「鸚鵡」飾品，一串三枚銅「海貝」，一些酒器，以及許多玉石器。一共展出二五九件，瀏覽一遍能重點觀賞已目不暇給了，哪能一一細看？自第一眼的震懾、激賞、感動、讚歎、歡喜，三小時浸潤在美的感受中，作一次超越時空的神話藝術巡禮，享用了如此豐盛的文化饗宴，要怎樣感謝主人——所有美的創始者。

奇蹟的創始者，那一支神祕消失的族群，歷史不曾記載的人。他們一定具有最高的智慧、天賦的才華、敏銳的審美、豐富的想像力、精密的頭腦和靈巧的技藝。竟在蠻荒混沌時期，便懂得鑿石煉銅，澆模熔合，鑄造高難度的銅人銅器，樹立獨特的風格，創作不同的造型和激發性的抽象藝術。怪的是有這樣精湛完美的藝術造詣，卻沒有文字。原來美感與創作才能是與生俱來的，而文字最後才發明。一切思維、理念、設計、感受等等述說、傳達、記錄，全憑「圖象表達」，而沒有「文字表達」，真是太難了。

我們可敬可佩、手腦萬能的先民，是那樣全心全意付出他們的智慧、精神、心力、辛勞、榮譽和人生歲月，那樣虔誠地投入他們心中的理想、信仰、願望、期許和祈福。以辛辛苦苦琢磨出來的技術，合作鑄造出心目中祈求的形象圖騰，建立天人合一的神話王國。而當這群原始創造者短促的血肉之軀早已化作塵灰，消失於時空大野，那些千錘百鍊金剛不朽之身，都在三千多年後，從黑暗的地層下重見天日，抖一抖泥土，擦一擦鏽斑，依然風采如昔，威儀不減。凜然屹立於文化殿堂，散發出神奇的魅力。讓有緣瞻仰過的二十世紀人類，在驚豔激賞、讚歎、感動之際，留下深刻的印象。誰能忘記那肅穆詭異的身影面貌！那深深凝視、懾人心靈的巨眼，和那些美麗、有趣、揚射著生命力的可愛動物！

我們歷史的記載華夏文明淵源於中原黃河流域，如今三星堆文物大宗出土，且打破傳統局限，更富創意，首鑄罕見的青銅人像，連早年發現的太湖「良渚」文物，顯示長江流域同樣有豐沛的原始文明，不是獨一無二、是多元化的。可能歷史要改寫，美術史要重編。

三星堆燦爛古文物的橫空出世，已成為轟動國際的大新聞，列為本世紀以來最為重要的考古發現。國內早就有許多專家在進行探索研究，各國都有不同專家學者要參與探討。華夏古國疆域廣袤，民族眾多，先民中更不少曠世天才。無盡的古文明寶藏，中國人的驕傲，且待慢慢發掘吧。

三星堆青銅古物展・一九九九年六月二十一日

編註：本文原刊於《中央日報・副刊》，一九九九年七月十九日，第十八版。

後記

最早有一個時期，也許是由於長期蟄居偏僻小鎮積累的壓抑，我對紀德「別停留在與你相似的周遭，如一個環境正與你相似起來，或是你自己變得與這環境相似，此刻它對你已不再有益，離開它」的說法，頗有同感。

快車不停靠的小鎮，直行無阻的長街，兩排糕餅、茶葉、雜糧行，一家兼賣文具的小書店。沒有藝術氣息，沒有文化活動，人文空間一片荒蕪。民風淳樸，卻閉塞落後。生活寧靜，卻了無生趣及新意。竹籬外牛鈴聲聲串起晨昏。鳳凰樹蔭蔽的小木屋中，綠窗下有人勤耕字田。寫寫歇歇，日復一日。花開花謝，年復一年。美好青春到哀樂中年，消磨了最珍貴的時光。

隱蟄太久，讓人迷失。困頓太久，讓人抑鬱。壓抑太久，讓人沉滯。

那年去台北，那個有著浮華富貴、奢侈鋪張，也有著優雅高尚、文明展藏的大城，對我還很陌生。因為陌生，孤獨，可以凌駕一切。獨自闖蕩巡逡，走進一家家靜靜敞開的幽雅藝廊、一座座默默歡迎的古典館院、一處處自由自在的人文空間。幾番進出，開啟了我心靈的視窗、精神的領域。

孑然一身，踽踽獨行。不管是廊舍、院館、場所，可以凝聚心力，可以放空自己，投入周遭關注的對象，仔細地觀察，慢慢地端詳，靜靜地體會，專注地研究。感受到一份共鳴、一份呼應、一種領悟、一種契合……美的喜悅似暖流般滲融於脈動，竟是物我相忘。

學會了去看，懂得了欣賞，覺得世界變得更豐富多采，萬物都閃爍著美。

遷居台北，如魚得水。「別笑我那份貪，只要當我有足夠的體力，我總是高高興興去領略、去欣賞、去體驗、去觀察這大千世界種種展示。住在台北就有這點好處，平常日子，那許多開放性的故宮博物院、歷史博物館、國父紀念館、美術館，以及各家畫廊、藝術中心、什麼舍什麼坊的，要仔細認真看起來，還真看不厭看不完。再加上一年到頭各式各樣畫展、雕塑展、陶瓷展、攝影展、設計展、書展、花展、發明展等千百家展覽，以及處處人文空間、優雅景點……」（摘自《倚風樓書簡・從格爾尼卡想起》）。我將參訪行程列入平靜生活中的重要一環，作業告一段落，便「任性逍遙，隨緣放曠」，便服輕裝，踽踽獨行。可以起個早去等候館院開門，趁人少空氣潔淨時先開始仔細瀏覽。可以挑個不冷不熱的日子，去舊書攤、去書展檢閱，搜搜尋尋從上午到亮燈。浸泡在圖書館裡時間總是嫌太快。有時，卻也喜歡去兒童閱覽室看那些活潑好動的小人兒，一個個靜止在書畫中的乖巧模樣。去花展沾一身花香，滿眼繽紛。中山廣場的噴泉下是最好的休息，看兒童學步、少女遛狗，悠揚鐘聲如花瓣飄墜。橋從陸地兩岸拔起，凌空橫亙，底下車如急流怒潮，橋上人似螻蟻熙攘。暫立橋上，俯瞰人間十里紅塵，仰視天宇白雲蒼茫。「獨立市橋人不識」，我也喜歡這樣的境界。相遇相識都是緣，珍惜緣分。

心靈上有一份潤澤、精神上有一份寄託，生活情致自在閒逸，這樣的日子，很愜意。或說：「任何事情如未曾用筆寫下來，如同沒有發生。」高興我寫下了那些鮮活有趣的印象：當時分成兩系列進行。小部分以書信體寫在《倚風樓書簡》中，該同名書早已出版；大部分嘗試另一種文體，當初以「忘憂草」專題，不定期發表於《中國時報・人間副刊》。明確的主題、取之不盡的題材，待篇幅夠了結集出書，卻不知怎麼擱淺了。一擱擱置了這許多年，藝術恆久、文物依然，景觀空間卻有了不少變遷。感謝印刻，為我出版了這本小冊子，讓擱淺的小舟得以揚帆啟航，但願一帆風順。

二〇〇七歲末

艾雯全集4

散文卷四

老家蘇州

老家蘇州：蘇州市，古吳軒出版社，二〇〇九年一月初版。二十五開，一三七頁。

◎古吳軒版原目：

序、小時候、野蝶飛來都變黃、玫瑰花雕、軋神仙、鄉心新歲切、一樹獨先天下春、夢入江南煙水路、五月石榴照眼明、小小茉莉、天涼好個秋、千載香火玄妙觀、版畫年畫桃花塢、月華濃處是姑蘇、聞聲聊慰故鄉情、蘇州餚饌、艾雯簡介。

◎說明：

本集據古吳軒初版編入。

艾雯簡介未收入。

夢入江南煙水路、小小茉莉等兩篇已分別收錄於《艾雯自選集》、《不沉的小舟》。

艾雯原擬書名為「三生花草夢蘇州」、「童年在蘇州」。

序
——寫在前面

有一處地方，儘管你已離開了它，千山萬水阻隔。但天涯海角，它永遠跟你在一起。儘管歲月悠久、滄海桑田、紅顏轉白髮，而它始終常相伴隨。寂靜中，夢回時，稍一動念，略一回顧，轉瞬顯現，隨時到達。你生根於彼處，彼處植根於你心中，那正是每個人生於斯、長於斯的故事。

門前走過千百次的長巷，潔淨的鵝卵石光滑如洗。青石台階、黑漆屏門、白粉牆頭探出一兩枝桃李。小河縈繞回轉，潺潺流過楊柳岸，傍水人家，櫓聲欸乃，滿載蔬菜瓜果的小舟駛過身邊，收網的漁船穿越腳下拱橋洞。園林處處，總是詩情畫意。高聳雲天的寶塔，永遠是方向的指標。動亂歲月、漂泊人生、風雲失色、世界變遷，心中夢中永不褪色的是那故鄉的山山水水，萬種風情。

在那裡，總有一些血脈相連、恩情融貫、水親土親的人，親昵地喚你的乳名，抱過你、拍過你，知道你小時候一些可愛的舉止、一些可笑的糗事。還有不少堂兄弟表姊妹、對面隔壁鄰居，自小便一起在牆門間踢毽子、大廳上造房子、花園裡捉迷藏，又一路勾肩搭背上學的親密玩伴。

在那裡，你聽到的是比世界上任何聲音都動聽、都親切的聲音，那是你生命最初接觸的聲音。從耳畔的呼喚、教誨，到牙牙學語，吟唱兒歌，讀人手刀尺，娓娓申訴，狡辯……一朝身在異鄉，縱使在眾音喧譁中，只那麼輕輕一句，便能震撼心弦，又那樣安舒地熨貼每一根神經。

在那裡，有任何地方吃不到的好東西，「酸不鞔胃，淡不槁舌」的餚饌，精緻的點心糖食，田裡樹上鮮嫩沁甜的蔬果，塘裡的蓮藕紅菱，河中的魚蝦螃蟹。產品中有醇厚的鄉土味，調味中滲著濃濃的親情，早已嗜食成癮。

在那裡，地域性的優異文化薰陶你的心智，山水清華滋潤你的性靈，卓越的人文精神導引你的性向，傳統的習俗風尚培養你的生活情致，高雅獨特的審美觀決定你的品味，這些都已形成你性格的原型、觀念的基因，不能磨滅，也難以再脫胎換骨。

最初的愛、最早的啟蒙、最深的根柢，是你刻骨銘心的恩情和惓惓的憶念。

臍帶剪斷了，兒女的心永遠繫戀著母親。

離開了故鄉，遊子的心，始終懷念那片萌芽生根的土地。

就像春秋闔閭築城以來，二千五百多年縈繞著姑蘇潺湲迴轉的河道，永遠那樣不停不息、不急不徐地流淌過悠遠歲月。文化古城，世世代代長住著愛好和平的居民們，天性寧靜無為的蘇州人，習慣了安逸、恬淡、優雅自在，樂天知命的生活，一向安土重遷，誰也忍受不了「離鄉背井闖天下」的辛苦，有人外出求學或做事，老一輩的叫「出遠門」，「出一趟遠門嘍，少則三二個月，多則一年半載，就要轉來咯」。然而，那一年，清明剛過，杏花細雨，楊柳拂面的一九三七年初春，父親允同鄉好友邀約，同去江西幫忙一年。他暫時擱下須臾不離的書畫，母親放開針黹手飾，我萬般不捨地留下收藏的香煙畫片之行李輕簡，一家四口——雙親、未滿一歲的潤妹、和少年的我，向依依不捨的外婆告別：「勿要擔心，就要轉來過年咯。」黃包車輾過幽幽靜靜的瓣蓮巷，出平門。我靠窗坐在火車上。望著蜿蜒的城牆，高挺的北寺塔，一一倒退消失，心中默默祈訴：「再見！蘇州。」誰知這一趟出遠門竟是半個多世紀，從此歸鄉路斷，天人永隔，再也不曾回老家過年。

七七事變，人類最醜陋殘酷的侵略戰爭，山河破碎，疆土寸斷，書生型的父親，禁不起思家憂國，日夜跑空襲警報，不三年便在大庾任上遽然逝世，少年的我惶恐肩起重任，母女仨隨著我工作單位，轉輾大後方。戰亂中歷經顛沛艱苦，家鄉總是心中不敗的據點。之後兩岸隔絕，音訊渺茫，日思暮想，總是難以排解的鄉愁。故鄉，不只是血脈地緣的情分，更是精神文化的依歸。專屬於故鄉，有一組特別敏感的神經，有一根特別纖柔的心弦，有一份特別豐沛的深情。平常日子，母親和我隨時都會被周遭任何事物，生活中的點點滴滴，逢年過節，花開葉落，觸動思念勾引起無限往事，如同一滴水滴入回憶的深潭，小小漣漪，迅速擴漾、迴旋、無岸無涯……一個述說，一個補充，一會笑語盈盈，一會惆悵低迴，瑣瑣碎碎，總是甜蜜，安樂歲月，事事溫馨，恍惚時光倒流，沉浸在往日情懷中，脈脈相和、息息相通。那一會母女倆心貼心，在親情交融，共同思念的時刻，亦是另一種幸福。

千斛鄉愁，無處紓解，唯有寄託筆墨、付之文字。我以赤子之忱，孺慕之情，寫出生命中最早最深的記憶——那些如詩如夢，歡樂美好的童年歲月，蘇州人豐富多彩的生活歷史。

一九九〇年秋，女兒陪我第一次返鄉，九十六高齡的母親未曾同行，殷殷切切只是絮叨著一些親屬的小名，但人事渺杳，無以作答。當我提到在寒山寺敲鐘，住持法師特別為她祈福，老人家忽然興致勃勃背起「月落烏啼霜滿天，半夜鐘聲到客船」，她沒有記錯，「半夜」和「夜半」意思本來一樣。總想有一天可以陪她回去一起走拱橋、聽鐘聲。畢竟跋涉太辛苦，她老人家高壽一百零二歲仙逝，卻始終未能重返故鄉。一九四〇年父親在江西英年早逝才四十五歲。僅以此書獻給外婆和雙親在天之靈。

於台北・二〇〇五年二月

附言：

許多年前寫下這些真摯的懷念篇章，有幸能在故鄉出版，真是如願以償。又蒙學者賢達讀了這些文字，稱讚我記憶清晰，述寫詳盡，贈以「艾蘇州」封號，並列名吳文化經典巨著——《蘇州文學通史》一書中，讓漂泊遊子，有「根歸起源」的踏實感受。但願來生仍做蘇州人！

小時候
——親情綿綿

一張褪色、斑剝的相片；一段荒遠、迷離的記憶

承平時代，古城悠閒的歲月，就像那縈繞紆迴的千百支河流：浸潤著花香、書香、墨香，流轉過石橋亭榭、深深庭院。那一年三月，鶯飛草長，春寒未消，平常深居簡出的母親忽然心血來潮，攜著五歲的女兒去觀前街照了張相。

母親說我小時候文文靜靜，皮膚白得幾乎「吹彈可破」。她刻意為我穿戴了血芽色的「絨頭繩」帽子，同色系的軟綢夾襖，外罩墨綠素緞綠飾繡花邊的長馬甲。只是帽簷壓得一頭濃密的黑髮遮住了濃濃雙眉，益襯得胖胖臉渾圓如滿月。母親穿的是蓮青色鑲滾黑絲邊的華絲葛駝絨旗袍，純白絲圍巾垂拂胸前，無指手套。瀏海覆額，雍容端麗，是那時最時髦的裝扮。但也很「鄉土」，因為所著絲綢錦繡全是蘇州的特產。臨時又找來一隻瓷貓代替家中的寵物。喀嚓一聲，留住親密的剎那成永恆。

一九八七年十一月

編註：本文原刊於《聯合報・副刊》，一九八七年十一月二十九日，第八版。

野蝶飛來都變黃

——父女倆去踏青

細雨杏花落，春天小囡面。一清早，父親捋起袖口，從天井裡端進一盆蘭花擱在書房高腳几上，扶持端詳，長長的翠葉閃著水光，挺直的枝莖上顛顛巍巍附生好些朵花苞，就像隨時會展翅飛走的蜻蜓。

我在父親大書桌一端撐起臨帖竹架，擱上文徵明的千字文小楷，蘸著端硯裡磨得濃濃的墨，一筆筆臨摹天地玄黃……一抬起眼來，正好從和合窗望到對面的屋脊，瓦楞縫間冒出了幾叢青青的小草。忽然一隻黑白分明的喜鵲飛來停在脊簷上，閒閒地啄啄嫩草，整整羽毛，又一迭聲唱著飛走了，撒下一屋頂淡淡的陽光。

「早上喜鵲叫，天氣必定好。」父親興致來了，拈支羊毫隨意在攤開的宣紙上揮灑竹葉。「臨完這頁，帶你去南園踏青看菜花。」

聽說要帶我去踏青，立刻下筆如有神。

春天嘛！到處是碧綠的樹和草，去遊春玩景應該說是探青、賞青，不懂大人為什麼要用

「踏」字？只是聽起來很受用。遠一點，就去城外靈岩山、天平山、虎丘；近點麼，到蘇州有名的幾個園林，像留園、拙政園、滄浪亭、網師園……南園倒是第一次聽見。以前父親也常帶我去看梅花展、蘭花展、菊花展。叫啥專門看菜花，還真新鮮！

姆媽幫我換一件淺杏色綢襖，外罩墨綠色長馬甲，清癯的父親穿一襲鴿灰色長袍。父女倆共坐一輛黃包車，穿過鵝卵石長巷、青石板大街，沿河小路，一道又一道拱橋。蘇州城長方形，街巷和河流平行，有橫有直，像雙棋盤。

車行在棋盤上彷彿過河卒子遊走，忽然眼前豁然開朗。不是衝到楚河臨界，而是一大片鮮明燦爛，閃耀著金光的湖泊，浩淼無垠地展延在前面。就在我驚喜得發楞時，黃包車停下來，父親說：「到了。」

不是湖泊，是油菜田。

沒有圍牆門坊，沒有亭榭迴廊、假山池塘。一片遼闊，無限空曠。近傍一些桃柳，竹林中幾間農舍，遍野盡是爛漫繽紛的菜花。分明是鄉下，卻遠遠阻隔著一抹城牆，河濱兜繞過來銜接上護城濠，應該還是在城內。稀奇的是所有的大街小巷，到處都是房子密密麻麻，竟在這裡留了偌大一片空地種菜，似乎不應該叫什麼「園」，應該叫「城裡的鄉下」！

沒有磚瓦鋪砌成圖案的婉轉小徑，四周全是厚厚的草地。是那種不怕踐踏的野草，布底鞋踩上去軟綿綿的卻又有彈性。還有細小的蚱蜢跳過腳背。越向前走近，菜田面積越大。竹柳農舍全都遠遠隱退，擱在面前的只是菜花世界。田塍上一站，簇簇花朵齊到我胸口，一陣陣摻著泥土的清香，直湧撲鼻際，沁甜的空氣滲入心肺。春風輕輕吹，陽光在花海上流動，閃金泛綠的花浪輕盈地湧向畦徑，又悠悠忽忽地漾開去，數不清的蝴蝶蜜蜂隨波飛翔迴旋，只看得人目迷暈眩。

「南（北）園春盡菜花香，野蝶飛來都變黃。」父親告訴我那是從前的人讚美南園菜花的詩句。菜花招引來的幾乎都是大小差不多、色澤純淨的粉蝶。但在大量彩色渲染和陽光的映照下，看起來彷彿一色的閃動著淡金的粉翅，不停地起起落落，迷離撲朔，恍惚菜花是歇著的蝴蝶，而蝴蝶是隨風飄揚的花瓣。

我彎腰低下頭去，讓花朵輕輕撫觸臉頰，癢酥酥的感到溫潤微涼。花瓣薄得透明細緻，四瓣一朵還摻雜著米粒般密密的小骨朵，有得開哩。

蘇州人炒菜用菜油，所以油菜要留在田裡等長老結籽採下來好碾油。這是老媽媽（奶娘走後照顧我的阿媽）告訴我的。她是木瀆鄉下人，常常會講些莊稼事情給我聽。記得她說：「種菜麼，落地像黃金。」地要耕得勤：「鋤頭底下三分油。」水要澆得足：「油菜三遍澆，產量一定高。」若種得遲了，「還不夠女人擦頭髮。」原來鄉下女人頭上搽的也是菜油。採收菜籽很辛苦，所以時間也長。「菜花收籽廿日忙」，我很高興當時站在油菜田裡，將老媽媽平時說的有關種菜事全記起來了。

父親遇見了兩個也來踏青的朋友，相約去茶棚裡歇腳。我坐在面向菜田的長板凳上，一面吃小販送上來的香椿頭、甘草梅子、五香豆（還有一種就從樹上摘的金鉤子，很甜很甜），一面看結伴連袂來賞花的好孃孃。鮮豔的寬袖圓角齊腰繡襖，配穿素雅的百褶綢裙，曳地的裙邊拂過青草地，半露出繡花鞋，娉娉婷婷，笑語盈盈，一個個標緻得就像月份牌上走下來的美女。還有就近從草地上折棵薺菜花，插在髮髻上，說是可以使眼睛明亮。我想要是我就會摘棵鮮黃的菜花，配著漆黑的秀髮，和碧綠的翡翠簪，不知道有多好看！

悠悠閒閒啜飲著剛沖泡的碧螺春，父親他們正從眼前的景色談到南園久遠的歷史。一個說原來是吳越時代廣陵王錢元璙的私家林園，有流水奇石、樓榭亭閣，後來遭兵災荒廢了，不知什麼朝代變作農田。一個說好像有這樣的傳聞：當初闔閭、伍子胥建城時，便有計畫留下南北兩大片空地不蓋房舍作可耕地，如逢楚國來攻打，兵困城下，城內有田種糧食，就不怕斷糧缺水了。又說：早曉得大家都有興趣來南園，先約定了，也好帶些酒菜來，賞花飲酒，附庸風雅一番。

「最好還有一位像《浮生六記》中芸娘一樣賢淑的妻子，給安排一副餛飩擔當場燙酒熱菜。」

「好呀，看我明天不把這話告訴嫂夫人去！」

又說到小時候，田裡菜花收割後便種毛豆，秋天時偷偷地溜到毛豆田裡捉才續（蟋蟀），那才續狠鬥廝拚，真叫勇猛。聽到他們前朝後代的，越說越有趣，笑得好開心，完全不像平常那般正經八百模樣。我望望碧藍碧藍的天，飄拂在春風裡的柳條，閃耀在陽光裡燦爛的無垠菜花，飛舞的蝴蝶，和空氣中那種攪拌著泥土、青草、菜花的好聞氣味。想來是這一切，讓他們又回到了快樂無憂的青春年少。

春天的日光很短，夕陽將墜，只得離去。我戀戀不捨地一步一回頭，陽光淡化，花的顏色反而深暗了些，就像孵出不久的小鵝小鴨嫩黃的茸毛。噢！是幾千幾萬隻黃茸茸的小鴨小鵝，乖巧地歡聚在田野中。

從南園回來，那鮮明的景象一直留在腦中，只要定一定神，一大片黃澄澄的菜花就浮現在眼前，連做夢都夢到它。當天晚上我就夢到自己一個人奔跑在比我矮一個頭的菜花叢裡，花像浪一樣擦過肩膀，退到身後，忘情地越跑越快，腳不落地，身體忽然輕飄飄地浮升起來，竟變成了蝴蝶，一隻遍體透黃的黃蝴蝶，在菜花上飛翔迴旋……

清明前夕・一九九七年四月

編註：本文原刊於《中央日報・副刊》，一九九七年四月二十三日，第十八版。

玫瑰花雕

——外婆與我

「江南三月花似霧」。花怎麼會似霧，想是綻開時極茂盛和繁密；花圃裡，園林中，河堤上，兩岸人家，到處燦爛繽紛，縹緲為多色的霧，掩映著古城水鄉，花是花，霧非霧，美得撲朔迷離；還是譬喻不管什麼花，開到萎謝凋零時，香消玉殞，芬芳、色澤、形體，都如霧雰般消散，隨風而逝，或化入泥中不見。

外婆愛花惜花，每年趁早，用美酒浸泡盛開的玫瑰，保存了醇甜濃郁的芳香，透明如蟬翼的花瓣；用純糖醞釀，保留了鮮豔殷紅的色澤，她親手調製密封的一瓶瓶玫瑰花雕，一罐罐玫瑰花醬，留住了似霧的春花。

歲月如小河流水悠悠，日子過得平平靜靜。除了三時六節，祭祖供神，釀製玫瑰花雕也是外婆一年中的一樁大事。

蘇州人喜歡花花草草，蘇州女子尤其喜歡香花，淡雅的茉莉、清幽的珠蘭、馥郁的白蘭、濃醇的梔子，這些花開時總在春末夏初。花場全集中在七里山塘白堤一帶，天不亮花販就挑著籮擔，或撐著腳划船送進城來，再分散到賣花孃孃手裡。包著頭巾，一身藍布衫褲，俏麗的賣花孃孃挽起滿籃沾露的香花，柔聲叫賣著走過大街小巷，順路彎進走熟的老主顧家，穿越庭院，登堂入室，將香噴噴的鮮花直送達深閨內宅，為老太太、少奶奶添妝。

花送來不早也不晚。外婆這時早已唸過《心經》，收拾好房間，用過一道百合蓮子湯，正端坐在打開的妝奩前細抹勻敷，面對兩扇敞開的落地明瓦窗，從天井照進來柔柔的陽光，為她撫平了臉上的皺紋。抹上雪花膏，撲一點鵝蛋粉，沾溼胭脂棉在手心兩側，輕按雙頰，看來淡淡若無，只添分滋潤，早上的外婆神清氣爽，要顯得年輕些。走梳頭的娘姨站在她背後，一面挽著長髮梳理，一面轉播內幕消息：吳家裡窮得開了後門在賣古董、潘家裡的老爺搭上了陪嫁丫頭、陸家裡的三房太太吃了長齋、汪家裡新少奶奶做了件缺襟馬甲，說是最時興的。轉播停時，髮髻也梳好了，一個盤香髻梳得精光滴滑，伏伏貼貼。賣花孃孃及時呈上剛剛用細鐵絲串成的茉莉花環，彎彎如月牙，正好嵌在髻邊，半隱半現，露出一圈珍珠似的晶瑩花蕾，黑白相映，襯得秀髮益加黑亮。有時改插兩簇玲瓏的珠蘭，細緻得像一串串精工雕琢的翡翠粒，有時又是羽扇般展開的二層茉莉花半環或花珠，中間配一朵梅紅的千日紅，插在襟上。偶爾要參加什麼喜慶宴會，外婆總是交代賣花孃孃特別穿綴件新花樣配戴，幽幽雅雅，勝過那些珠光寶氣。

賣花孃孃手巧，嘴也甜：「蔣老太太，今年玫瑰花開得早，阿要早點訂。」

外婆沉吟著，掐指頭算日腳：「釀玫瑰花雕一定要好天氣，還要花一整天辰光。是不是要取消牌局！」

「倷就後日送三百朵來！」外婆截然吩咐：「兩百朵釀酒，一百朵做醬。」

到約好那天，賣花孃孃比平時來得早些，除了臂彎裡的一籃香花，另外還提了一隻元寶籃，蓋了一層溼漉漉的白布。布一掀開，耀眼的是滿籃濃豔的色彩，沁人心脾的是一股馥郁的芳香，盛開的玫瑰一層一層，花蕊朝天地疊放著，裝得滿滿一籃。外婆伸出纖長的手指，輕輕地伸到最底下一層，拈出絨篤篤的兩朵花來查看，賣花孃孃連忙說：「統統是今朝天勿亮採下來咯，連露水還嘸不乾哩。」

老阿媽端來隔夜洗好的竹篩，幫著一五一十地將玫瑰花放進篩裡，接著第二步工作是摘掉花蒂，然後擱在通風的廊上吹乾。這一天空氣裡一直瀰漫著沁甜的香味，使人醉醺醺的像走進一座百花盛開的花園。到下午花瓣便軟軟的有點皺邊，外婆洗的瓶瓶罐罐也吹乾了水分，她先將一大半花瓣裝進兩只大口的玻璃瓶裡，灌滿上好的高粱酒，用厚厚的桑皮紙封住瓶蓋，再繫上紅棉繩，嚴嚴地封得密不通風。酒釀好，接著又開始做玫瑰醬，先在碾盆裡將花瓣輕輕碾爛、拌上細白糖，一匙一匙放進白瓷花果缸裡，每層中間隔著幾粒霜梅。看外婆做得全神貫注，卻引得我饞涎直吞。再過兩個月就是端午節，那時玫瑰醬也熟了，雪白的糯米粽子澆上兩匙鮮豔透明的稠汁，紅白分明，看了那色澤，先就教人心裡愛煞；吃到嘴裡，甜中帶一點酸，芬芳留在口齒間，有半天好回味。

玫瑰花雕和玫瑰醬密封好了，都貯藏在食物櫃裡。一定要到預定的時期，才能食用。玫瑰醬大家都可以嚐到，而玫瑰酒，卻是專供外婆自己一個人獨享。

外婆一向獨立自主，做人做事一點一劃，絕不馬虎隨便。她也很懂得保養攝生，怎樣安排生活，享受一點小小的情趣，蘇州人叫「小樂惠」。不為過去不愉快的婚姻傷悲，不為明朝的柴米油鹽煩心，今天過得平安踏實才最重要。她有幾種嗜好，一般說來都很有節制。她對衣著很講究，但穿著都十分得體，她舉止行為中規中矩，講話輕聲細氣，顯出大家閨秀的好教養，生活起居習慣，數十年如一日。每天天矇矇亮，她跟老阿媽差不多時候起牀，穿好衣服、盥洗一下，便去大廳裡做她每日必修的早課。八仙桌上燃一支香，自己端坐在太師椅上，面前攤開一張印滿紅圈的黃宣紙心經圖，旁邊一盒印泥，一支竹籤。外婆眼觀鼻，鼻觀心，默默唸誦一遍就用竹籤蘸印泥蓋一個圈，那種專心一注的虔敬模樣，讓別人噤聲屏氣，走路都輕手輕腳。當一支香燒光，功課做完，就開始東摸西摸收拾自己的房間衣著。「揩台揩四角，掃地掃壁角。」紅木家具沉沉發光，黃銅環把閃閃發亮，窗明几淨。真箇是一塵不染。接著開始她第一道早點，夏天是新鮮雞頭肉、百合羹，或冰糖燉蓮子，其他時節是紅棗桂圓、白果、栗子、燕窩白木耳什麼的。這些甜點心都是老阿媽每天費一二個鐘頭剝好洗浸、隔夜用炭火燉上，吃起來糯而不化、正好上口。等梳好頭，老阿媽已從街上買回來黃松糕、豬油糕、蟹殼黃、生煎饅頭、小籠湯包、雪糕……天天換來吃，百吃不厭。到落雪結冰颳西北風的日子，就熬一鍋香梗米粥。「天氣冷，吃碗粥暖熱暖熱，活血脈咯。」外婆總是哄勸一向不喜歡吃粥的我。她吃的東西雖然花樣不少，卻吃得不多，說是：「要保一日平安，稍帶三分飢寒。」

日子過得清閒，外婆跟幾家親朋好友，常常有個聚會「搓搓小麻將」。關照過姆媽，又吩咐了老阿媽，自己便換上出客衣裳去赴約。這一去，回家不早不晚，總在下午夕陽西墜，將近黃昏時分，黃包車上下來，依然頭光面滑，手裡還多了個手巾包。當她老人家換上家常衣服，淨過手，老阿媽已在飯桌上替她安置好了酒盅筷子。外婆自己鄭重地從食櫥捧出那罐玫瑰花雕，斟了一盅。打開那些三角包，包裹全是佐酒的零食：薰青豆、慈姑片、花生米，或是小篾籃裡裝著醬鴨、凍蹄、野味腳什麼的，便一個人獨斟起來。

當外婆自斟自酌時，那種悠閒安詳的神態最是令人難忘，她緩緩地端起酒盅，嘬起嘴唇輕輕地啜一口酒，又挾兩粒薰青豆在嘴裡慢慢地咀嚼著，眉宇間顯得那樣舒坦，神情顯得那樣寧靜而又滿足。彷彿整個世界就在她杯底，又彷彿她超越了人間的七情六欲，世上的塵俗煩囂，浸沉在溢自內心的平靜喜悅中，連稍帶幾分威稜的雙眼，抿緊時十分堅毅的薄嘴唇，和微蹙的眉峰。都像經過熨燙般變得格外和藹可親了。我覺得她平時雖然進食各種精緻可口的食物，但主要的是為了進補。只有喝那麼兩盅酒，才是真正地在品味其中的情趣。

只要我在旁邊，外婆喝酒時總不忘記喚我過去，抓一把薰青豆、花生米什麼的給我，或者挾塊鴨骨頭放在我嘴裡。我喜歡吃這些東西，也喜歡看她喝酒時的神情。站在八仙桌旁邊，剛好比桌面高過一個頭。我把雙手擱在桌上，下巴便擱在手背上，望著她津津有味地啜一口酒，我也不由得嚥下一口唾涎。

外婆用一支象牙筷子掉轉頭來，在酒盅裡蘸了蘸，叫我伸出舌頭來舔。

「啥格味道？」

「吃勿出來。」我趁機得寸進尺：「我要吃瓣玫瑰花。」

「玫瑰花上浸滿了酒，小囡吃勿得格。」雖然這麼說，外婆還是挾起一瓣玫瑰花來，在酒盅邊上擠去酒汁，送進我嘴裡。

我只感到舌尖上一陣麻辣，沒有辣椒那樣辣，但熱呼呼地，舌頭動兩下，滿嘴口水都充滿了辛烈味，還直衝到鼻子裡。我連忙把那皺縮成團的一點點東西吞下去，一直含笑諦視著我的外婆忙塞給我一片凍蹄：

「阿是辣煞哉！」

我困惑地望著外婆又從容地端起酒盅來抿了一抿，心裡覺得大人真奇怪，似乎專門愛好那些辛辣難吃的東西，像水煙、香煙、酒……

外婆這一頓酒，總要吃到掌燈時分，當擦得雪亮的美孚燈照亮飯廳，熱氣騰騰的菜餚端上了桌子，她面前的空酒盅才換上淺淺一碗白米飯，這一頓晚餐她一直保持著愉快的心情，不住把自己的添菜，挾布到女婿、女兒、外孫女的飯碗裡。

三時六節，祭典供祀，不用翻萬年曆，外婆心裡就有一本譜，記載詳盡。哪位菩薩誕辰，哪位神仙下凡，年禧節慶，從來不會忘記香燭果品奉祀敬。策劃安排這些繁瑣事情，外婆駕輕就熟，有條不紊。老阿媽幫忙做粗活，我被差遣完成些小任務：像二月十二百花生日，幫著在樹梢枝頭繫上紅綢條，打扮得滿園花木喜氣洋洋；地藏王誕辰要燒地頭香，抱一捆燃著的檀香，從天井插到大門口，覺得自己是那個把星星鋪滿地面的小仙女。端午節會買好香粉，要姆媽找出些綢緞碎料，縫老虎頭、雞心、猢猻香包，七彩紅線繞銅錢、粽子、編結樟腦丸線串，還要用雄黃在額角寫個王字。立夏總要用秤稻柴西瓜的大秤來秤我的斤兩。勉強我吃清明就用柳條穿著掛在屋簷下的燒餅，說是不會「疰夏」。中元節摺好幾天的錫箔，除了焚燒給祖先，還去街頭巷尾燒給孤魂野鬼。二月初二「龍抬頭」，要吃撐腰糕。三月二十八日東嶽生日，去玄妙觀祈福還願。四月十四呂洞賓生日，去福濟觀軋神仙。六月六，狗淴浴，沒有狗硬替貓咪淋淋水。七七乞巧，女孩都要穿針引線，外婆炸的巧果特別香脆。中秋節跟著去採辦齋月宮的大香斗，順便多討幾面三角旗，插在背上演樊梨花。重陽節去北寺塔，虎丘登高，吃七彩的重陽糕；母女本來住在一起，所以姆媽不用回娘家。自然，最隆重的還是清明上墳，摺錫箔、蒸青糰子熅熱藕，準備祭品、燒麥飯、僱船去鄉下祖塋祭祖掃墓。過年要掃埃塵，請喜神（祖先畫像）；供神佛，貼門神春聯；點萬壽香、守歲燭、燃歡喜團，做各種年菜糕點，先祀拜祖先，再全家吃團圓飯、守歲，封井放「撐門炭」。就在那種既肅穆又熱鬧的年節氣氛中，讓幼小的心靈感到一個家族的脈脈相傳、生命的綿綿延續。神佛生靈，自然大千，竟是與人息息相關。而外婆全心全意遵奉傳統習俗，就憑恃那一分虔誠，一點盼待，一點忙碌，來綴飾她平淡的日子、悠悠的歲月。

外婆娘家姓汪，書香門庭，仕宦世家，是蘇州望族。嫁到門當戶對的蔣家，外公蔣中甫能詩擅畫、倜儻不羈。在獨生女——我母親八九歲時，從杭州任上賦閒回家，卻攜回一個年輕女子作妾。在「無後為大」的大帽子下，有教養的大家閨秀多不作興爭吵拚鬥。外婆只能怨恨在心，暗底下不知流了多少眼淚。幾年後外公忽然因病逝世，外婆與大伯妯娌間原就面和心不和，就毅然帶著女兒傭人賃居瓣蓮巷，自立門戶，靠田產生活，倒也清靜安逸。女兒結婚不幾年，女婿也住在一起，老年總算不太寂寞。

小時候有一段時期我跟外婆睡。三進房子她住最後一進，雅潔的房間裡，那張有頂蓋的紅木大牀，四周沿著精緻的雕簷，兩側鑲嵌螺鈿，彩繪花鳥。牀頭還有一排隱密的小抽屜。銀帳鉤彎彎如月，紗帳沉沉四垂，清晨透過矇矇曙光，晚上燈影搖曳，給人一種神祕性的安全感，夢也溫馨。夏天外婆用大蒲扇先趕一趕蚊子，放下紗帳；冬天總是用湯婆子先煨暖我的被封筒，再移到自己被窩裡暖腳。早晨凍得縮手縮腳起來，就著她青花瓷盆裡的熱水洗一把臉。我一向不喜歡吃粥，等著老媽媽買點心轉來陪她一起吃湯包，呷豆漿。外婆做什麼都從從容容，吃東西也是一樣，細嚼慢嚥，吃出味道來。當我懂得一知半解看小說時，最喜歡賴在她房裡的香妃榻上，旁邊掛著美女月曆，頂著一排玻璃窗，陽光透過天井裡的竹子，一室綠幽幽的，好靜好靜，只有風掠過竹稍，鳥聲啾唧。我常常一面吃著外婆出去時抓給我的糖食零嘴，一面啃書，啃得忘記了辰光。要當姆媽隔著天井在外間大聲喊我才驚覺。

有時外婆也帶我去她的朋友家，但我生性羞怯，與別的孩子玩不起來，去過一次就不想去了，只有去舅公家是例外。那條路我閉上眼睛都摸得到：一進王洗馬巷先經過春申君祠，就看到一排八扇白漆牆門，屋簷上高懸著「汪」字的大燈籠，從側門進去走陪弄，要經過兩座靜悄悄的大廳，六進房子。跨進高門檻就有女傭人通報「姑太太轉來哉！」接著「姑媽」、「姑媽」聲迭起，那是三個舅舅和舅姆，從各房迎出來。有三四個表兄姊喚著我小名，我卻一個名字都弄不清，只是不聲不響地跟著玩捉迷藏、造房子、甩沙包。而他們家那隻威嚴又溫柔的獅子貓，是我的最愛。一身茸茸的斑斕長毛，抱在懷裡就捨不得放開。

舅公名汪鼎丞，儒雅中帶點嚴峻，是那種「望之儼然，即之也溫」的文人，中過舉，也做過省中校長，在當時是地方上的賢達名士，關心文物建設。曾參與發起在虎丘山巔建「冷香閣」，遍植綠梅三百株。外婆跟她唯一的兄長感情很好，也只有在老哥哥面前她才放下平時的矜持獨福，喁喁喋喋訴說一番。對兄長的解釋開導，自然流露出心領悅服的神情。父親一向亦很尊敬這位舅舅。後來舅公去世，外婆很傷心，常常一個人悶悶不樂地待在房裡，或翻箱倒篋地亂找東西，也不出去赴牌局，說話更少了，姆媽悄悄讓老阿媽去她的牌友家通消息，要她們不時派人來邀請外婆去湊搭子、散散心。

原來蔣家和汪家就同在一條巷子裡，但外婆回娘家卻從來不去夫家，看似外公的變心使她恩情斷絕，只在過年時依舊供奉喜神。每天清晨那樣虔誠的一遍又一遍，唸《心經》印在圖上，到清明、中元和錫箔一起裝在大紙袋中，貼上寫著外公名號的簽條，一面焚化，一面喃喃祈禱：超渡亡魂，早日升天，投胎做人。我覺得焚化的正是她老人家一直隱藏在靈魂深處的感情。

外婆不像一般老人家喜歡嘮嘮叨叨，專門鴨蛋裡挑骨頭，倒是一肚皮格雙關語，常常在節骨眼上幽幽的來一句。像有時我得理不讓人，會說：「順風篷不要扯得太足。」我偷懶時就說：「少時勿勤儉，老來困階沿。」（門前石階，乞丐）討論了半天，事情還不曾起頭，是「搖了半天櫓，纜也勿解。」勸人做事要光明正大：「做事要攤得開，捲得攏。」不要背後批評：「要打當面鼓，勿敲背面鑼。」戚友遭遇不幸，總是勸人不要再「趁水踏沉船」，落井下石。做事要防範：「不怕一萬，只怕萬一。」說人變臉快：「枇杷葉面孔，一面光，一面毛。」勸小輩不要因失意沮喪：「樹怕傷根，人怕傷志。」「佛要爭支香，人要爭口氣。」年輕人一味愛虛榮愛漂亮會送上一句：「花美靠顏色，人美靠品德。」而她老人家告慰自己是：「心寬一世安。」

有一天，正是春夏之間勿冷勿熱格辰光，我在門廳裡跟隔壁三囡、菊芬造房子，左鄰右舍的也在牆門間找看門的裁縫做衣裳。外婆隔夜釀好了玫瑰花雕，上午輕輕鬆鬆去赴約，她端莊地從側門走出來：鬢髮紋絲不亂，盤香髻服貼自然，翡翠簪旁微露半圈珍珠似的花蕾，臉上薄敷脂粉、淡至若無，只顯出肌膚的光潤。穿一件淡雅的藕合色素緞起花、同色鑲嵌的圓角夾襖，黑色通紗長裙，拎一只黑絲線穿珠的錢袋，笑著跟大家招呼一番，跨出高門檻，便坐上黃包車走了，牆門間裡還留下一陣清幽的茉莉花香。

「蔣老太太真是清健，每次看見俚總是穿得整整齊齊，角角稜稜，走兩步路還是豁豁燥燥格，連白頭髮都嘸不幾根。」

「俚格皮膚才教好哩，白白淨淨，水露露格。一點都看勿出老。」

「有人說要皮膚嫩，可以吃珍珠粉。」

望著外婆走遠了，大家還你一句，我一句的在那裡評頭評腳。我聽了有點好笑，心裡想你們曉得啥末事，外婆一年到頭都吃玫瑰花哩。

在我單純的小腦筋裡，總認為玫瑰花那麼美麗，那麼鮮豔，年年開放。長年吃它的人，當然會韶華永駐，長生不老！

一九三七年春，正是「清明時節雨紛紛，路上行人欲斷魂」的時光，我們一家四口「出遠門」去江西，告別外婆說好要回家過年。黃包車轉彎時，只見她老人家兀自站在門前石階上，清明插在大門上的楊柳飄拂肩頭，益顯得離情依依。三個月後，對日抗戰爆發，故鄉旋即淪陷，顛沛流亡的歲月中，父親不幸去世，烽煙迷漫中更傳來外婆的噩音。從此天人永隔，生死兩茫茫。兩岸開放後曾返鄉一探，故宅面目全非，家產蕩然無存，唯一鄰家老人——昔日玩伴，告稱當年外婆生病由她侄媳婦接走。找到舅家，七進宅第已破損不堪，唯規模猶存。但問遍數十家居戶，全不知道屋主原姓汪，地委也不清楚。黯然返台，找出三十多年前懷念文章，重加修增。明年若再回鄉，我將掬一撮故宅天井的泥土，燃上心香，供以玫瑰與文稿一同焚化，望空祭悼。外婆：玫瑰花年年開放，妳永遠長生不老——在我們心中。

一九九四年三月

編註：本文原刊於《中央日報・副刊》，一九九四年四月五日，第十六版，據《不沉的小舟・玫瑰酒》一文添筆改寫而成。

軋神仙

——蘇州，父親，我

做天難做四月天，
蠶要溫和麥要寒，
秧要日頭麻要雨，
采桑娘子要晴乾。

大人常說四月（農曆）天難做，小孩子倒覺得四月裡蠻好的，凍手凍腳的寒冷日子已過去，潮濕發霉的黃梅天還未曾來，勿冷勿熱，正好在春風裡盪秋千、放風箏，等立夏日用秤柴的大秤稱過斤量，看看一年中重了多少。又嚐過立夏三鮮：櫻桃、蠶豆、青梅，以及清明用柳條穿掛在屋簷下的一角燒餅，「疰夏」咯。麥秀寒消、天氣清和，城裡城外的蘇州人都在盼望一個特別的節慶——四月十四，軋神仙。

神仙生日很多，不過平常求神賜福總是香爐鮮花供獻禮拜，獨有這位神仙生日，人人要親身去「軋一軋」，他就是八仙中排名第二的呂純陽，又叫呂洞賓。修行得道、精通醫術，憑他菩薩心腸，時常下凡塵，化作遊方郎中，巡遊人間，專門為眾生百姓治病解難，除害去災。在知恩圖報的蘇州人心目中是最可敬可愛的神仙菩薩。特別為他建了一座福濟觀在閶門皋橋下。神像塑得眉清目秀、長鬚飄拂、一副仙風道骨模樣。平時去祈福還願的香火還不少，說是到他生日那天，一定會化妝成叫化子或者平民百姓，就在祝壽的人群中周旋。凡人只要軋到了神仙，有病除病、無病添福添壽添好運。所以那天不只廟裡修醮做道場、燒香磕頭的善男信女川流不息，還有從四鄉八鎮不斷湧來的進香隊，更加上湊熱鬧做生意的各種攤販密密排列。上塘、下塘二條街上，人軋人，女人軋歪了髮髻，孩童踩痛了腳、撞到了頭，也有人踏脫了鞋子。但誰也不知道軋到的是不是神仙，還是一團和氣。說是第二天早上清道夫掃街，可以掃到一二畚箕鞋子。

大家都去軋神仙，我們家呢？外婆平常也燒香拜菩薩，但小腳伶仃的老太太，再也軋不動哉。姆媽是大家閨秀少奶奶，不方便；老阿媽工作忙；父親不拜神也不燒香，倒是興致勃勃、年年必去。原來，那天四鄉的花農、虎丘周遭的花圃，全挑選當令的花樹盆栽趕來賣神仙花，也是一年一度最熱鬧的花市。

而我那年七歲，從來沒有去軋過神仙。

父親穿上灰色嗶嘰長袍、黑綢缺襟背心、淺幫緞鞋，跨過廳堂門檻，我擋在他面前像一株梅樁，他一眼讀懂了我翻眼噘嘴的祈求，頓了一頓說：「今朝帶崑囡一道去。」馬上引起外婆和姆媽同聲反對，拗不過我，外婆改口：一年到頭東痛西癢，去軋軋神仙消消災也好。千叮萬囑，臨走又交給我一撮剪下來的萬年青枯葉叫撒在街上，越踩越發。

路堤細細長長的楊柳繫隨著匆匆的腳步，來去的行人果然比平常多許多，也有擔了時新來賣的，光福的紫楊梅、洞庭山黃枇杷，惹人口饞。河裡也在「軋」船，滿載著春筍、蠶豆、蔬果、銀亮的新絲、帶泥的花草，還有四鄉來神仙廟上香的香客。黃包車到了閶門就不能過去，父女倆走進越來越密的人潮中，就像兩滴水滴入河裡，只得隨波流動。我人小身矮，一下額角碰上香袋，一下頭給手肘捶到，臉蛋被粗布的、絲綢的衣服擦來擦去，有時擠抬的雙腳騰空浮著走，有時好像快淹沒了，仰起頭來做深呼吸。卻總不忘記從人縫中窺探一邊隱隱閃閃的攤販。緊緊拉住父親的手，拚命向右擠，父親亦順勢推推攘攘，好不容易靠近了我的目標，像是發現了無盡的寶藏。泥人攤上有傻呼呼的大阿福、繫紅兜肚的胖娃娃、送子觀世音菩薩、八仙過海、唐僧取經、武松打虎、姜太公釣魚、老壽星、嬉樂童子……各式各樣人物，個個生動好看，也有存錢的撲滿、黃泥小灶小爐。做糖人和捏麵人的攤子都在當場表現，一個用稠稠的飴糖吹吹拉拉，做出七彩透明的鳳凰、公雞、嫦娥、孫悟空；一個用五顏六色的麵粉捏捏黏黏，做成紅孩兒哪吒、托塔天王、豬八戒，一個個用竹籤插在稻草把上，在說故事。有黃楊木雕刻的佛像、龍船、小花籃，竹編的蚱蜢、叫雞、養紡織娘的籠子，各種果核穿綴的項鍊、鐲子。最有趣的是神仙小老虎，胖墩墩的身體，中間空一截用桑皮紙連接成彈簧一般，一拉一壓會嗚嗚地叫，兩撇鬍鬚又黑又長，瞪眼抿嘴。應該是雄糾糾的老虎威嚴，卻又有點像笑貓，一隻隻楞楞地蹲著，等小朋友來領養回去作玩伴。我緊貼著攤沿來不及欣賞，不時還摸摸碰碰，早就忘記牽父親的手了，改成父親雙手扶住我雙肩，用身體遮住我，可以感覺到他使勁挺住高高瘦瘦的身軀，像座活動的屏障擋住了人潮。當我看中什麼決定想要時，便伸手扯扯他的衣服——我是最不貪心的小囡，很少向大人索求，所以我想要時父親總會慷慨付錢。人潮不斷一波一波湧擠，父女倆側著身子就像大小兩隻螃蟹，隨波橫行，還不忘記將銅板一路捨給叫化子。

逛過下塘，該去上塘了。外婆一再叮囑：「要去神仙廟裡燒香磕頭咯。」一生日嘛，當然要拜壽，可是立在橋頭一望，只見廟前煙霧騰騰，萬頭鑽動，廟門完全給堵住了。也有在人堆裡遠遠合掌作揖，不要說人，怕連根竹杆都插不進去。廟裡有道士在打醮做法事，一陣陣高唱宣卷，弦管鐃鈸聲飄揚出來，真箇是香霧迷漫，仙樂縹緲。碧藍的天空浮動著幾朵白雲，一定是神仙他老人家下凡來了，我在心裡磕頭。

再轉身一望，噢，不只是蘇州「人」來軋會，全蘇州的花花草草也統統來趕集了。比較寬敞的上塘街兩旁，青青綠綠，萬紫千紅，層層疊疊一路展延下去，鮮花的光彩遮掩了熙攘的人群。看到的只有花的美、花的豔，父親和我一下就陷進了花陣，他忙著低頭、彎腰，近視眼湊上去專心觀賞。我有點癡癡迷迷地讚歎著，又用心記取知道的花名：石榴、薔薇、十姊妹、牡丹、海棠、茉莉、珠蘭、山茶、紫藤、杜鵑、玉蘭，還有羅漢松、梅椿、文竹、黃楊、萬年青、龍爪芴、吉祥草……有的種在紅土盆裡擱在地上，有的就用稻草捆了放在籮筐裡。最考究的是各式盆景，古色古香的陶瓷盆裡全是綠綠粗粗、像模像樣的樹幹，有的渾圓像巨蕈，有的彎曲像盤龍，有的低垂像綠色瀑波。蒼老的枝杆上葉子長得很茂盛，還有彷彿枯枝又開滿花，父親說它們年齡有比我大好幾倍的哩！也有山石盆景，配上小橋、小房子、小人，專賣各式古盆的攤子上也賣小擺設：玲瓏的小房子、古橋、寶塔、小小的人物，有拄著手杖的老人、挑著柴枝的樵夫、坐著彈古琴的、兩人對弈的、搧炭爐的童子，一個個全像從古畫中走出來的，那種細緻精巧，更不是泥人可以比的，我都不敢伸手去碰碰觸觸。

有用大木盆賣金魚的，小的像鯽魚，有紅有黑，不停地游來游去，很活潑。有種頭頂上頂兩球彷彿鸚鵡，鮮紅的身子，輕擺著百褶裙似的尾巴，優雅閒逸，美極了！

那裝滿水的白洋瓷盆裡又是什麼呢？水底墨綠色的一堆有點像海帶，忽然中間有一角動起來，慢慢浮向水面，有一塊洋錢大小，比蓴菜顏色深，但四周卻飄拂著淺綠色透明的茸毛，露出一顆黃豆大的頭，看不清的四肢！我興奮得用力拉扯父親的袍子，可是，不對呀！怎麼軟軟滑滑的綢緞？父親穿的可是嗶嘰長袍。眼角裡已瞥到寶藍緞料，一抬頭，正迎上瓜皮帽下一雙三角眼瞪著我，我的手指像被炭火燙了一下僵在半空，臉上發著燒，張開了嘴，喉嚨又被堵住。

「阿是要買綠毛烏龜，來來，自家挑一隻頂好看咯。」一不知什麼時候走散的父親及時趕過來，扶著我挨到瓷盆面前，我用力眨著眼睛，又吞下梗在喉嚨頭的硬塊。聽到我們叫買，小販用手指輕輕在水裡攪了攪，靜伏的海帶立刻晃動起來，一塊塊隨著波動浮漾上升，透亮的綠茸毛伸出米粒般的腳爪，慢悠悠划著，水都泛著淡淡的綠；每一隻都很好看，要不是親眼看見，真不相信烏龜還有長得這麼美的。

父女倆也不知道逛了多少辰光，雙眼發脹，腿腳痠疼，又被擠得七葷八素，口乾得嘴裡冒煙，兩家茶館客滿，不要想找到一個座位。父親去橋堍喚來黃包車伕幫忙搬花，再過橋繞遠路回去。踏板上堆滿枝枝葉葉，父親膝上還擱了一盆，我兜著滿懷七七八八的寶貝，怕紙老虎黏到了糖仙女，木碗小炊具刺穿了買回去的七彩神仙糕，更擔心好小好小的綠毛烏龜會不會受驚吃苦，一直小心翼翼，都忘了伸出腳趾去踩踏板上的踏鈴，一路叮鐺叮鐺，宣告軋神仙回來了，有多神氣！

有沒有軋到神仙，要看來日，看我的身體是不是祛除病痛，比以前更強壯。

一九九八年七月

編註：本文原刊於《蘇州雜誌》總第五十九期，一九九八年八月十五日，頁三十五～三十六。

鄉心新歲切

歲暮天寒，又是一年一度的春節。儘管身在異鄉，觸景傷情，感懷多於慶祝；而人到中年，歷經流離顛沛，更缺少那點悵然應景的心情。但是，「鄉心新歲切」，越是想淡然置之，越是禁不住深深懷念童年在家鄉過年的歡樂。一波又一波，時間浪潮的沖盪；一層又一層，歲月塵埃的堆積。那熱熱鬧鬧的場面，卻仍然鮮明生動；那融融樂樂的情景，恍惚就在眼前。時光不能倒流，且讓親切甜蜜的回憶把我帶回歡樂的童年。

蘇州情味

故鄉蘇州，地當五湖三江匯流處，不僅四面圍繞著水，一條條支流像蜘蛛網一般，在城內縈迴貫穿。小橋流水，兩岸楊柳掩映人家。環境幽美入畫，一向號稱天堂，又名水鄉。蘇州第一才子唐伯虎亦有題詩：「世間樂土是吳中。」除了風景秀麗，且物產豐富，文風特盛。崇尚風雅，注重生活禮儀，到處是一片雍容和穆的景象，寧靜安詳的氣氛。莊稼人都勤墾自儉，樂天知命。耕耘之餘，也種種花，養養魚。書香子弟閒來更喜歡寄情山水風月。吟詩弄文，金石雕刻。調調絲竹，染兩筆丹青，非常善於優遊歲月。林語堂在《生活的藝術》中曾說：「文化的藝術，就是悠閒的藝術——凡是用他的智慧來享受悠閒的人，也便是受教化最深的人。」我不敢說是不是受教化最深，但中國人過去一向就崇尚悠閒生活，而蘇州人正是那種最懂得享受恬淡自適的情趣，最懂得領略悠閒生活的樂趣的人。因此，過年這樣一個重大的節日，對一向生活在悠閒情緒中的人們來說：不啻是水鄉三百九十條潺湲的流水匯合湧升的一個高潮；是悠揚婉轉的絲竹弦管聲中一支高昂、熱烈的進行曲。

眼看著北風一天比一天吹得兇，陰霾滿天，隨時像要降雪的樣子，孩子們會把水缸裡結的一大塊圓圓的冰，撈出來繫根繩子當鑼敲。時令一進入臘月，年的序曲就開始了：這時，風雅的男士們依然還可以保有那份閒情逸致，興趣來時，磨一硯台濃墨，好整以暇地寫幾副春聯，描兩幀斗方，或者畫幾幅淡彩花鳥，以備和合窗上、牀檔子上換一換新；而運籌帷幄、策劃安排的，不是老太太就是當家少奶奶。雖然年年相似，調度上卻不能有點參差，步驟上也不能有一步錯亂，事關一家的福祉，來年的運氣呢！

一本《通書》是最佳參謀。翻一翻先挑一個可以「動土」的好日子「撣簷塵」。該粉刷的粉刷，該整新的整新。家鄉的宅第，不像現在的新式住宅，門庭深深，起碼是三進五進，光是廳，就有正廳、花廳、轎廳好幾座，一間間軒敞高大，紅木的家具又很笨重。撣起塵來用好長的竹桿綁著掃帚或稻草，一間間瓦縫屋角去剔掃，是非常吃力的事，揮箒塵，也就是大掃除，務求裡裡外外收拾得乾淨清潔，一塵不染，以代表人們鄭重虔誠的心情，來迎接新的一年。

辦年貨不用看《通書》，但最好能揀個晴朗的日子，西北風颳在臉上辣呼呼的，淡淡的冬陽還是給人一副開朗的好心情，好心情要用來記那長長的一紙清單，包羅了自己食用的、待客的、貯藏的、敬神祭祖的、應用的東西，如糖食、乾果、糕點、臘味等食物，和香燭、炮仗、紅紙、錢糧以及各種雜物。精緻的糖果點心要去采芝齋、稻香村、野荸薺，香炮錢紙照顧王大吉。只有大量的乾果雜糧，外婆每年總是帶了老阿媽到閶門城外的南貨批發行去採購，我最喜歡跟著去。一則難得有機會去一次城外，看看擠來攘去提著籃子、揹著口袋、挑著籮筐辦年貨的人；看看濱河裡來來去去的小船，滿載著稻柴、蔬菜、雞鴨，還有臭烘烘的大糞。忽然間「軋船」了，彼此不相讓，卻又怕沾了黃金萬兩，大家吵吵嚷嚷，正像「打翻了鴨船」，好不有趣！其次南貨行的老闆最懂得和氣生財，除了擺一櫃台樣品請客人品嚐，從來不忘記招待小客人。南棗、桂圓、板栗、長生果（花生）一大堆，當場吃不完，還幫忙給塞在口袋裡帶走。當大家滿載而歸，坐在黃包車上，只見兩根車槓在車夫手裡蹺得好高好高，我一路只擔心載得太重了，不要拉過大街小巷那數不清的石橋時，來一個元寶翻身，那才是新年大發財哩！

材料齊備，就該實際行動了，於是牽磨磨粉，蒸糕、裹粽子，蘇州人最喜歡吃，但是嘴刁，什麼都細細緻緻，講究求質不求量。點心至少得預備七八種，其中像桂花年糕、豬油年糕、春捲皮子等，好些是買現成的，自己不過做三四種：棗糰、粽子、鬆糕、包子。鹹的甜的全有，倒像開了家「點心世界」。最好吃的是棗糰，把黑棗蒸熟、去皮除核，加少許糖搗成棗泥，一半留做餡子、一半揉入糯米粉中，撳在刻花模型裡做出各種花樣，倒出來在底下墊一塊箬葉，再放進大蒸籠裡蒸熟。做起來麻煩，吃起來不膩不黏、香糯可口。另外一種是包子，這包子不同於一般肉包子。皮子特別薄，用剛上市的時蔬、薺菜和蝦仁做餡子，鮮美無比。做這些時，孩子們不但幫不上忙，最好「遠離庖廚」，大人也不知哪來那麼多忌諱，唯恐一句話犯忌，不是粽子不熟，就是蒸糕不發。還有，儘管牆上貼了「姜太公在此，百無禁忌」，或「童言無忌」的紅紙條，如果說話不知輕重觸犯了禁忌，就得被強迫用粗草紙擦嘴（其實現在還不是經常用衛生紙擦嘴）。所以最好能「吃一次虧，學一次乖」，有好吃的嘛，只管動舌頭，卻不必勞動聲帶，自然更不用動手動腳。

在學校勞美課中，我們學繪畫、學手工，但就是有一樣最古老、最美麗、而別有風格的民間藝術沒有人教過，那就是剪紙藝術。當我眼看著一張張裁得方方的紅紙，一把小剪刀，在外婆、在母親手裡變化各式各樣精緻可愛的花樣來時，心裡好佩服、好羨慕她們有那麼一雙巧手：有些是祝頌的字句，字體有採取重重疊疊，有可以相互活用，例如「歲歲平安」、「年年如意」、「多子多孫」、「大吉大利」、「福」、「祿」、「壽」、「囍」；有的是動物，用影射、諧音或雙關，也都含有祝福吉祥的意義。像「魚」是代表「積慶有餘」、「富貴有餘」、「鯉魚躍龍門」；「喜鵲」是「喜報三元」、「雙喜臨門」；「麒麟」送子，象徵添丁，「蝙蝠」代表「福」、「五福捧壽」；「羊」代表「吉祥」、「三陽開泰」；「鹿」和「鶴」是「六合同春」。最普通的是大大小小的如意花樣，這些剪紙一張張都靈巧別致，纖美中揉合著原始樸拙的趣味，流露出女性細致的慧心，代表著人們無言的祝福。幾乎所有盆盅碗碟等盛物的器皿上，都得鋪飾一張，再配著青翠的柏枝，紅綠相映，益顯得生趣盎然，美觀醒目。

該刷新的刷新，該張掛的張掛，該陳列的陳列，人們裝扮一切迎新年，就連最微小的事物也不會疏漏。凡大一點的用品上都貼上紅紙剪花，小的細如秤桿、筆架、蠟燭台、水仙花，到粗如筷筒、花盆裡的梅花樁……全給箍上一圈紅腰帶，就像一律受了封動。看起來真是喜氣洋洋，煥然一新，只待「爆竹一聲除舊，桃戶萬象更新」了。

三部曲

這三部曲是吃臘八粥、送灶，和謝神。

第一部曲就是「吃」臘八粥，好像沒有什麼特別表示。但傳說中十二月八日原是釋迦牟尼得道成佛的日子，所有寺院為紀念祂，便在那天煮了五味粥上供，所以又稱佛粥，或七寶粥；後來民間流傳下來，就成為一種習俗，家家戶戶全在那一日熬煮一大鍋臘八粥分享家人。粥的材料很多，都是頂好吃的果仁，像蓮子、白果、栗子、紅棗、桂圓肉、薏仁、核桃仁，配著香梗米、糯米和小米，煮得熱熱的、稠稠的、香香的、甜甜的；大冷天喝上一兩碗，教你從胃裡暖到腳尖，好不受用！還有一種鹹的，不過小孩子對那個都不太感興趣。

第二部曲是十二月二十四日送灶，大陸上那時還沒有電爐和瓦斯爐，統統都燒灶。當廚房落成時，灶就砌好在那裡了，面積起碼有一張九屜書桌那麼大。前面燒飯，後面燒柴。江南一帶全燒稻柴，隆冬的夜裡，怕冷的貓兒喜歡把有餘溫的灶肚當暖牀，第二天一身美麗的毛變得焦一塊黃一塊，狼狽不堪。蘇州人慣把畏冷偷懶的人叫「煨灶貓」。沿著灶一邊，砌起一道二三尺高的灶陘，是擺油鹽醬醋等瓶瓶罐罐的，灶陘一端砌著一本書那麼大的神龕，那便是為灶神特設的行宮。

灶神，官銜東廚司令，蘇州人叫灶家老爺，是玉皇大帝所有派任兼管人間善惡的天神中的一位。祂的職責便是隨時記錄凡人的功過善惡，到二十四日返天述職時報告天帝，做為核定該戶來年賞罰的根據。人吃煙火食，總有點火氣，是凡夫俗子，總有些貪嗔欲念，唯恐給打了小報告，那天恭送王駕，都小心翼翼備下香燭蔬果、綵金官轎；另外特製麥芽糖元寶一隻，讓祂吃得嘴甜心軟，在天庭盡揀好話說。又怕祂老人家事繁給忘了，再焚一副對聯囑託祂「上天言好事，回宮降吉祥。」

第三部曲是謝神，總在二十七八日，年事已緊鑼密鼓。在凡人眼中，所有神祇都高高在上，法力無邊，冥冥中卻在勘查每個人的作為。他們公正無私，懲惡除暴，但自會庇佑忠厚，賜福善良。一年來蒙諸神保佑賜福，在他們上天之前，自要致敬致謝一番。首先請來諸神紙馬——畫在紙上的神像，怕不有十幾二十位。那時天庭似乎早就實行「職位分類」，掌管各部門的計有玉皇大帝——最高權威，總管各部門；三官菩薩——天、地、水；家宅六神——四時、寒暑、日、月、星、水旱；門神——守護門庭；財神——主管經濟財源；東廚司令——主管人間功過；井泉童子——經管井泉源流；還有其他風、火、雷、電、五穀等天神浩浩蕩蕩，順序就位。獻上祭品：三牲、蔬果、年糕都是大盤大盆。紅燭高照，敬香奠酒、拜謝如儀。這是唯一全由男主人執行的祭典，祭祀時必須穿戴整齊，長袍馬褂紅頂瓜皮帽，肅立侍奉。女眷迴避，等酒敬三巡，便燒香焚紙馬，恭送上天庭。

最長的一夜

大除夕是一年中最長、最重要的一夜。舊的一年從這晚除去，新的一年將自這晚開始。充滿了感謝和期待，也充滿了對過去的留戀和對明日的希望。這一年結束得圓滿而平安，那一年開始必然是大吉大利，萬事如意。布置得金碧輝煌、煥然一新的廳堂裡，早已恭請下喜神——上面工筆精繪著歷代祖先遺容的畫軸。不同穿戴展示出歷代的服裝；從明朝的紗帽玉帶，清朝的箭衣補褂、鳳冠霞帔，到長袍馬褂、短襖長裙。一個個相貌堂堂，雍容端莊。喜神面前的天然几和八仙桌上供滿了各式祀品，兩端是一大瓶天竺，蠟梅和柏枝，一盆花蕊初綻的水仙花。白銅燭台上紅燭高照，銅香爐中萬字香迴旋。歡喜團在銅盆中燃得熊熊烈烈，還不時撒些檀香和柏枝。一剎時花氣氤氳，香煙繚繞，明晃晃的燭焰與光閃閃的宮燈相互輝映，只映照得滿室光華。兩旁披著紅呢椅帔的太師椅虛位以待。一家人侍立左右，順著長幼次序，無比莊重地去祖宗面前上香、跪拜。在那肅穆而寧謐的氣氛中，讓人自然地大從心底泛起一份深沉感情；致敬的不再是紙上的畫像，而是那世世代代血脈相承的人，綿延不絕的親情，就在那香煙中，那燭光下，那燈影裡，以及那一念之中，迴繞在每個子子孫孫的身邊。

侍奉過祖先，接下來便是一家人的年夜飯。這一頓飯意義重大，象徵著團圓、圓滿、完美、全福。哪怕是遠在天邊，也得趕回家團聚。

煮年夜飯的米必須用萬年糧——那是先把米和黃豆洗好吹乾，放在裹了紅紙的米籮中，米上鋪一張剪紙如意，插一棵萬年青，一桿秤，一根尺，再放些熱荸薺、烏菱、蜜橘。這一籮萬年糧擺在供祖先的桌上，要吃過年初三。所有年菜，都有一個吉利的口彩。蛋餃叫元寶，肉圓是團圓，魚是年年有餘，黃豆芽是如意；青菜代表安樂（樂、綠同音）、親親熱熱

（親、青同音）；大蝦是彎彎順，冬筍是節節高，十錦菜便是十全十美。用餐時，互相敬酒布菜，小輩敬長輩一個元寶，長輩布賜小輩安樂如意。喚得親熱，說得好聽，吃得熱鬧。等飯端上來時大家又先忙著「掘藏」——原是先埋在碗底的兩枚熱荸薺。年飯要剩一點，原來老鼠在除夕夜做親，給留著當喜宴。這時分，儘管外面天寒地凍，屋子裡火鍋燒得熱熱的，歡喜團燒得熊熊的。每個人心裡亦熱烘烘的，洋溢著一片和諧，一團歡喜，融融樂樂，好一幅歡樂家園的圖景！

飯後事情還多著呢，接灶迎神——把送走的諸神請回來各就各位；封井——井口蓋上籮篩，加封紅紙條，焚化井泉童子紙馬，暫停使用；安置撐門炭——一條獸炭，一枝柏枝，一根蔥，用紅紙捆紮，有一道門就在門角安放一支撐門楣；封門——敬香鳴炮關上大門，貼關門大發財，這以後垃圾廢物就得在門角落裡堆上二三天，以保留財氣；燒天香——子時在天井（院子）裡焚燒錢糧錫箔、敬神祈福。但這些事有大人記得牢牢的，要差遣時自會來喊，孩子們卻興奮地滿心想要守歲。

想想看，平時早起早睡，作息定時，這下難得一次放鬆，還可以跟大人一起玩玩平常「禁例」的玩意，擲骰子、擲狀元紅、擲升官圖、趕老羊、推牌九，「三日嘸大（音度）小」。做長輩的一反往日的嚴肅矜持，跟大家一起吆吆喝喝、嘻嘻哈哈。反正是存心散錢，博一個皆大歡喜。但是，玩著玩著，眼皮卻越來越重甸甸地壓下來，禁不住大人幾番催促，寢室裡，自己心愛的小鹿燭台負著守歲燭正等候著哩，燭光照著中間的紅漆果盤，母親在裡面放滿了寸金糖、如意酥、長生果、蘭花梗、蓮心糖、松仁、核桃、南棗、福橘。心滿意足地鑽進了烘暖的被窩，凝盼處，燈花報喜、燭影搖紅、守歲燭守著枕頭底下的壓歲錢、守著被子面上的新衣裳、守護在童年彩色的夢的邊緣。輕輕地送走了平安的一年，迎來璀璨的新春。耳畔依稀密一陣，疏一陣，不停地響著爆竹聲，也弄不清究竟是關門炮還是開門炮。揉揉眼睛醒來，嚇！窗外映進來的雪光已代替了搖曳的燭光，好神妙的一夜！而一夜之間，竟又長了一歲哩。

恭喜！新年

彷彿從地上躍騰天空，又從空中翻滾而下，好長好長的連發百子炮，中間還間隔著兩響的沖天炮，震撼了新春第一個黎明。開門炮就是要放得越響、越長、越發、開門大吉！對門隔壁一片恭喜聲便摻雜在此起彼落的爆竹聲中，看到的全是容光煥發的笑臉，聽到的全是悅耳動聽的恭喜新年！

新的一年，便在大家的盼望中，以嶄新的姿態展現在面前。逢上瑞雪紛飛，這一年定卜豐收。

大大小小都穿上了新衣服，打扮得標標緻緻、漂漂亮亮。男人是團花馬褂，綢面子皮袍，年紀大的婦女是錦緞短襖，黑華絲葛長裙，比較年輕的穿織錦緞皮裡長旗袍，小孩子沒有資格穿毛皮，棉袍子一件，還記得我的那副打扮是血芽色華絲葛棉袍，襟袖釘了花邊，外罩墨綠緞子長馬甲，腳上是瓦絨棉鞋，手上戴無指手套，襯著白胖的臉蛋，人家誇我標緻，我也十分得意，只是「棉格隆冬」的，覺得有點像無錫惠泉山的大阿福（泥娃娃）。

元旦一早去走喜神方，說是照《通書》上訂的喜神方向走上幾百步，這一年必定事事如意。我卻喜歡在書房裡看父親呵開筆凍，磨一硯濃墨，教我跟著他在昨天裁好的紅紙條上，端端正正地寫下：「元旦試筆，萬事大吉」。

年初一除了自己家人拜年，是不作興出去拜年的，同時為了避免殺戮之氣，年初一也不許動剪刀、鑱刀、針線、掃帚。吃的都來年備妥，不用費事，所以是絕對的休閒。陪老人家搓搓麻將，逗孩子趕趕老羊，放放花炮，女孩子不敢放炮竹，只能放「花」，在黑地燃放時，只見銀星閃爍，火花四射。隱隱約約閃映出放的人的手臉，沒有震耳的響聲，卻有很美麗的鏡頭。

初二起就陸續有人拜年了，客人來，第一道敬「元寶茶」——茶碗蓋上安放著一枚碧綠的青橄欖，和一朵鮮紅的日日春；第二道是「蓮子羹」，荷葉形狀的小碟子托著蓮花瓣的小湯盅，裡面盛著十來顆蓮子，小巧的銀匙恰恰容納一顆蓮子，好精緻可愛；第三道是四色鹹甜具備的點心。至親之間拜年都有個默契，初三你來，初四他去。敘敘親誼也吃了春酒。這時頂高興的還是孩子們，每到一家，什麼叔伯姑表兄弟姊妹的聚在一起，玩得好開心。口袋裡是麥克麥克的拜年錢，末了臨走還得燃一炷安息香、糕糕餅餅的抱個滿懷。

就這麼拜來拜去，感情交流中，一晃眼便是十三上燈了。

蘇州的花燈以精致玲瓏馳名，一條護龍街上就有好幾家專門製燈的老店，也有家庭副業，一些小戶人家特別有一雙巧手的女眷，早就劈竹篾、調香糊、慢工出細貨地搬出一只只別出心裁的花燈，好在燈市時拿出去賺點花粉鞋面錢。還有孩子們買了劈好的竹篾，自己學著紮的，一到上燈日子，不僅裡裡外外所有能點亮的燈盞全得點亮，門前、屋隅、廳堂上，都得添掛幾盞荷花燈、八角燈、走馬燈。其中走馬燈的樣子彷彿八角宮燈，四周迴繞著一圈剪紙的人物，都是忠孝故事裡的出典，燈一亮，便繞著走個不停，教人看得入迷。有句雙關諺語：「鄉下人勿識走馬燈，又來哉！」孩子們只要天一黑，就提著兔子燈、鯉魚燈、蓮花燈……三五成群地在巷子裡晃來晃去，走動在矇矓的燈光中，感到無比的新鮮和神祕。

元宵節燈市旺

到十五，燈就更旺市了。

正月十五又叫元宵節，家家戶戶要吃元宵，亦有團圓的意思，元宵是用黑芝麻，或核桃仁棗泥做餡子的糯米湯圓。蘇州人做的時候不是先揉好皮子再填餡子，而是搓好一粒粒餡子，再蘸點水，一遍又一遍在一籮篩的糯米粉中搖滾，所以皮子特別薄而軟，特別好吃。

吃過元宵賞花燈，一出大門，會讓人乍吃一驚，這條街變了，這個城變了，變得這麼輝煌、美麗，成了一個不夜城。家家門口張燈結綵，還有出奇制勝的花燈牌坊。滿眼是花炮煙火，玉樹銀花，民間玩藝全都出籠了，舞龍燈、調獅子、高蹺、蕩湖船、鑼鼓喧天，寺廟裡還有連台的燈戲。鬧元宵、鬧元宵，元宵就要越鬧越發，以卜一年的豐盛富足，這一夜花炮鑼鼓，一直要鬧到天亮。

等到十八落燈，年事便闌珊了。家裡收起喜神，恢復日常工作，莊稼人磨利鋤犁，預備開始春耕。孩子們也得翻出冷落了許久的書包，重溫作業，一年之計在於春，這才算是真正春的開始，人人以放鬆後輕鬆愉快的心情，勤奮地展開了新年的鴻圖。

一九七〇年一月

編註：本文原刊於《中央月刊》第二卷第四期，一九七〇年二月一日，頁六十四～七十。

一樹獨先天下春

年年海角天涯，
蕭蕭兩鬢生華；
又是天寒時節，
何處可看梅花。

接連兩天老西北風從早到晚一股勁地颳著，吹得天寒地凍，飛沙走石。儘管門窗關得嚴嚴的，還會扁著尖著身子從縫罅裡擠進來，像一支支針錐，只要給碰上便鑽進人皮膚裡去。冷空氣裡也不知摻了多少灰沙，吸進鼻子裡乾乾燥燥的直嗆喉嚨。園中那些樹木全顫顫慄慄地裸呈在寒風中，模樣好淒涼。風把雲都吹得七零八落，僅剩下灰楞楞的天空，低低的就像壓在屋脊上。

「天要落雪哉！」說著說著。真的就飄起雪來。是入冬以來第一次初雪。瑞雪嘛，該卜豐年。

白濛濛，煙霏霏，是誰扯破了鴨絨褥子？惹得一片片白羽毛滿天飛。是誰在亂彈棉花？攪得一撮撮棉絮到處飄。還是神仙自己亦要準備過年在牽磨磨米粉。屑屑粒粒直撒得一天一地，又一層層均勻地鋪在屋頂、石階，敷在枝頭、樹梢。雪一點也不像雨那麼囂張，不管雪花大小，靜悄悄總沒有一點聲息。關在屋子裡就不知道什麼時候停了，什麼時候還在下。早晨一睜開眼睛，發現明瓦窗特別亮，還有喜鵲快樂的叫聲。忙不迭把自己裹得嚴嚴的，開門出去，果然雪停了，白皚皚一片雪光耀得人目眩眼花，那些枯樹、泥濘、斑駁磚牆，全都粉妝玉琢；荒涼大地，竟裝飾成一個璀璨的銀色世界！

深深地吸一口冰涼冰涼的冷空氣到肺腑，怎麼還摻著清清幽幽的芳馨！看厚厚綿綿的雪褥子上一道腳印從天井繞過屋角，忍不住戴好絨線帽，將圍巾在脖子上繞兩圈，便悄悄地循著冷香，循著腳印，跟蹤前去。當真，父親便攏著手癡癡地佇立在那株老梅樁前。

老梅樁，在所有的樹木中，就數它長相特別。一點都不像別的樹那樣枝幹均稱，葉子青青綠綠，根節盤結的老樹幹打橫裡斜伸出去一大截，又猛然挺直陡立，毫不相稱地竄出三五根帶刺的細枝椏，卻光禿禿不長一片葉子。當所有的花木一片蔥翠，互相爭妍，它只是冷冷地，木木地獨守一隅，倒像個不動凡心的、參禪的老和尚。而在白雪冰凍了生機，封鎖了大地的日子，它才禪夢初醒，顯示出生命的奇蹟。看那細細的，筆桿般孤削，又秧針般密聚的枝條上，半沾著雪珠，輕輕逸逸、疏疏朗朗地綻開了一朵朵梅花。那樣圓潤，那樣細緻，又那樣瑩澤，自瓣底，泛起淺淺的綠滲透到瓣尖已泛成粉粉的白，中間密密一簇針尖般纖細的花心頂著嫩黃的蕊，欣欣然舒伸展漾。小小玲瓏的蓓蕾，又綠得比較鮮明。托著紫褐色的萼，一枚枚不過綠豆黃豆大小。真不能想像那樣嬌柔細緻的花朵，又怎禁得起朔風的侵襲，霜雪的凌虐？

不是一番寒徹骨，焉得梅花凌雪開！傲岸拔俗，卓立超群，父親說那就是梅花孤潔不凡的風骨。恰似林逋所題：

眾青搖落獨喧妍，
占盡春風向小園。

吟著林和靖的詩，父親又講起「梅妻鶴子」的故事，不知他自己特別崇拜嚮往，還是講過又忘了，我至少聽過兩三遍，像那樣獨自一個人隱居在幽靜的山陬湖畔，一生不問世事，只是種梅，畫梅，詠梅，優哉遊哉，自得其樂。聽起來好像很美，很有詩情畫意。鶴是動物，一定很乖很可愛，當牠兒子倒還罷了。梅花只是默默無言，悄悄飄香。這樣的妻子可不會嚕嗦。不知古時候還有沒有女詩人嫁給梅花的？噯，女小囡問這個阿要難為情！

寒風裡，冷香幽幽，清芬盈盈，撩得我忍不住湊上梅花去聞時，卻也不見得更濃郁。梅花不僅丰神高潔，韻姿清雅，連香味也與眾不同。總是淡淡約約的，清清幽幽，若有若無，飄忽流動，若即若離，縈迴左右。不會讓人醺醺然陶醉，而是令人心曠神怡，神清氣爽。

父親讓我取了黃泥壺來，載盛從梅枝輕輕撣捋下來的雪花，便擱在屋裡的炭盆上烹煮。滿滿一壺雪融了還不到半壺。剛好泡一盅碧螺春。清澈碧綠的熱茶，裊裊蒸騰著香霧，我淺嚐一口，上嘴好苦。慢慢地才轉苦為甜，滿嘴生津，齒頰餘香。那香卻分不清是茶葉還是梅花？

蘇州人最講究「應時」、「應景」這些名堂，逢年過節，四季遞嬗，從身上穿著的，家中擺設的，到牆壁門窗懸飾的，統統都要換季，冬季裡牀楣上畫著喜鵲和紅梅。是「喜上眉梢」。窗檔子畫的也是梅花和喜鵲，是「春上枝頭」。和合門上畫的梅花是「五福並臻」、「梅開五福」。牆上的字畫更離不了雪景和梅花。書房裡一張橫幅：山石、樹木、小橋、亭榭，都半隱半現在積雪中。白茫茫一片清冷，點綴著一株鮮豔的紅梅。一個兜紅披風的人帶著小僮悠然踏雪去賞梅。正囫圇吞棗在啃《紅樓夢》的我，不知道為什麼讀到這一段：「四面粉妝銀砌。忽見寶琴披著鳧靨裘，站在山坡後遙等，身後一個丫鬟、抱著一瓶紅梅。……賈母笑道：『你們瞧，這雪坡兒上，配上他這個人物又是這件衣裳，又是這梅花，像個什麼？』眾人都笑道：『就像仇十洲畫的〈豔雪圖〉。』……」眼前就出現了這幅雪景。而站在畫前，又會想起那一段描寫的情景，兩相對照，彼此呼應，文和畫就融貫在一起。閉上眼也看得到那生動的畫面。父親自己畫了一幀假山石旁一株枝幹斜橫的梅花，題著：

仙姿不帶一塵氣，寫照還求冰雪文。
疏瘦自來性本色，孤高妙在有清芬。

客廳裡掛著一幅立軸，畫的深山幽谷，澗水淙淙，樹木蕭蕭，看起來深靜而荒涼；就在澗畔山崖，寂寂地開著一樹璀璨的白梅花，畫上題的是：

古澗一枝梅，免被園林鎖；路遠山深不怕寒，似共春相躲。幽思有誰知，托契都難可；獨自風流獨自香，明月來尋我。

我不怎麼懂詩，卻好喜歡那句：「明月來尋我」。梅花跟月亮還躲矇哩，多有趣！半夜，也不知怎麼被凍醒了，迷迷濛濛透過羅帳，卻見對面明瓦窗上疏影橫斜地添了枝墨梅。奇怪，只記得門楣、窗格上畫了梅花，卻不記得有誰在明瓦窗上貼過畫？想起來，一定是明月尋到了梅花，就把它畫在窗上。可惜手邊沒有筆墨，要不，把它給臨摹下來，亦題上個「天鄉第一枝」，或「東風第一枝」，角上簽下名字於甲壬年什麼的，多美！

我喜歡綠梅的淡雅俊逸、白梅的高潔晶瑩、紅梅的蘊藉冷豔。也喜歡蠟梅那黃澄澄透明溫潤，像蠟塑似的玲瓏花朵。蠟梅開花比較繁密，香味也比梅花濃醇，一株盛開，連空氣都沁甜沁甜的。外婆常在客廳天然几上供奉幾枝，伴著一串串小紅果果的天竺子，幽幽甜甜的芳香浮溢在大客廳軒敞的空間，出出進進，花光照眼，香氣撲鼻，再也不覺得大而無當的客廳是那樣森森嚴嚴，陰陰冷冷。分那麼一小枝，插在我心愛的雪青色水盂裡，坐在桌前臨摹文徵明的小楷。「天地玄黃，宇宙洪荒……」幽香就飄落硯池，縈迴在筆端，蘸一筆濃濃的墨汁，蘸一筆幽甜的芬芳，自己覺得一筆簪花小楷寫得得心應手，一定會博得父親多加幾個紅圈。得意時，不禁哼起那支〈踏雪尋梅〉：

雪霽天晴朗，蠟梅處處香，騎驢把橋過，鈴兒響叮噹！響叮噹，響叮噹，響叮噹！好花折得瓶供養，伴我書聲琴韻，共度好時光！

只是，我就不懂大人為什麼那麼偏心，硬說蠟梅非梅。紅、綠、白梅都是非凡之品，而蠟梅卻連「品」都不上。一年一度的梅展，也沒有蠟梅的份。自然，那只是我替它叫屈，蠟梅本身卻全不在乎人怎麼個看法，依舊清清朗朗開在朔風裡，獨自風流獨自香。

蠟梅也還有一種比較名貴稀少的，顏色黃得很深很深，像紫檀一樣，就叫檀香梅。

江南素重一枝春，

豔好國花自有真，

萬紫千紅齊仰止，
冰肌鐵骨見精神。

一年一度的梅展，在天寒地凍的日子，是文人雅士和愛花的人一次盛大的雅集。梅花先春而開，更預報了春不久將來臨的消息，人人歡欣喜悅。蘇州人家，差不多有庭園的宅第，總有株把兩株梅花。宅第是歷代相傳，梅花是千年古梅。不知是哪一代祖先栽種的遺澤，蔭被子孫，香留萬代。能亮出去參加梅展的，只是盆景。但光那些盆景，經過栽種人苦心培植照料，梅齡最輕的怕不都有十幾二十年歷史！重甸甸一大盆一大盆，高不過數尺，卻已經蒼老得樹鱗斑駁，筋骨畢露。說是展覽梅花，也可以說是比賽樹的稀奇古怪，有的粗粗壯壯，根節蟠虬，卻俏伶伶抽出三五根苗條的細枝，綴滿圓圓潤潤的花朵。有的峭削陡立，截然斬斷，偏在旁側斜斜地探出新枝，返顧有情。有彎曲成馬蹄狀，又從底端一枝翹揚，俯偃生姿；有橫伸斜竄，又猛然折回，垂枝攢蕚，梅蕊點點；有枝條交互穿插，繁花密蕊，韻姿綽約；有險峻峻孤枝獨秀，疏瘦有致。有的如靈蛇蜿蜒，有的像龍蟠鳳翥，有成之字曲折、有像壽字迴旋。或蒼勁古樸，或奇倔突兀，或狂放灑脫，或清癯峭削，姿勢奇特。亦顯出梅花孤傲狷介，獨特不羈的風骨和高潔的品格，這是樹的狀態。以花來識別，大致可以分為：十二江梅，俗稱直腳梅、野梅，花白色，瘦瘦疏疏很有韻味。跟它相似的還有早梅、消梅、官城梅。這是經過接枝培養，花朵比較豐腴的一種。

萼綠梅，就是綠梅。淡綠色溫潤如碧玉的花朵，譬喻其清高如九華仙人萼綠華。有一首詩讚美它是：

　　山中古仙子，無言春寂寥，玉容淡朝雨，翠氣濕微宵。

虎丘山巔有一座雅淨的亭子，四周環繞著三百株綠萼華，亭名「冷香閣」。據說亭子和綠梅便是由當地一些愛梅的鄉賢文士，費樹叔、金鶴哥、汪鼎丞……發起建造、種植的。

紅梅，獨盛產於姑蘇。紅色較深沉，豔而不俗，蘇州人習慣以「梅紅」色象徵吉慶喜事。李清照形容紅梅是「紅酥肯放瓊瑤碎」。還有首詩，寫它：

　　清香皓質世稱奇，添作輕紅也自宜，
　　紫府與丹來換骨，春風吹灑上凝脂。

鴛鴦梅，多葉紅梅，結實成雙。杏梅，顏色較淡如杏花的紅梅。重葉梅，複瓣，花蕊獨出。花開時層層疊疊，有似小號蓮花，雍容華麗，是梅花中的奇品。百葉湘梅，又叫黃香梅、千葉梅，也是複瓣，多到二十幾瓣，明燦燦的黃，花朵細小繁密，別有一種香味，比一般梅花又更濃郁。古梅，根節盤虬，枝幹奇倔，樸拙顛狂，伸曲萬狀；苔鬚飄曳，垂拂在枝椏間，開花疏瘦清癯，很有高潔隱士仙風道骨的神態。

還有一株梅花，從來不參加展覽，卻每年總有愛花的人專程去拜訪它。那是滄浪亭對面圖書館裡的一株鐵梗紅梅。它歷史悠久，已不知道是何時何人手植的，根部潛虬盤錯地蟠踞地面，苔痕蒼蒼，龍鱗斑斑，數不清的懸瘻累節，枝幹縱橫遒勁，聳峭之氣凜然，真箇是鐵骨嶙峋！樹梢枝間，卻疏疏朗朗綻開著鮮豔的紅梅。一朵朵俯偃攢集，映帶有情。樹是如此蒼勁樸拙，花是如此嫵媚柔潤，互相偎依烘托，正是「千年老幹屈如鐵，一夜東風都作花」「不知蘊藉幾多時，但見包藏無限意」。

鄧尉山上梅花林，玉雪為骨冰為魂。

賞梅，最好的去處還是鄧尉。只要去過一次，就讓人魂縈神牽，夢寐難忘。

鄧尉山，在蘇州城外六十里的光福鎮，正遙對著太湖。山頂有古廟寺院，環山遍植花木果樹，最著名的便是梅花，約二十里方圓盡是梅樹。當隆冬將逝未逝，春訊待臨未臨，千萬株梅樹一齊怒放，蔚成一片梅香雪海奇觀。每年去鄧尉探梅的人絡繹不絕於山陰道上，有人徒步、有人曳杖、有人乘車，凜冽的朔風也絲毫不曾減低尋梅的雅興。

不到鎮上，離山麓還有一截路哩，遠遠的就看到白茫茫一帶橫貫天邊，彷彿天際駐雲不動，山頂積雪未化。一步步走近去，雲更稠密，雪更璀璨，慢慢地拖邐而上。蜿蜒攀升，人就走進了垂雲，踏進了積雪，左右前後圍繞著皚皚的白，盈盈的白，瑩潔的白。頭頂上更是一卷卷，一疊疊舒延展拓。待仔細辨認，才分得出原是億萬朵花朵堆疊相印，蔚成雲雪。空隙搖落點點若隱若現的春陽，浮光閃爍，耀眼生花。有什麼很輕很柔的飄落在臉頰，想是花瓣。手指一摸，卻化作一滴雪水。那這滴癢嗖嗖的又是未化的積雪吧，再一拭，噢！是凝指般柔潤晶瑩的花瓣。一陣陣香風拂面，香霧瀰漫。來不及左顧右盼，只是仰著頭，就這麼騰雲駕霧任意向前漫步，前面的白雪隨著腳步擴展、拓寬，但依然白茫茫無盡無垠；身後的白雪緊扣著腳跟掩攏湊合，益顯得深邃渺邈。一路展漾合攏，就像白浪悄悄掩捲，波濤寂寂翻滾，好一片花氣氤氳纖塵不染的香雪海！尋梅人，探梅人，賞梅人一個個浸潤其間，泅泳其間，盡情享受那種「飛來香霧都成雪，尋入梅花不見人」的美妙境界，渾然忘記了山腳下還有一個庸庸碌碌的繁華世界！

一九七四年十一月

編註：本文原刊於《中央月刊》第七卷第四期，一九七五年二月一日，頁四十九～五十三。

五月石榴照眼明

浸沐著親情似柔暉，綴飾著稚戀如輕蔭。童年開滿小小茉莉的金色長廊，乃隱現於歲月朦朧中。

就在茉莉花的幽馨，梔子花的馥郁，白蘭花的芬芳裡，故鄉的初夏來臨了。來得那麼靜悄悄地，就像貓咪軟綿綿的腳步，一腳一腳柔柔地踩過小橋流水，幽巷人家，跨進森嚴門牆，深深庭院，踏上沉沉寂寂的長廊。熨貼上柔嫩的臉頰，挨擦著未經跋涉的腳踝……生命的成長便是不斷地創造，更是無限的美好。不管在溫室，在深院，在金絲籠裡；在陋巷，在僻鄉，在大自然中，孩子稚憨的心目中永遠對周遭的一切都感到新鮮，感到好奇。春天的一枚嫩芽，一架風箏；秋天的幾片紅葉，纍纍果實；冬天的皚皚白雪，和新年的歡樂。而夏天，夏天是香噴噴的花和淌著鮮甜汁液的水果砌成的。夏天是故事收穫最豐的季節，夏天有一支聽不厭的樂隊——清晨的鳥雀交響曲，白晝的知了獨奏，以及晚上青蛙的混聲大合唱；夏天的夜晚有不熄的燈——青石板上亮晶晶的星星，還有螢火蟲提著一盞盞綠幽幽的小燈，徹宵在巡邏；夏天的一切都變得悠悠忽忽的，太陽照很久很久，白天裡好長好長，時間走得很慢很慢，孩子們變得斯斯文文的——就怕汗水浸得痱子扎人。四肢安頓下來，小頭腦卻轉動個不停，就像一支奇妙的萬花筒，許許多多五顏六色不規則的小碎片，拼湊出無數絢麗七彩圖案，忽明忽滅，忽聚忽散，變幻無窮——童年的夏天，我正是那樣一個喜歡摟著洋娃娃，或抱著小貓咪，坐在高門檻上轉動著萬花筒做夢的小女孩。

總覺得大人都有點偏心，每年春還沒有半點消息哩，便東貼一張燙金的春字斗方，西懸一幅墨汁濃濃的「迎春接福」。立春那天，更是包春卷、攤春餅，香燭爆竹恭恭敬敬迎接。比起對春的重視來，對夏實在是很冷淡的。還記得那麼一天，強逼人家吞下一角又髒又難吃的油炸「柳條穿燒餅」，就算是過「立夏」了。說也是，平常嘛千叮萬囑，食物隔了夜不能吃，沒有蓋好收好也不能吃，可是那塊瓦片燒餅分明還是清明節去上墳，用帶回來的柳枝穿起來掛在屋簷下的。不說風吹塵封，誰知道有沒有蜘蛛結網，蟑螂下蛋？卻偏說吃了就不「疰夏」。「疰夏」究竟是怎麼回事？不懂。只知道「蛀牙」是很痛苦的。

吃過柳條燒餅，人似乎越來越輕飄飄的。身上夾的厚的衣服就像玉蜀黍的殼一樣一層一層剝掉。早起晚睡再也不用費時去扣那麼些「結葛囉多」的布鈕扣。我喜歡看父親換穿上一身雪白耀眼的紡綢衫褲，外罩一襲鴿灰色綢長袍，頎長清癯，書卷氣很重的他，顯得格外瀟灑飄逸。我喜歡看外婆和母親穿上縐紗、羅紡、湖綢什麼的，齊腰圓角、短衫寬袖、通紗長裙，那淡雅明淨的顏色，輕盈搖曳的裙裾，身上散發出幽幽的花香，覺得月份牌上的美女也不過如此。我也喜歡看老阿媽穿著漿洗得潔白挺括的粗夏布短衫，寬寬爽爽的，套在身上有點像罩了個紗罩，走起路來悉悉索索用不著見到人就知道誰來了。換季的不光是人，客廳裡的太師椅脫下了紅呢椅披和墊子，露出光滑精緻的紅木，雕花的靠背上崁著大理石，坐上去冰涼冰涼，好舒服呢！夾的門簾換上細竹篾編製的竹簾，看出去隱隱約約的，平添了幾分神祕的氣氛。尤其是廊上朝東的那一排，每天陽光把樹影畫在竹簾上，影影綽綽，疏落有致，比父親畫在宣紙上的淡墨花卉還更淡。整一季夏天，它就這麼悄悄地懸掛在薰風裡。

小時候畫太陽，總是拈一支紅的、或金黃的蠟筆，先在紙上塗一個圓，然後繞著周圍畫上一條條長長短短的直線，表示輻射出來的光和熱。每當鮮豔耀眼的石榴花盛開時，我總懷疑它不是一朵朵慢慢開放，而就是太陽上那一根根火棒給點燃的；亮灼灼一朵朵小火焰似地燃燒在枝頭，去摘一朵準會燙手——不過我摘茉莉，摘梔子，從來不忍心摘石榴花。想想看：一朵花一隻石榴，那裡面密密麻麻地該蘊藏了多少顆透明玲瓏的白水晶、紫水晶、紅寶石？我一逕都想拿來鑲成戒指、串成項鍊、綴成手鐲……可是卻經不起手指輕輕一壓，化作一滴甜汁。大人說石榴是吉祥果子，象徵著多子多孫多福祉。每個新娘子的嫁妝裡總有一兩條繡滿石榴的百褶裙，記得我家隔壁的金寶姐就是專門刺繡這些的。除了石榴裙，還有盤金崁銀的神袍，遊龍搶珠的戲裝，鳳穿牡丹的被面……那些龍鳳、花朵都給繡活了，綻開的石榴子彷彿要一顆顆蹦出來，不管春夏秋冬，金寶姐一天到晚就俯首在繃子上，兩隻手一上一下繡個不完。我問她可曾替自己繡一條石榴裙，她紅著臉一甩辮子，又低下頭去繡啊繡的，我打從小心眼裡羨慕那雙巧手，也愛煞那些七彩的絲線。說不上究竟有多少顏色，光是一樣綠，深深淺淺就有八九種。天邊的彩虹，傍晚的雲霧，春天的繁花和綠葉……相信世上所有最美麗的色彩，全都一縷縷收藏在那本夾線簿裡。

母親很少繡花，卻也有一本布面竹紙的夾線簿，平時收在紅木大櫥裡，一年只有幾天她慷慨地搬出來讓我挑選，那準是快過端午節了。與這一起的還有一堆鮮豔的零碎綢緞，亮亮的水銀珠子、香料、羽毛……純粹是屬於女孩子費心弄巧的日子。把厚紙裁成一條摺成粽子，或剪成銅板大小的圓片，一根根絲線纏繞出美麗的圖案。二小塊方方的緞子拼成一枚玲瓏的雞心，三小塊綵緞，加一撮鴨絨，是一個神采奕奕的老虎頭。扇子、桃子形狀的香包，洋線鉤結的樟腦網串……小手指忙碌地綴弄，小心靈浸潤在興奮的氣氛中，每個乖巧的小女孩就在這時開始，學習起拈針引線，學習著怎樣配色和選擇，也學得做為一個女兒身的細緻和耐心。盼望著到了端午節那天，就像喜事人家懸燈結綵似的，胸前叮叮噹噹掛滿一串串粽子、雞心、老虎頭、香袋、樟腦網絡，身上穿了印有五毒——蠍子、黃蜂、蜈蚣、蛇、癩蝦蟆的短衫褲。額角上亮著一個黃澄澄的「王」字，手執菖蒲寶劍，全副「辟邪降妖」裝備，像煞有介事。新箬葉裹的糯米粽，澆兩匙稠稠的自製玫瑰醬，香噴噴紅白相映，看著就讓人嘛口涎，剛上市的洞庭山白沙枇杷，薄薄的皮從臍底就像幾瓣花瓣般輕輕撕開，鮮甜的汁液便順著指尖溢流下來，大人小孩誰都會吃一個不撐到喉嚨口不抬頭。雄黃酒的滋味卻並不好受，大人卻硬捱著人家要抿一口，火辣辣地直衝上腦門。據說神話《白蛇傳》裡那個修煉得道的白娘娘就是喝了一杯雄黃酒現出原形來，別提有多厲害了。還有客廳裡掛著那幅叫什麼鍾馗的畫像，一臉毛毿毿的，兩手抓著個小鬼正在啃，模樣好可怕！

儘管嚷著：「吃了端午粽，還要凍三凍。」卻又忙著張羅夏天喝的飲料了。說是過了五月的太陽有熱毒，又說小囡身體內有三把火，不早喝些解暑的飲料，一個夏天瘡瘡癤癤有得長哩，這下子就差些把中藥店搬到家裡來。一紮紮枯枝似的「青好」，一朵朵曬乾的小喇叭花「金銀花」，一支支手指頭那麼粗細的「蘆根」，一段段黑鬚鬚的「藕節」，還有粉粉的「綠葉散」，以及「綠豆青」，熬的熬，泡的泡。有的顏色和味道都有點像中藥好難喝！有的卻甜甜的帶點清香。我最喜歡喝的是「花露」，那是每年春天委託藥店收購鮮花配製的，有薔薇、玫瑰、金銀花，或百花混合劑，經過蒸餾，一滴一滴汽水便聚積成清澈晶瑩的花露，收藏在透明的大玻璃瓶裡，喝時倒上淺淺一小杯，啜一口沁冽心脾，喝完後更是口齒留香，當我慢慢地啜吮完一杯，覺得自己就會變成美麗的蝴蝶，勤快的蜜蜂，不是只有牠們才是吃花汁生長的麼！

就當大家在家裡品嚐種種解暑飲料時，街頭巷尾也出現了一座座小小的白木茶亭，高高的四隻腿，罩著笠帽似的頂蓋，中間便擱上一大桶涼茶，還有一支水杓和兩三隻鋁杯，這都是樂善好施的人家免費供給大眾方便的。眼看在火爐似的大太陽底下那些曬得焦頭爛額的黃包車夫，挑擔子的苦力、做小生意的，停下來仰著脖子猛喝豪飲一番，好不痛快！也有人在茶亭旁貼張小條子，施送濟眾水。小小一瓶，都是救急良藥，有人中暑暈倒，灌一瓶下去還很管用。天慢慢黑下來，行人漸漸稀少，茶桶也乾了，可是第二天清早，又裝得滿滿地，彷彿是一注取之不盡汲之不竭的甘泉。一個漫長的夏天，小小可愛茶亭佇立在路畔，守候在牆角落裡，默默地為大眾服務。喝下去的不僅是解渴的茶水，也滲融著更多親切濃郁的人情味！

知了在樹上拉長喉嚨一叫，準是進入伏天了。外婆才從收藏食物中的石灰箱裡拿出一塊硬硼硼的麥芽糖餅，一歇工夫就在碟子裡煬成稠黏黏的一堆，插著的蠟燭變成糯米粉製的條頭糕，彎彎扭扭怎麼也挺不直。桌椅牆壁熱烘烘的，四肢百骸軟綿綿的，身上到處黏搭搭的，拈針線的手、摸骨牌的手，都像裝上了自動彈簧，不停地揮著諸葛亮的鵝毛扇，濟公活佛的大蒲扇，畫中美女的團扇、檀香扇……搧得手發痠，也搧不散那股燠熱，搧不散那繚繞的蟬鳴，我一直不明白知了那麼小的身軀，為什麼會發出那麼響的聲音？而且叫個不停。牠這麼聒噪著，卻喚來了最受孩子們歡迎的人物——賣西瓜的小販。西瓜都是鄉下人撐著小船從濱河裡運進城來，然後由那個穿一身黑香雲紗，敞開背心，腳底下蹬一雙縷空草鞋的總攬銷挨家兜銷。像《封神榜》裡的托塔天王李靖一樣，一手高高托住一隻綠沉沉、圓滾滾的西瓜，穿堂入戶，跨過一道門檻又一道門檻，嘴裡一路老太太，少奶奶地嚷進來：「西瓜來哉！真正三白蝴蝶釀，只只包甜，勿甜退銅鈿！」

買西瓜就像買稻草一樣是樁大事，動員了外婆、姆媽和老阿媽，自然少不了湊熱鬧的我。牆門間裡吊起了可以稱人的大秤，要兩個人才能扛起一籮。一二百斤西瓜都堆在內廳天然几底下，彷彿從方磚地上冒出來一座翡翠山，黑色沙漠中的小小綠洲。

炎夏的午後，總會讓我想起那個睡城的故事，那個小公主碰了一下使過咒語的魔錘，立刻全城都沉沉睡去。大人們有的睡在檀木的香妃榻上，有的睡在水涼的竹榻上，打開二門覷一眼，牆門間的長凳上，照牆的蔭蔽下，也有人蓋著笠帽，倚著扁擔在打盹。連咪咪都伸長四肢，肚皮貼著方磚睡得好沉。醒著的只有我和知了，我不是偷著從書櫥裡抽一本《聊齋》、《儒林外史》什麼的躺在竹榻上囫圇吞棗，就是悄悄地坐在高門檻上仰望天井裡那一樹梧桐，陽光透過葉隙，好像撒下大把擦得亮亮的光緒通寶銅錢，閃閃爍爍，看得眼花卻是抓不著。知了就躲在那裡悠悠忽忽地叫，有時叫得拖著好長的尾音，慢慢地在熱氣中蒸發，有時又戛然中止，就像胡琴的弦線忽然繃斷了。睡不著午覺的我很想找到不睡覺的知了作伴，可是不管怎樣用盡眼力搜索也見不到牠小巧的身影，有個故事裡說知了藏身的那片葉子是枚隱身葉，我還真相信哩。

沉寂的晝午真長，知了單調的鳴聲也搓得我小腦筋昏昏的，硬撐著垂甸甸的眼皮守著太陽滑下樹梢，又經過那株長不大的黃楊木，終於蝸牛般慢吞吞地爬上了書房的窗格子，忙不迭就去催請正在穿堂裡納鞋底的老阿媽，沒有錯，準是下午三點，該起「瓜」了！

對於最好奇的孩童，大人偏偏訂了許許多多的禁例，不許單獨去井邊也就是其中之一。因此那口青石欄團團圍住白木蓋密密蓋上的水井，像所有不許觸摸的事物一樣，總有些特別的神祕感。那樣幽邃，那樣深不可測，也許老得有一百歲、一千歲了。誰知道底下除了汲之不盡的清泉，還有什麼？我半蹲半跪地扶著井欄，只等一打開井蓋，先享受那般衝上來的冷氣，涼幽幽地拂在臉上，一瞬間汗也乾了，痱子也不癢了，比什麼都舒服。每當我要向井裡看第一眼時，總企盼著出現什麼奇蹟，譬如一張漂亮王子的笑臉，一位凌波仙女的倩影，甚至一個猙獰可佈的巫婆面孔，但顯現在黑黝黝、陰森森的水面下的，永遠是那張白白圓圓、童花式頭髮覆蓋著濃濃雙眉的傻女孩臉——我自己。我皺鼻子她也皺鼻子，我伸舌頭她也伸舌頭，我雙手拉眼皮扯嘴，她變了個滑稽的老虎臉……那張小圓臉晃呀晃的，忽然扭曲了，平靜的井水泛起了陣陣波瀾，驀地裡一個圓滾滾的物體冒出了水面，騰空而起，我連忙捨棄了井中另一個我，幫著收繩索，解包袱，好一只水淋淋的大西瓜！經過六七個小時的冷浸，不僅冰涼冰涼，更綠得鮮明透亮，刀鋒剛挨上去，便已嗶嗶啪啪爆開來，嫩嫩的黃瓤，寶石似的紅瓜子，銀匙輕輕一挖，蜜汁淋漓，吃在嘴裡，鮮甜涼爽，沁入心脾，飽啖一頓下來小肚皮脹成個大西瓜。夏天裡，吃飯沒有食欲，啃西瓜卻是最痛快的了。

夏天的白晝雖然熱得難受，夏天的夜晚卻是最美麗最可愛的。一陣陣涼風中，一陣陣花香裡，一家人悠悠閒閒圍坐在院裡納涼話家常。頭上是滿天繁星閃閃熠熠，身畔是點點螢火忽明忽滅，一個故事串起一個故事，像一滴滴甘霖，一注注清泉，潤澤著小心靈。睏了，帶著親情和滿足，便朦朦朧朧偎在母親身畔睡去，夢裡也盡是數不清的星星，開不完的石榴紅。幽邃的古井裡，冒出一個個翡翠瓜，就這麼著，一個長長的白晝又接著一個美麗的夜。

鳳仙花染紅的指甲漸漸褪色了，茉莉花香淡了，蟬聲也沉寂了，扇子擱在一邊，竹榻涼得生寒，外婆買來玉蓮花似的百合上了甕，井裡除了打水的吊桶七上八下，再不見綠沉沉的西瓜。我又坐在高門檻上仰望著，只等一樹梧桐葉變成彎彎的小船，載了秋天來。

一九七二年六月

編註：本文原刊於《中央月刊》第四卷第八期，一九七二年六月一日，頁七十一～七十五，原題〈石榴花開時〉。

天涼好個秋

香霧瀰漫祥雲飄

空靈的幻想渲染上鮮明絢麗的色彩，玄虛的夢境溶入幾許真實。故鄉的秋天，在孩子心目中是一個美麗的神話，一個充滿了詩意的季節。一切的光彩和榮耀都屬於天仙，屬於神靈。那九霄雲裡的織女、嫦娥，那通靈的喜鵲、玉兔，那迢遠的天河、月宮……分明是那樣虛無縹緲，撲朔迷離，卻又充滿了虔誠、崇敬、安樂、和諧，整整一季秋風送涼的日子，空氣中彷彿都飄浮著淡淡的香霧，瀰漫著神祕的氤氳，天上人間，一片祥雲籠罩——

七夕，牛郎織女一年一度鵲橋相會的故事，像一支纏綿動人的曲子，緊扣著童稚善感的心弦。玉皇大帝不是太嚴厲了些麼？這樣懲罰一對相愛的人！牛郎在幼小的心靈中倒並不占什麼分量，凡是畫裡的牧童不是騎在牛背上吹吹笛子，唱唱山歌，一任牛兒負著他在田野間，山坡上遛達，使笠帽遮住半個臉，躺在樹蔭下的草地上打盹，看起來逍遙自在，好不優哉遊哉！辛苦的是織女，一天到晚要紡織那麼多那麼多的雲！想想看，假如沒有了雲彩，永遠是木楞楞一大片淨藍淨藍，平平板板的天壁，該多麼單調乏味？可是一加雲的綴飾，就完全不同了，白雲變幻無窮，彩霞燦爛絢麗，這才使天空變得多采多姿，生動美妙，讓人百看不厭，誰又能不關心那位使世界變得更美好的大功臣？

溫溫柔柔的女孩們，誰都希望有一雙巧手，織繡出一手好針線。一片聰穎的慧心，調理如錦人生。七夕，隔夜就預備好一碗井水和河水摻半的陰陽水，幾枚繡針，專任向織女乞巧。若乞得她一絲半絲慧心巧思，便將是凡間最聰敏的姑娘。我卻傻傻地仰著脖子，只在蒼茫的天空裡搜索：看有沒有那披一身黑羽毛，曳著長尾巴，胸前繫著白圍兜的喜鵲，大人喜歡牠因為牠是專報喜訊的鳥，我喜歡牠因為牠是那麼善良和好心腸，竟用自己小小的身軀替人架橋。天壁好深好高，彎彎的新月像一把玲瓏象牙梳，一道狹狹長長，白濛濛的雲帶橫貫在中間說是銀河，可是，那兩顆最亮最美的星星——牛郎織女星，卻還是扁擔的兩端，一東一西，分開在銀河兩岸，遠遠地一閃一閃互相放著光輝。鵲橋呢？鵲橋又在哪裡？是在等待很深很靜，沒有肉眼窺視的夜，才悄悄地從千樹萬林中飛來架設麼！那麼，姆媽，我不要乞巧，要進房去睡覺。大家閉上眼睛，好讓喜鵲牠們去搭橋。在夢裡，我會看見可愛的織女穿上七彩霓裳，圍著白雲披肩，飄曳著霞光霧紗的長裙，輕盈地渡過黑亮光滑的鵲橋，去會見她那個一年不見的心上人——傻牛郎。

鮮花、雲彩、星月，編綴了秋天第一個充滿羅曼蒂克的神話，緊接著是肅穆莊嚴的中元節，又叫盂蘭節。大人們把那份悼念在天之靈和超度幽魂的虔敬，絲絲縷縷都摺疊在一只只銀錠裡，孩子們也被禁足在家，幫著摺手工似的摺錫箔。外婆一面摺一面喃喃地唸誦著《心經》，還有《盂蘭盆經》。摺錫箔摺得好不厭氣！我纏著她講給我聽有關《盂蘭盆經》的佛教故事：說是有個修行得道的目蓮僧，卻發現他的母親因為生前做了錯事，死後被罰入餓鬼道中，食物進嘴就化成烈火。目蓮看他母親受苦，急得歷盡艱辛去向佛求救，佛便教給他這一卷經，並且要他在七月十五做盂蘭盆解救母親。以後，寺廟裡就定這一天開盂蘭盆會，布施修供，誦經超度，以報答生身父母，乃至七世父母長養之恩。講完這段故事，外婆作一個告誡式的結論：說什麼出家和尚已經四大皆空，六根清淨，還念念不忘父母親恩，我們做凡夫俗子的，自然更加要孝順堂上雙親……說完，又眼觀鼻，鼻觀心，逕自誦她的《盂蘭盆經》。我不會念索迦摩呢那麼難念的經，倒曉得唱幾句〈目蓮救母〉那支歌，調子慢慢地，音樂有木魚伴奏，很好聽。可是那時卻不好意思唱出聲來。

秋日祭祖，也就秉有佛家超度之意。上香祭祀之際，流露出長久的感恩，深沉的哀默。奉獻上一封封銀錠，一件件紙紮的衣服用具，在焚化爐裡化作一撮撮紙灰，飛升飄揚，就像一隻隻灰蝴蝶，在空中迴轉盤旋，又無聲地消失在溟濛裡。幼稚的心靈深受氣氛的感染，恍惚覺得冥冥中真有什麼與自己微小的生命有所維繫的根淵。懵懵懂懂觸到一個神祕、莊嚴，而又令人畏懼的問題。我忽然變得莊重沉靜，似乎一下子長大了不少。

月半過了又三十，家家要燒地藏香，又叫九思香，是紀念明初吳王（不是吳越），後來又封做地藏王的，一到夜裡，家家戶戶便在門前台階下，石板縫裡插一排排香燭，黑沉沉的大街小巷，一時間滿地閃爍著一點點紅紅的香火，遠比天上的星星還繁密，煞是好看！而拔下來大把大把的香棒，盡夠我們玩好一陣子挑香棒、編籬笆的遊戲了。

雍容華貴到人間

我看過紙上畫的老虎，也看過動物園裡真的老虎，一身金黃底子繡黑斑紋的毛皮。圓圓臉，灼灼有神的眼睛，很威武，也很美麗。但大人成天嚷嚷熱煞人的秋老虎我卻從來沒有見過。從七夕竄過立秋，一直到盂蘭節前後，二十四隻秋老虎才一一歸山。那時起，火辣辣的太陽開始變得溫柔起來，痱子也不扎得那麼難受，抱著取涼的竹夫人冷落在一邊，扇子擱在茶几肚裡——曾幾何時，兇猛的老虎又變成了溫順的貓。

擺脫了炎熱的煎熬，連慵懶的人都變得輕快起來，一天不知多少次進進出出經過天井，我總要望望那株巨傘般撐得高高的梧桐。父親曾講過「鳳棲梧桐」，據說是有一種比孔雀還更美麗的鳳凰鳥，就喜歡在梧桐樹上棲息。真的鳳凰我沒見過，卻見過用七彩絲線繡在被面上、帳幃上，還有畫在屏風上的那種大鳥，曳著好長好長的尾巴，金碧交輝，可真是高貴華麗，鳥中之王。不過我並不盼望鳳凰來朝，而是看看有沒有黃葉飄墜。小小渾圓的梧桐子都黏在彎彎的葉子邊緣，像小船載著搭客，乘秋風冉冉降落。撿一衣兜讓老阿媽在火灶裡爆一爆，磨磨牙齒，味道比瓜子仁又更清香。

梧桐葉的小船悄悄地載來梧桐子，也載來了蕭蕭颯颯的秋意。我打從小心眼裡喜歡那樣的天氣：天藍得澄澈明淨像外婆帽兜上的那塊藍寶石，流動的彩霞像我臂腕上的琥珀墜子。涼風悠悠忽忽地掀起綢夾衫的襟擺，只差脅下添上雙翼，好在大氣流中飛一個迴旋！再聽不見聒吵了長長一季的蟬聲，蟋蟀出現在階下牆角，試彈著牠的金吉他。金鈴子尖尖細細的歌聲震顫在夜闌人靜時，勤儉的紡織娘不住督促著叫「織織織」，織出好一個錦繡的秋天！

錦繡的秋，瑰麗的秋，豪華的秋！整整一季春，吸吮著甜甜潤潤的霖雨；整個一季夏，大量大量地啜啖著太陽的熱能，孕育著、醞釀著……於是豐饒的、成熟的秋天，揹著重甸甸的收穫，踏著結結實實的腳步，打扮得雍容華貴地來到人間。從樹上到土壤，從陸地到水裡，到處炫耀著果實成熟的丰采，凝聚融匯了兩季的菁英，來一次秋季大展覽，那麼些好看的，好吃的，簡直讓人眼花撩亂，應接不暇。

也許因為水總是那麼清清柔柔，所以造物對放在水裡繁衍的果實，要比土裡的、樹上的，都雕塑得更細緻，更精巧。就說菱角罷，那樣彎彎有致，小巧玲瓏，從最小的四角菱開始，一直到圓角菱，餛飩菱，和尚菱，紅菱，烏菱，至少有六七種。最受小囡歡迎的是四角菱，又甜又便宜。賣菱的總在下午出籠，揹著大木桶從大街小巷悠悠揚揚地一路喊過來，揭開棉蓋子，還直冒熱氣，三五個銅板買半斤，剝剝吃吃可以當一頓點心。四角菱的四隻角特別尖銳，戳嘴戳臉的。不過蘇州小囡吃慣了都曉得訣竅。餛飩菱、和尚菱倒是光溜溜的，賣菱的還帶著小彎刀，現賣現剝，菱肉細膩香糯。紅菱要吃新鮮，又嫩又甜，烏菱長得像黑色羚羊角，肉粗而乾，放在果盤裡倒是很好的點綴。鄉下人家常在門前池塘裡栽些菱藕，等秋涼天氣，女小囡划著木盆在碧綠的荇藻中盪來盪去，一面摘菱，一面唱著採蓮謠，好不悠遊自在！

我喜歡荷花，父親讚它「出污泥而不染」，荷花變了蓮蓬，依舊是亭亭玉立，不染一塵。均匀的蓮房裡嵌著一顆顆翡翠錠，剝開卻是白玉顆。牙齒輕輕一磨，碾成粉嫩的玉屑。留下蜂窩似的空蓮房，吹乾了，洗硯台比什麼都潔淨。

冰肌玉骨，玉雕粉琢，玉潔冰心……大人們創造了那麼多美好的詞句，正好拿來形容蘇州的塘藕，象牙色的皮比竹膜還薄，輕輕刨上去，鮮汁就滲了出來。一片放進嘴哩，細細的銀絲還牽連在另一片上。脆嫩爽口，甜汁帶著淡淡的清香，從齒頰間一直沁入肺腑。稍微老一點的後節就刨藕汁，剩下藕絲正好做藕餅當餚菜。糯米塞藕也是名點。在「菱角燥」的乾燥天氣，喝一碗涼涼稠稠的、淺粉色透明藕粉羹，我想可以媲美故事上所說，王母娘娘喝的醍醐罷。

水裡的還不曾吃夠，地下和樹上的早又穿插上市了。水、陸、空大競賽，卻飽了人的口福，那一串串紫水晶似的葡萄，黃澄澄的橘子，紅豔豔的柿子，淡綠的雅兒梨，綠裡帶黃的文旦，半紅半綠的花紅，還有露出紅寶石美齒，咧著嘴笑的大石榴……要不是味道那麼誘人，應該是陳列起來觀賞的藝術品。

賣熱慈姑、糖芋奶、桂花赤豆湯、白糖蓮心粥、甘草梅子黃蓮頭、酒釀圓子、湯團、餛飩、炒白果栗子、燻腸肚子……有的揹著桶，一路吆喝獨創的花腔；有的提著籃，搖晃著銅鈴叮噹；有的挑著擔，竹槓敲得有板有眼。此起彼落，串在秋天悠靜的下午。那是孩子們最喜歡聽的聲音，長長一夏沒有食慾，涼爽的天氣精神旺，消化強，都有個等著填塞的好胃口。可以揀自己最喜歡的天天吃，也可以每天輪流換著嚐新。記得父親有時從外面回家，喚我過去伸出手來，他從灰嗶嘰夾袍的袖筒裡掏出個牛皮紙袋擱在我手心裡：原來是我最喜歡吃的糖炒栗子，熱呼呼的，還帶著沙子的熱燙，和父親的體溫，一顆顆甜甜糯糯一直暖熱到心窩裡。

果實，鮮豔的，可愛的果實，堆砌成豐饒的秋，金色的童年最光燦的季節。

已涼天氣未寒時

已涼未寒天氣，瀟瀟灑灑飄了幾場秋雨，越加洗得天宇朗澈，乾淨清爽，深深吸一口清新的空氣！噢，竟是沁甜芬芳！原來桂花開了。我奇怪那麼大的樹怎麼會開那樣繁密細小的花朵？也許老天爺想不出給秋天的樹開些什麼特別的花，便慷慨地摘兩把最小的星星撒在樹梢，一簇簇，一叢叢，密密麻麻，金光燦燦，到處都瀰漫著濃濃郁郁的香味，薰得人暈陶陶的，連空氣都乾燥得喉嚨發毛。大人管這樣的天氣叫桂花蒸，這一蒸，可又「蒸」得熱鬧起來了。走到街上，只見香燭店裡旗幟招展，堆疊起大大小小的香斗，水果鋪裡文旦柚子小山。采芝齋的玫瑰瓜子，葉受和的方糕，稻香村的松子核桃糖，野荸薺的蜜餞，都被月餅奪去了光彩，這一切都為了準備歡度中秋節。

天上月圓，人間團圓，最開心的還是小囡。先不談那些嫦娥、玉兔、月宮的神話有多迷人，跟著大人坐黃包車捧個大香斗回來，懷裡還抱一捆格外多送的三角旗——有的是一色鏤空雕花，有的印著七彩忠孝節義的故事。拿來背上一插，便同鄰家的孩子在牆門間扮演起穆桂英、樊梨花、周瑜、黃天霸來。令旗一揮，招來了蝦兵蟹將，好不威風！

滿月之夜，幫著在庭園中安排好供桌，一碟碟高腳銀盤裡滿載著供果，齋月宮除了鮮果月餅，最重要的是一座香斗：完全用線香捆紮盤繞成量米的升斗模樣，大小不一，中間豎著高高的，長香做的桅杆，上面插滿了繽紛的旗幟，臨風飄揚。當一輪明月在盼待中冉冉上升，月光是那樣清澈，那樣明淨，在它的照臨下，大地成了不沾一塵的琉璃世界！人亦像玻璃般澄淨透明，一片玉潔冰心！寧靜幽寂中自有一種莊嚴的氣象，連孩子們都一下子忽然變得特別乖巧，只怔怔地抬頭凝望著月亮，猜測那一小片陰影是玉兔在舂藥，還是那個砍伐月桂懸在樹上的貪心人？想那嫦娥娘娘一個人住在冷冷清清的玉殿瓊樓，會不會很寂寞？

皓月當空，興致好，一家人去走月亮。大街小巷溶在柔柔的清輝中，看起來比白天潔淨幽美。石橋下，河流泛著銀波，小船悄悄停泊在水榭旁。走月亮的人三三兩兩，衣香鬢影，笑語盈盈，或前或後追隨著自己的影子，輕輕唱起：「我走、月亮跟著走……」回程時，街上兩邊店鋪人家都在撤供果，焚香斗。到處只見香煙繚繞，雲霧瀰漫，連月色亦綽約迷濛。走在煙霧裡沾一衣襟香霧，彷彿也得了點仙氣，一身輕飄飄地且當是駕著祥雲回府。

黃花盛放蟹初肥

香霧消散，祥光淡去，神靈又隱退在虛無縹緲中。秋風帶來了幾番秋雨，眼看著落葉飄飄，百花凋零，燦爛將歸於沉寂。忽然，小園畦中，卻冒出黃金般明燦亮麗、一朵朵迎風開放的菊花。

「……唯有黃花晚節香。」對著剛開放的菊花，父親左右端詳，又喃喃背誦。他告訴我說菊花從古迄今一直被許多人頌揚讚美，因為它耐得住寒冷，經得起風霜，能夠在百花凋謝的深秋傲然獨秀。也往往用來譬喻人的高風勁節，超群拔俗。他非常寶貝他那些親手培植的菊花，我也很喜歡菊花的高雅和勇敢。每年菊花盛開時，公園裡有菊花展覽，那真是花團錦簇，姿態萬千！一盆盆玉砌清供，從地上到花架頂端，疊成一座繽紛綺麗的花山。一株不過三五朵，很壯大也很精神。顏色白的有純白，淡雅的淺綠泛白，嬌柔的粉紅帶白。黃的從明豔的嫩黃，燦爛的金黃，到高貴的杏黃。紫的自華麗的深紫，彩霞的奼紫，到淡淡若無的淺紫，以及近似醬紫和褐紅的赭色。花朵的形狀更是各式各樣：有的花瓣密密攢集 ；有的長短參差不一；有的一瓣瓣縱橫伸展，宛如蟹爪；有的一縷縷披拂垂曳，彷彿鳳尾。有的瓣端舒卷自如，像海底章魚；有的瓣尖彎彎折攏，像一枚枚金鉤。有一枝翹揚，風骨崚嶒，清逸不同凡響；有三五拱照，俯仰呼應，情趣妙生；有的清癯飄逸，古意盎然；有的雍容華貴，孤芳自賞——父親和一些賞花的大人們癡癡地繞花徘徊，激賞之餘，不住品評花種：什麼奇品、超品、神品、精品、逸品、佳品……據說在《菊譜》上還有一百好幾十品哩，但在我看來，通通都一樣美。評分的話，應該是一塌括子打一個甲上。

「黃花盛放蟹初肥」。菊花開時，陽澄湖的大閘蟹也上市了，一對就有一兩斤重。鐵冑武士天生一副兇相，一解開捆著的草繩，就橫行霸闖，晃著一對巨螯躍躍欲試，好不嚇人！等煮熟了還憤怒得一身通紅。吃蟹還專門預備了一套金屬的工具：小小精緻的榔鎚、鉗子、鋏子、剔針，吃時敲敲戳戳，倒有點像我們擺家家酒。秋日下午，一家人圍坐吃蟹是一樁樂事，邀三二知友持螯賞菊更是雅事。躲在屏風後看父親和他的朋友，對著墀前檻外的菊花，嚐一口竹葉青、花雕，又吟哦上半天。父親再舉杯邀請：「黃菊枝頭生曉寒，人生莫放酒杯乾。」於是，大家豪放地一仰脖子，杯底向天，相對大笑，真是有趣！遺憾的是母親堅持蟹性太寒，尤其像我這樣荏弱體質的孩子不許吃，只有剝剝蟹腳解饞的份兒。再就收集螯殼做成一隻隻蝴蝶，貼在牆上。待菊事闌珊，母親便收集花朵，摘除花萼，晾乾替我做個輕輕巧巧的菊花枕。清火、袪熱，夢也清香。

秋日花，多重菊；秋日樹，多重楓。菊的高雅俊逸，楓的鮮明嬌豔，渲染著將近暮秋的絢麗，平添文人雅士筆下多少詩情畫意。天平山麓的楓葉，如十丈紅霞，燃紅了山巔和天壁。楓橋兩岸的楓葉，掩映著古樸石橋，寺院飛簷，讓人興起淒美的思古幽情。姑媽家花園裡的楓葉，是我最喜歡拾取來夾在書本中的美麗葉簽。

鮮豔爛漫的楓樹梢頂，有秋雁排成人字飛過天空。我知道，牠們中途停息的地方，是那蘆花翻白的湖上。

秋收後的稻草一擔擔挑進城來，柴房裡，堆得像山一樣，忍不住爬上去，又順勢滑下來，黏一身草屑準又挨罵。想起來，還有一個特許爬高的節，那是「重陽」。

九月初九重陽節，傳說那天去登高，可以延年益壽避災難。趁猶是秋高時際，也實在是郊遊的好時光。遠一點，去木瀆靈岩山，廟裡燒燒香，山上看看「烏龜望太湖」，「癡漢等老婆」兩塊大頑石。去光福鄧尉山，不過秋天梅花不會開。去天平山，登上「頂天立地」巨石，眺望楓葉紅似火。去七里山塘虎丘山，找一找唐伯虎遇秋香的遺蹟。不然，就去登寶塔，上方塔太遠，瑞光塔老得不許給人爬，雙塔也不能攀登，那麼，還是去北寺塔罷。

北寺塔在平門報恩寺，說是已經有一千三百七十多歲了。塔高九層，八面玲瓏。朱欄畫棟，飛簷雕樑，襯著青山綠水，藍天白雲，周圍數十里方圓都看得到壯麗巍峨的塔影。登上塔頂，憑欄眺望，蘇州城全在腳下。房屋鱗次櫛比，園林蒼蒼鬱鬱。太湖煙波浩渺，河流蛛網交織。好美的景致，好大的湖山！只是，天風獷厲，吹得簷角銅鈴叮噹，吹得頭上短髮飛揚，吹得人怯生生幾乎羽化仙去。母親緊緊摟住我直催下塔，卻聽不清父親在說什麼，聲音零零落落吹散在風裡：

「登—高—臨—遠—，天—涼—好—個—秋！」

一九七四年八月

編註：本文原刊於《中央月刊》第六卷第十二期，一九七四年十月二日，頁六十三～六十九。

千載香火玄妙觀

玄妙觀前觀前街

春二三月，垂柳縈翠，輕晴映桃紅。敞篷馬車經過青石板大街，馬蹄聲得躂得躂。秋高氣爽，楓葉紅透，桂花飛香霧，黃包車穿過鵝卵石長巷，喇叭踏鈴一疊聲叭波叮噹。

——去啥場化（地方）白相（玩）？

——觀前大街玄妙觀。

真咯，還有啥地方比去觀前玄妙觀更熱鬧，更好玩的？吃的、玩的、看的、聽的、穿的、用的、包羅萬象，樣樣俱全。外婆嫌嘴裡淡，去觀前街買點野味腳、茶食和點心。姆媽有應酬，去觀前街買兩件繡花，剪一身妙羅裙襖，添點胭脂宮粉，絹花和薰香。父親偶然興致來時，也去觀前街走走，玄妙觀遛達遛達，逛逛書坊舊書攤，看看古董字畫鳥店花肆，順便捎兩幀素白扇面，幾支大蘭竹、小京提和豹狼毫，再悠悠閒閒踱到吳苑茶館店泡一壺鐵觀音，碧螺春。品茗、看報、聽說書、吃點心。碰著熟人講講閒話，下一盤圍棋。我呢？反正附件做定了，誰去都要跟。

蘇州有句俗話：「走煞護龍街，看煞舊學前，吃煞觀前街，餓煞倉街，曬煞東北街。」護龍街是最長的一條街，舊學前開的全是衣服店，倉街是沒有店鋪的純平民住宅區，東北街一天到晚都曬太陽。至於吃煞觀前街，因為蘇州人對三餐正餐胃口不大，一向就喜歡零零碎碎吃點細致可口的小吃末事。幾家歷史悠久、頂頂有名的茶食店都開在觀前街，像「稻香村」、「采芝齋」、「葉受和」、「野荸薺」；名字取得既高雅又好聽，招牌最老的至少有一百多年了。每家都有自家特製出名，別有風味的產品，「稻香村」是蜜餞：桃脯、杏脯、佛手、青梅、金柑……全用蜜汁熬製得透明透亮，鮮甜滑潤。一方方紅豔的山楂糕像胭脂凍，一粒粒碧綠的薰青豆像翡翠顆。新萵苣筍豆，蠶豆瓣上綴著紅玫瑰花屑，松子、核桃糖在齒頰間留下一股清香，慈姑片炸得黃鬆鬆香脆可口，還有應時應景的醉蟹、燻魚、糟蛋、蚶子、魚鬆、肉鬆，卻是下酒過粥最好的美味。「葉受和」的糕點比較出名，有如意酥、襪底酥、胡桃片、椒切片、麻片、雲片糕、豆酥糖、麻酥糖，全一小包一小包包好，又乾淨又方便。百果蜜糕一般是人家訂婚訂做的，有時也有小塊的賣。特別享盛名的要算方糕，是用米粉蒸製的，方方一塊潔白如雪，有薄荷、玫瑰、豆沙、棗泥餡子，吃起來鬆軟溫潤，甜而不膩。「采芝齋」除了一般茶食糖果，頂出名的是西瓜子，外縣市的人只聞名蘇州的瓜子，只有蘇州人才知道采芝齋的西瓜子最好。小小飽滿帶有光澤的顆粒，香、脆、恰到好處，牙齒輕輕一嗑，「咯」的一聲，便整整齊齊分成三瓣，兩瓣黑白分明薄薄的殼吐出來，舌尖上便留著白白小巧的仁。我好羨慕大人那熟練的技巧，和邊跟戚友聊家常，邊嗑瓜子那悠閒自在的神態。可是每次當我嗑時，總是殼跟仁屑屑粒粒碎一嘴，只剩一點甘草味或玫瑰香騙騙舌頭，「蘇州人還有勿會嗑西瓜子咯！」我懷疑自家是不是冒牌蘇州人。

除了茶食小吃店，也還有不少招牌響鐺鐺的老店，「顧繡莊」是蘇州最早最大的繡貨鋪，不但賣各式各樣繡花物事像衣料、被面、牀罩、桌幃、戲裝、佛裝，也將工作放出去給人家做。城裡城外就有不少婦女趁空閒時在家裡繡綳子賺點花粉錢。「月中桂」專賣胭脂花粉：胭脂有一張張的胭脂紙，胭脂棉花，胭脂粉餅。橢圓形的宮粉就叫鴨蛋粉。畫眉毛的烏金紙一碰就染一手黑。擦頭髮的桂花油、鉋花，過年喜慶插在頭髮上的絹花，還有一些五顏六色掛在牀帳上的什麼結串連芳、五子登科，各種香袋，以及薰衣服的薰香、芸香、花花綠綠香噴噴，女小囡進去了東看西看就不想走。有一家門口掛了一隻好大好長的真象牙，是專門做麻將牌的「張萬興」骨牌店。賣野味的「福元章」卻在店堂內掛滿了帶毛的野雞、野鴨、野兔子。還有好些家著名的綢緞莊、茶莊、剪刀鋪、珠寶店、戲院、館子店——老店新店一家連一家，蘇州城裡就要數觀前街最繁華。究竟是先有玄妙觀再有觀前街，還是先有觀前街再有玄妙觀，這上千年的古代史，卻誰也不清楚。

三清殿上看畫展

說上千年的史蹟，一點也不誇張。玄妙觀最早的前身叫「慶真道院」，那還是晉朝咸寧年間修蓋的，在香火鼎盛時期原來有二十五殿、三十六景。經過一千六七百年下來，一再拆修修，現在剩下一半還勿到，其中最大的一殿就是三清殿。老遠就可以看到半空中紅瓦綠椽疊屋連甍。四角飛簷高高地翹起，兩端兩條傲嘯的巨龍，很神氣地昂首天外，中間一支鐵鑄三叉頭的「平升三戟」直指向雲霄。走進巍峨的觀門，穿過兩旁排列著香燭玩具攤的門廊，又是一座青石砌成的平台，三面圍著雕刻精細的石欄杆，據說還是五代名家的作品哩。雄偉古老的殿宇便矗立在平台上。門楣正中一塊朱漆橫匾大書金燦燦的「玄元統一」四個字，寫得可真是鐵劃銀鉤，遒勁有力。門檻好高，我得費勁提起腳來才跨得進去，等雙腳落地，猛一抬頭，忽然間覺得自己變得好小好小，只因為正面對著燭光熒熒、香煙繚繞、杏黃色帷幔掩映中三位頂天立地的金身菩薩，在神龕裡俯視腳下的善男信女。不清楚五丈高究竟多高，我必須把頭仰得跟背成直角才看得清莊嚴寶相。還好，三清菩薩都長得慈眉善眼，不太唬人。但我相信再頑皮的小囡，進了高大軒敞、森嚴莊穆的大殿，一定都會變得乖乖的，屏聲躡息，小心靈裡自然而然充滿了肅然敬畏之情。三清菩薩是玉清元始天尊，太清太上道君，上清太上老君。牆上嵌了一大塊石刻創始人「道君」的畫像，是唐朝名畫家吳道子所畫，而在宋朝才雕刻完成，也是古蹟之一。另外一塊大石碑上面卻是什麼也沒有，據說碑上本來刻的是明代有名的大儒方孝孺親筆寫的文章，後來因為他不肯替篡位的皇帝作詔書，不但自己被殺還株連十族，就連他的文墨也統統摧毀剷除，所以這塊石碑就叫「沒字碑」。雖然不著一字，這故事卻隨著一直流傳下來。

殿裡殿外歷史悠久的古蹟可真不少，但最吸引我的卻是廊廂兩側懸掛得琳瑯滿目的字畫。

三清殿上賣畫，好像由來已久，因為「三清殿格畫」這句老早就被喜歡說雙關語的蘇州人當作一種譬喻了。有一句俗話：「蘇州人搨（畫）兩筆，賽過北平人哼幾句（京戲）一樣。」「三清殿格畫」想來大概是用來恭維那些風雅之士喜歡搨兩筆又品格不高的畫（國畫），還有就是指一般顯得稚拙粗率和俗豔的民俗畫。但在小囡眼中卻是最受歡迎的，看圖思意，一目瞭然，平時聽來看來的故事、傳說、神話，用圖畫畫出來，又更加生動而富感染性，大人總稱讚好的畫是「畫中有詩」，又哪裡比得上「畫中有故事」更有趣！

展售的畫有水墨畫、水墨著色畫、石刻版畫、套色版畫和彩色繪印的，除了少數國畫山水花卉仕女，大致分為：

故事畫，都是繪印歷史小說或民間故事中重要的一幕場景，例如：《三國志》的「關雲長單刀赴會」、「劉備招親」、「諸葛亮借箭」；《封神榜》裡「姜子牙火燒琵琶精」、

「哪吒蓮花現身」、「紂王自焚摘星樓」；《水滸傳》裡「武松打虎」、「花和尚大鬧五台山」；《西遊記》裡「花果山」、「孫悟空鬥牛魔王」、「唐僧取經」、「豬八戒陷迷魂陣」；《紅樓夢》裡「黛玉葬花」、「史湘雲醉臥花蔭」、「尤三姐殉劍」，以及「濟癲活佛」、「貍貓換太子」、「昭君和番」、「蘇武牧羊」、「木蘭從軍」、「伍子胥過關」、「臥薪嚐膽」、「投筆從戎」、「秋胡戲妻」、「岳母刺字」、「緹縈救父」、「梁紅玉擊鼓」、「舉案齊眉」、「太白醉酒」、「聞雞起舞」、「季札挂劍」。還有成套的，最有名的是桃花塢版畫《二十四孝》、《列女傳》、《西廂記》、《白蛇傳》。就從遊西湖，借傘成親，雄黃陣，盜仙草一直到永鎮雷峰塔，看完一套畫等於讀一遍故事，連不識字的人，小囡都看得懂。所以一般鄉下人家、平常百姓去逛玄妙觀時都喜歡帶幾張轉去，張貼在客堂裡，裝飾在廂房中，有小囡問東問西時，大人就不憚其煩地講一遍又一遍。那許許多多忠孝節義的故事，神仙菩薩的傳奇，就一代又一代流傳下來。

年畫，實際上平常都把所有除了國畫的畫統稱年畫。分細一點來說，是應時應節的風俗、吉祥畫，像「歲朝歡慶圖」，從大廳一直到廚房，一家老老小小全歡歡喜喜地忙著張燈結綵，供奉祖先，蒸糕春糰，除舊布新，把準備迎接新年那熱鬧高興的氣氛烘托出來。「臘月田村樂」，畫的農村豐收及準備過年的各種情景，「燒火盆行」，火盆裡燒著熊熊的歡喜團，守歲燭紅焰高翹，一家圍坐吃團圓飯的歡樂融洽。過年活動「舞龍圖」、「舞獅圖」、

「盪湖船」、「踩高蹺」、「鬧元宵」、「賞花燈」。「百子圖」是最有趣的一張畫，畫中百把個差不多大小，頭上留一撇歪桃或紥一根沖天炮的胖娃娃，有的放炮竹，有的打鑼鼓，有的翻觔斗，有的豎蜻蜓，有的舞龍玩獅子，有的捉迷藏，有的滾鐵環……一個個興高采烈，生動活潑。「漁」、「樵」、「耕」、「讀」，分四景畫出四種不同的生活，覺得人人都活得頂安逸，還有「春耕圖」、「家園樂」、「俎豆馨香」、「金玉滿堂」、「太平吉慶」、「龍年卜豐收」、「迎親圖」。其他節慶如「清明祭祀圖」、「踏青覓春」、「鵲橋相會」、「乞巧圖」、「龍舟競渡」、「祭江」、「嫦娥奔月」、「玉兔舂靈藥」、「唐明皇遊月宮」、「重陽登高」、「放風箏」、「薛剛鬧花燈」，畫的都是佳節良日，活動歡慶情景。

吉祥畫亦是歲朝吉慶祈福消災，求財求祿，添壽旺丁，家宅平安，象徵豐衣足食，萬事如意，歌舞升平，國泰民安的畫。那些字義雙關，同音相諧，把天地宇宙，神仙菩薩，花果鳥獸都嵌入畫中的聯想，非常有意思。譬如三隻羊是「三陽開泰」，四隻羊是「四季吉祥」，象背上馱一盆花草是「萬象回春」，魚兒跳躍是「鯉魚跳龍門」，雙魚群魚都是「年年有餘」、「吉慶有餘」，一龍一鳳是「龍鳳呈祥」，鹿與鶴是「鹿鶴同春」、「鹿鶴延壽」。鶴在松樹下是「松鶴遐齡」，五隻蝙蝠飛臨門楣是「五福臨門」，蝙蝠和鹿是「福祿雙全」，喜鵲停在梅枝上是「喜上眉梢」，竹枝插在花瓶裡是「竹報平安」、「歲歲平安節節高」。竹畫在山石旁是「高風亮節」、「竹報三多」，瓶花和如意是「平安如意」，桃子是「蟠桃上壽」，捧在仙女手上是「麻姑獻壽」，靈芝草是「靈芝獻瑞」，牡丹是「富貴牡丹」。有點像鹿又有點像獅子的動物背上騎一個穿兜兜的胖娃娃是「麒麟送子」。五個娃娃推一輛載滿金銀的車子是「五路進財」。一個披髮赤足小妖推一輛載元寶銀錠的車子疾行是「萬里進財」。神和佛雖然被凡人尊敬信仰，卻也都被祈求降福和保佑，似乎跟人的福祉分不開。常常被人恭請光臨的是「福」、「祿」、「壽」三星，「三星照戶」。也有「祿」神跟前擁著五個小孩「五子登科」，壽星的高額角上方飛著一隻蝙蝠「福壽雙全」，「和合二聖」短髮蓬鬆的「寒山」和「拾得」，一個拿枝荷花，一個捧隻圓盒，象徵「百年好合」、「和諧和合」。「天官賜福」已說明是專管降幅的天神，「喜神」跟前一對孩子各舉著字條「發福生財」、「堆金積玉」。「富貴皀君」扛著個大「囍」字。「太倉之神」眉開眼笑地秤著堆積如山的糧食。「善財童子」經管聚寶盆，「五路財神」端來金元寶。高擎硃砂筆的北斗第一「文魁星」專管文章和功名，「神農氏」負責五谷豐登。「東廚司命灶君」專問人間功過善惡，煙火食祿。土地公「福德正神」負責地面家宅安全，「神荼」、「鬱壘」兩位門神守護門庭不許妖魔鬼魅亂闖。還有管蠶桑管紡織，管風調雨順，管四時寒暑等等許多許多的神祇，他們管人間的事可真多，而且大公無私，賞罰分明，怎不讓世間凡人肅然起敬。另外有專為給人供奉膜拜的單張神佛畫像，有背上像太陽放射般伸出千百隻手來的「千手觀世音」，在雲端裡灑楊柳水的「大慈大悲觀世音」，懷裡抱個娃娃的「送子觀世音」。笑口常開腆個大肚皮的「彌勒佛」，合掌端坐蓮花座的長眉毛「無量壽佛」。騎獅子的「文殊菩薩」，騎象的「普賢菩薩」，五十位「天地三界十方萬靈真宰」，火神「南方火德星君」、「日光太陽菩薩」。專門捉拿小妖鬼怪的「鍾馗」、「乾坤」兩神，「伏羲」和「女媧」，成群結隊的「八仙」，玩耍金蟾的「劉海」……

每次總是當我看畫還沒有看夠，大人已燒完了香，催著離開。我接過一大把銅板一路施捨給蹲滿台階兩邊的叫化子，便結束了玄妙觀第一階段——燒香看畫展。

十方玩藝集一院

玄妙觀內外就像個大廣場。周圍是些固定的店鋪，中間層搭蓋著臨時帳棚或敞棚，更有不少都在露天拉開了場子。隔老遠老遠嘈嘈雜雜的聲音就隨風鑽進了耳朵，起初彷彿擾亂了蜂窩，之後又像打翻了鴨船，最後各種鑼鼓、鐃鈸、嗩吶、風琴，吆吆喝喝，南腔北調全攪在一起翻滾起伏，浪潮似地迎面撲來。等你被那股猛烈的聲浪曳捲到漩渦中心最高潮，那許多形形式式，神出鬼沒，緊張或有趣的玩藝，就各顯神通，各別苗頭地展示在面前，真是目不暇給，不知先從哪裡開始看起。

那裡鼓點子敲得忽急忽緩的是耍把戲的，穿綠襖綠綁腿褲的女人身體折成直角躺在凳上，就靠兩隻軟幫繡花鞋把一隻木桶轉動得得溜滾圓，一會兒又將一張方桌盤旋得風車似的。猛地雙足一踢，隨著桌子平飛出去，身子也一個豁虎跳站了起來，臉不紅氣不喘。接著一個壯漢將一根又粗又長的竹杆豎在肩胛上，一個一身紅的小娘魚（姑娘）騰身攀上竹杆往上揉升，越高越顯得搖搖欲倒，看得人手心裡正捏著一把汗，忽然一岔手人就倒栽蔥般直往下墜……大家一聲驚喊聲中，下墜的人卻已一挺身鉤著竹杆做大鵬展翅狀。豔麗矯捷的身影，襯著藍天白雲，飛簷雕樑，那美好的印象真使人難忘，接連又表演了幾個驚險優美的姿勢，還來不及叫好，紅光一閃，人已快得像石頭，輕得如燕子般躍落地面。一片掌聲中夾雜著銅板叮叮咚咚拋落在鑼盆裡。

這邊鐃鈸哄哄夾著乒乓，是走江湖賣膏藥的，赤膊的壯漢捶打著胸脯就跟敲皮鼓一樣咚咚價響。練一趟拳打腳踢的把式又耍一套大刀，雪亮的刀把上繫著紅布，舞得快時只見一團銀光中閃耀著一點紅彩，真比過年燃放的花炮還好看。但等刀光一收來推銷跌打損傷萬靈膏時，喝采的人就散了一大半。

變戲法的穿件寬寬大大的長袍子，不住抖動那塊牀單似的障眼幕，嘴裡念念有詞，猛一掀布，變出一碗紅燒蹄膀，又一大盆壽桃，一缸游來游去的金魚，最後是一支熊熊燃燒的火炬。矮夫妻老搭檔看起來不過兩三歲小囡那麼高，但模樣舉動完全是大人樣子，女的短襖長裙戴著帽兜，男的長袍馬褂瓜皮帽，抱一隻水煙筒，扮演一對糊塗老夫妻，也會翻觔斗、唱小調，很逗趣。只是每次看到他們，總會想起大人說那是從小被壞人拐去裝在甕裡養的，所以長不大，心裡就覺得不舒服，寧可去看猢猻變把戲。猢猻騎在羊上，跑一圈換一頂帽子，一下是歪戴烏紗帽的糊塗縣官，一下是戴大禮帽的假紳士，一下又是戴僧帽的酒肉和尚，裝模作樣，像煞有介事，惹得那條黃狗氣吼吼地追著牠吠個不停。木人頭戲有時也來湊熱鬧，太師椅那麼大的小小舞台上，不到一尺高的木偶穿著鮮明的戲裝，演出一齣一齣的戲。孫悟空、豬八戒、小癩痢、花花太歲，還有猛虎和妖怪，活蹦活跳，又說又唱，怎麼也猜不透藍布幔裡卻只有一個後台老闆在唱獨角戲。另外還有說相聲的，兩把摺扇你打來我打去。唱雙簧的，一個在背後胡說八道，一個扮小丑裝腔作勢。唱蘇灘的，說大書的——看熱鬧的人一圈一圈地圍成厚厚的人牆，也有小貓三隻四隻；覺得精采的，隨便擲幾個銅板，不感興趣的，觀望一下便自顧自走開，絕對沒有人賞白眼。也有先付錢才叫看的，像西洋鏡，付了銅板就可以坐在長凳上，一隻眼睛湊著照相機鏡頭似的放大鏡，看看匣子裡一張張抽換的畫片。放洋片的人邊換邊大聲嚷嚷：往裡面瞧來往裡面看，八國聯軍進了頤和園、唐伯虎在點秋香、雷峰塔鎮住了白娘娘——還有在帳棚上畫著裡面展出的那些奇奇怪怪的事物，一個人站在門口用擴音筒招徠和收費，有次展出的邋遢連體人，是兩個腰腹間連在一起的雙胞胎，看他們兩個人拉拉扯扯地一起行動，好像很彆扭。有次是一顆女人的頭顱齊脖子放在桌上，會眨眼睛，也會細聲細氣地唱歌，冷冷的，木木然的樣子，好教人害怕。倒是萬能腳，原是個斷了兩臂的殘廢，卻把雙腳調練得能抽煙點火，梳頭穿衣，下棋玩撲克牌，不比手差到哪裡去，真讓人打從小心眼裡佩服，不知他是怎麼苦心訓練成功的。

回車古城已黃昏

從熱熱烘烘的雜耍玩藝圈子出來，讓耳根清靜清靜，正好去參觀瀏覽那些攤販：玩具攤上有靈岩山出產的小木碗，最小的不過一節指頭那麼大，打磨得「精光得滑」，還有小磨子、舂臼，都很可愛。傻呼呼的惠泉山大阿福，一手鐃鈸一手鼓的泥菩薩、不倒翁。賣鳥籠的那些方的、圓的、六角形的，還有架樑疊樓宮殿式的鳥籠，全用竹子編得好細緻。賣燈籠更是七高八低掛得五顏六色，最高的一隻紅燈籠就在半空中飄飄蕩蕩打轉轉。像圓硯台似的一疊疊瓦盒子，原來是賣蟋蟀盆的，那是蟋蟀的住宅亦是蟋蟀的戰場，有時還附帶賣金鈴子，裝在小圓盒中放在枕頭底下，夜深人靜時唱得細細柔柔的。算命測字攤上看小鳥「啣牌測字」，很有意思。舊書攤上從古老的線裝書、石印本、章回小說、《紅玫瑰》雜誌，到《小朋友》月刊，盡可慢慢地翻揀；香煙畫片攤更是我最喜歡的，各種香煙牌子分門別類陳列在木盒裡，有一般性的一個銅板好幾張，有成套中稀少的，可以賣到幾角一張，當配到了一套中所缺的那一張，真比淘到了金沙還開心！

等眼睛享受夠了，腿也疼了，就該輪到口福了。玄妙觀也有不少老招牌的吃食攤，雖然只一二樣出名，因為味道特別，總是吃過了想再吃，像五芳齋的排骨、蟹粉饅頭；黃天源的湯糰，小有天的酒釀圓子，徐正興的豆花豆漿，春和館的鱔糊麵。茶食有酒釀餅、米花糖、小米糰，還有自拉自唱叫賣的梨膏糖——玻璃那樣薄薄一大片一大片又劃成棋盤似的一格一格，每格不過郵票（龍票）那麼大，有玫瑰、薄荷、松子、藥草很多口味，擱在舌頭上慢慢溶化還能止咳生津。賣梨膏糖的也是天才作曲家，一面拉著手風琴，一面看過來的是什麼樣的人就編什麼樣的歌，譬如外婆同我經過，他就有板有眼地唱：「小妹妹吃了我的梨膏糖，長得聰明又漂亮，嗚阿嗚裡強（風琴），老太太吃了我的梨膏糖，壽比南山高又高，福如東海深又廣，子孫綿綿金玉滿堂。嗚阿嗚裡強，嗚阿嗚裡強。」

說得那麼好，誰又好意思不買一點！帶回家甜甜嘴，也是去了玄妙觀的標誌。膝蓋上捧了一疊書，身畔堆滿一紮紮三角包和小篾籃的吃食，口袋中袋著香煙畫片，腦子裡更交替閃爍著三清殿的畫和凌空的優美身影。嬌慵地偎坐在大人身旁，一任黃包車顛顛晃晃、悠悠忽忽，輾過鵝卵石青石板、起伏的小橋、幽邃的長巷。從玄妙觀滿載而返，總是古老水城寧靜安詳的黃昏。

一九七六年一月

編註：本文原刊於《中央月刊》第八卷第五期，一九七六年三月一日，頁八十三～八十九，原題〈香火玄妙觀〉。

版畫年畫桃花塢

幼小純淨的心靈，就像混沌初開，一片潔白清澈，最早最常接觸的，往往便留下最深刻的印象。生長在古城蘇州，宅院深深，一進連一進的廳堂，四壁總是掛滿了字畫。不管是唐伯虎抑或是文徵明的山水花鳥，在小孩子心目中，卻都不及那許許多多樸拙簡單，一目瞭然的年畫有趣。詩中有畫，怎又比詩上畫中有故事？大字還認不得幾個，啟蒙的便是那一幅幅「民間傳說」、「忠孝故事」、「生活習俗」、「四時節慶」、「漁樵耕讀」、「祈福訴願」、「飛禽走獸」、「四季花果」……小小年紀，便已識得如許常識、文學、世間萬象，這都該歸功於那豐富的民間藝術。

從小最受照顧、朝夕見面的，要算「門神」了。進出還抱在大人懷中哩，跨高門檻時一抬一頓，正好與屏門上的門神一般高，紅臉白臉，打個照面。白臉有一張娃娃般白裡透紅的胖臉，丹鳳眼、五綹長鬚。紅臉兩隻金魚般的大暴眼，兜腮鬍子中藏著蒜鼻和兔牙。兩神一樣甲冑鮮明，綬帶飄揚，雙手緊握長戈在胸前，威風凜凜，真有「兩神把關、萬邪莫入」

的氣概。兩神名叫「荼」和「鬱壘」，簡稱神荼鬱壘，是兩兄弟。傳說上古時兩兄弟居住在海中一座住鬼的度朔山上，檢閱百鬼，見有為人禍害的邪惡之鬼，使用葦索執縛餵虎。這一對守護著大門。另外廳門上駐紮的兩位卻像雙胞胎，一般方方正正的紅臉，修長入鬢的丹鳳眼，一副慈祥的笑容。紅袍繡龍織虎，一個手持劍和斧，一個手持茅和綏，腳前圍著五個楞的孩童，有跨麒麟，有持如意。守護神都是保母型，當我抱著貓咪，一個人寂寞地跨坐在兩廳間的高門檻上，抬眼就可以望到那洋溢自眼角唇鬚中的笑意，自門扉溶注，如同天井射進來的冬陽一樣，全都暖暖地照拂著我，驅走了古老廳堂裡的陰森幽冷。一說他倆原來是唐太宗的左右參軍，秦叔寶和尉遲恭。由於智勇雙全，從被崇拜的英雄，封為人們尊敬的神。

歲朝吉慶，四時節日，我們了不起的民間藝術家，隨意把人們歡欣、忙碌的情景繪刻下來，便是一幅幅生動的年畫。「歲朝歡樂圖」，全家總動員，從廚房到廳堂，蒸糕印糰，供神祭祖，懸燈結綵，孩子們穿梭軋忙。除舊迎新的熱鬧勤奮氣氛，就從畫面上洋溢出來。「團圓夜，燒火盆行」，年事準備就緒，內外煥然一新、燈彩交輝，照映著供奉的喜神（祖先畫像），紙禡（神像），錫碟方腳盆裡盛著點心、水果、乾果。青花大瓶裡插著天竺蠟梅，淺盆裡養著盛開的水仙，守歲燭紅焰閃閃，萬壽香香煙繚繞。火盆裡燃上熊熊的歡喜團。不管人在何方，全趕回來團聚，一家老小穿戴光鮮，融融洽洽圍著吃年夜飯，親情和年景，交融成最動人的畫面。「臘月田園樂」、「同慶豐年圖」，一年到頭胼手胝足耕耘的莊稼人，另有一番勤奮迎豐收的新氣象。草墩堆得高高的，柴門上貼著紅對聯，屋簷下掛著紅辣椒、玉蜀黍，曬谷坪上雞鴨成群，牛柵、豬欄，修築一新，收割後的田地空曠清爽，黃牛閒閒地嚼著乾草，孩子們追逐燃爆竹，空氣中似乎聞得到冬陽照耀下混合的稻草香和硫磺味。一年難得穿戴整齊的農夫農婦，扶鋤端籮，笑望著辛勤換來的豐足和樂。

「春牛圖」、「採茶牛圖」，這是農家最重視寶物，更是畫者可以盡量發輝技巧構想的巨畫。大大一幅，內涵繁富，圖文並茂，包括了「二十四節氣表」、「並畝經」、「春牛和芒神」、「忠孝故事」、「吉祥語錄」、「降福神祇」、「採茶姑娘」、「採茶歌」、「八卦」、「元寶」，密密麻麻的人物、圖形、文字，排列勻稱，生動有趣，充分顯示莊稼人祈求風調雨順，稻谷豐收，六畜興旺，家宅平安的心願。也是最耐得孩子們細看的圖畫故事，耕耘的作息表。

新年的歡樂和願望是畫不盡的題材。之後，馬上是元宵節，「鬧元宵」，越鬧越發，「看花燈」，滿街燈彩人擠人。清明節，「清明祭祀圖」，乘船下鄉上墳祭祖，踏青尋春。端午節，「祭汨羅江」、「龍舟競渡」、「白蛇傳」，其中「鍾馗抓小鬼」最嚇人，歪戴烏紗帽，滿臉刺蝟似的虬鬚，豎眉暴眼，一腳踏著妖魔小鬼，正撕而食之，那兇惡模樣讓小孩不敢正視；但另外一張「鍾馗嫁妹」卻完全不一樣，做妹妹的正撒嬌地伏在哥哥背上看他指揮眾小鬼燃爆竹、鋪嫁妝，兇神看起來就像一個有耐心的兄長。七夕「乞巧圖」，小女兒們聚在月下穿針取巧。「鵲橋相會」，牛郎織女自天河兩岸，踏上千萬隻喜鵲搭成的鵲橋。中秋節，「玉兔搗靈藥」、「嫦娥奔月」，還來一齣「唐明皇遊月宮」。重陽節，「登高望遠」、「堆菊花山」。配合年節歡慶，還有不少民間藝術表演活動：「舞龍圖」、「舞獅圖」、「盪湖船」、「踩高蹺」、「划龍船」、「蚌殼精」、「鬧花燈」，逼真的場面、誇張的動作，歡笑和鑼鼓爆竹的喧嘩躍然紙上，給佳節良辰增添不少氣氛，也留下餘音裊裊，在繁瑣單調的日常生活裡，喚醒美好回憶和來年的期待。

蘇州人天生喜歡花草，因此植物最常被引進畫中。「梅開五福」、「竹報平安」、「富貴牡丹」、「石榴多子」、「松柏長青」、「靈芝獻瑞」、「蟠桃上壽」、「柿柿（諧音）如意」、「蓮（連諧音）生貴子」、「蓮（連）年有魚（餘）」。唐伯虎有幅「歲朝如意」圖，一隻景泰藍的花瓶裡，插滿了梅花、天竺、山茶、柿子和靈芝。題著「春天人間草木知，梅花先已報南枝」。梅、水仙、紅山茶插一起是「歲寒三友」。蓮、竹插瓶，旁供佛手一雙、靈芝二枚，是「福壽雙全，平安連年」。月季、蠟梅插瓶，旁置百合、柿子、如意，是「四季平安，百事如意」。而「百花獻瑞」，群芳爭豔，就如早來的春天，將廳屋變成庭園。

動物亦很受寵，尤其是幻想中代表中國人威嚴的龍，騰雲駕霧，伸展自如，上天入水，無往不利，「祥龍呈瑞」、「龍年卜太平」、「龍鳳呈祥」、「雙龍戲珠」，專門替人服務的「麒麟送子」。大大小小九雙獅子一起玩繡球，「九世（獅諧音）同堂」。虎是「金錢虎」，羊祥陽同音，三隻羊是「三陽開泰」，四隻羊是「四季吉祥」。鹿與鶴是長壽的象徵，「鹿鶴同春」、「鹿鶴延壽」、「松鶴遐齡」，大象背上馱一盆花草，「萬象回春」。雄赳赳的公雞引吭高啼，「金雞報曉」，一日之計在於晨。昂首闊步，追啄蟲蚋，「雞王鎮宅」，除害避邪。斑斑燦爛、虎視眈眈的「蠶貓圖」、「黃貓銜鼠」，是養蠶人家的驅鼠靈符。喜鵲鳴於梅枝，「喜上眉梢」。像蝙蝠這種晝伏夜出的小東西，平常是看不到的，卻在年畫中扮演重要角色。蝠福同音，五隻蝙蝠或左右排列，或圍繞巡逡，是「五福臨門」。兩隻蝙蝠翩飛鹿前，「福祿雙全」。蝙蝠低迴與魚相遇，是「福慶有餘」。鯉魚騰躍離水，跳越拱門，是「鯉魚躍龍門」。金魚在池塘，是「金玉滿堂」。人們愛自然，愛動物，將願望融入所愛，全成為美好的圖畫，年年歲歲相對。

幸福美滿的家庭是人人所祈求的，婦女和兒童是一個家的重心人物，自然，在年畫中亦占了很重的地位。畫婦女，除了賢淑端莊的賢妻良母，還有唯美嬌俏的好孃孃（蘇州人稱美女）。刻筆特別工細，一個個雲鬢霧鬢，體態優美，裙裳曳地，環帶飄逸，舉手投足，婀娜多姿，完全摹仿平劇裡的身段動作。豐潤的鵝蛋臉、略微倒垂的柳葉眉、鳳眼、蔥管鼻、櫻桃小嘴，嫵媚中不失端莊。這是當時最著名的「沙相」，是由於清朝名沙馥的畫家所創繪，而一直流傳下來的蘇州美女典範，顧祿在《桐橋倚棹錄》記：「以沙氏為最。」也代表了那時人們的審美趣味。

蘇州人崇尚風雅，講究情趣，最懂得享受悠閒生活的藝術，表現在美女圖中深院閨閣的生活，便處處反映出那份閒情逸致，和太平盛世的富裕歲月。最常見的如「湖畔竹風圖」，一美女在香花銀盆中濯洗雙手，回眸諦視傾聽。另一美女手托淺盂，纖纖手指拈一顆香豆蔻，正絮語細述。身邊案几上鋪列著文房四寶，一隻香佛手鎮住打開的書卷。而翠竹掩映的月洞窗外，水榭亭台，波光帆影，竟是一片屬於水鄉的湖上風光，真是人在畫中，全無半點塵囂。「佳人作畫圖」，一位佳麗一手執筆齊腮，支肘斜倚鋪展畫紙的案桌上，雙眸微閉，嬌慵構思，俏侍女殷勤托盤送茶來，情景怡悅。「涼風扇下圖」，兩位美人相偎倚立，又折腰迴轉，左右顧盼，神定氣閒的模樣，讓人覺得已是不汗自清涼，絹扇輕執，只是裝飾罷了。「二女焚香圖」，月下庭院，二美人靜悄悄洗手添香，冰心一片，許下閨中心願，原木精雕香几，十分古趣。「三美人」有二幀，之一彷彿貴妃醉酒，中間美女服飾華麗卻嬌軀無力，釵鈿搖晃，醉態可掬。二女左右架扶，裙裾款擺，環帶飄揚，顯出三人蓮步顛頓疾走，如風擺柳，生動有趣。另一圖美女顰眉捧心乘著香車，柔弱婉轉座位中，二女一推車，一持燈籠傍行，輪下風生。

好孃孃純粹以「美」的趣味為主，嫵媚俊逸，楚楚動人，全是紙上供養的天仙。賢妻良母就比較樸素端莊，無論勤勞操作，休閒娛樂，身畔總纏繞著一到三四個孩童；陪伴嬉耍，教化勸誡，洋溢著安詳溫馨的氣氛。「母子圖」、「天倫圖」、「美人童子圖」、「蓮花美人圖」，畫的都是母子倆：有的娃娃爬在桌子邊緣，俯衝身子伸手要去鉤取掉在地上的桃子，母親小心翼翼雙手按扶住腰背，以防跌下。有的小手高舉花枝歡樂跳躍，母親在一旁含笑諦視。有的小肩膀扛著古琴、偎在膝前仰望母親，似要求彈奏一曲。「童子戲水圖」，蘇州人家花園裡臨池塘的水榭一角，二個穿肚兜的胖娃娃乘小舟採摘蓮花蓮藕，另一個攀緣上雕花欄杆，做母親的只好整以暇地逗弄月洞窗上的喜鵲。雕欄畫窗，垂柳蓮池，喜鵲報喜，連生貴子，人美景美意更美。「童子嬉戲圖」，夏日敞亮的庭園裡，綠蔭掩映，繁花如錦，四個健壯的童子，一個已攀上樹梢正得意炫耀，另三個舉手踢腳，躍躍卻試，母親端坐石凳，一手執扇，一手牽住要撲向前的最小孩童，母親的安詳和孩子的活潑，構成極度生動又和諧的畫面。「家庭和樂圖」，一美女懷抱琵琶閒閒彈奏，一旁聚集著妯娌姊妹，攜子抱狗聆聽欣賞，閒情，親情，溫馨動人。種種母子親密關係，純以兒童為主角的年畫也不少。造型都是短短胖胖的胳膊和團團的臉龐，頭大身短，青青的頭皮紮兩個髻，要不留一撮頭髮在頭頂，或歪一邊，仔細看，五官原來還跟美人相似。經常都只繫一件七彩肚兜，袒胸露背，模樣茁壯可愛。懷抱銅錢騎麒麟的是「得財麟兒」。端坐仙女懷中踏雲而臨，是「天仙送子」。蹲在池中玩蓮花吹笙的是「連生貴子」。抱著鯉魚翻身打滾的是「吉慶有餘」。兩個胖娃娃擠軋在一起玩搖蕩鼓、轉陀螺，富貴尊榮在此，是「尊榮圖」。四個錦衣娃，或抱葫蘆，或扯藤枝，瓜葉綿延牽纏，是「子孫萬代」。一個童子高擎金牌，另外四個簇擁爭奪，是「五子奪魁」。「五子登科」的畫面最多，有五個娃娃拉開一幅直書「五子登科」的立軸觀看，有五個娃娃攀樹爬欄杆頑皮戲耍，有五個童子圍聚鬥蟋蟀，還有五綹長鬚的賜福天官，左右各抱一個，身前排列三個穿戴整的童子。其中最生動最熱鬧的是「百子圖」。有的是以花木扶疏的寬廣庭園為場景，到處都是孩童在捉迷藏、滾鐵環、放風箏、舞獅舞龍、放爆竹、敲鑼鼓、提花燈、打彈珠、飛紙牌、鬥蟋蟀、跳房子、踢毽子、騎竹馬、跳繩、老鷹捉小雞、看金魚、豎蜻蜓、豁虎跳、翻跟頭、盪秋千、吹喇叭、登高、爬樹、調鳥、玩狗、猜謎、穿綳子、丟沙包……個個身手矯捷、活潑調皮，一個個躍然紙上，彷彿呼之即出。有的以高樓巨廈作背景，雕欄畫棟重重疊疊，迴廊起伏，亭閣層層，自上到下，像蜂窩般全都擁塞著孩童，熙攘中卻自有秩序。從最下層打鼓敲鑼吹喇叭燃爆竹，像是新年鬧元宵，扮演著一齣齣麒麟送子，五子登科，狀元及第，掌旗開路，吹鼓手引導，不少倚欄憑窗看熱鬧。有圍著一桌桌玩「升官圖」、「丟骰子」、「拚狀元紅」，也有乘船採蓮藕，高空轉飛輪，個個興高采烈，那樣一個開放、自由、熱鬧有趣的兒童世界、孩子天地，直讓孩子們看得入迷，巴不得自己也能身入其中參加一份。

神仙菩薩原在天庭各司天職，人們為祈求多福，將他們的天顏神容一一請下紅塵供奉。威嚴莊穆的神像畫得慈祥可親，配備上人間的錦衣俗物，真有點「有求必應」的靈顯。四方臉，五綹長鬚，眉眼含春，一紅一白，天官財神常常並肩坐立，「增福財神」、「天官賜富」。代表福祿壽三仙一字排開，「三星照戶」。瀟瀟灑灑的八仙聯袂結伴渡海，「八仙上壽」。長不大的「寒山」、「拾得」擎花捧盒而來，「和合二仙」。慈眉善目的土地公「福德正神」。一手托北斗，一手執朱砂筆的「文魁星」。飄飄然手托蟠桃的仙女「麻姑獻壽」。還有「喜神」、「太倉之神」、「灶君」、「無量壽佛」、「送子觀音」、「乾坤兩神」，「井泉童子」、「玉皇大帝」、五十位「天地三界十方萬靈真宰」，以及更多「星君」、「菩薩」。神仙要照顧的人間事可真多，關係密切。

歷史記載、戲曲故事、民間傳說、風俗時事、警世勸善，這些都是年畫最能發揮的題材。人們崇敬正直忠貞的英雄人物、有道德才華的聖賢、信服因果報應、著迷富有戲劇性的故事，對諷世詼諧的世態反映感興趣。

桃花塢的風景年畫，更是風格獨特、內容豐富，開拓了蘇州年畫寬廣的領域。除了刻劃出各地真實的名勝風景，同時也穿插了人間種種活動，反映出當時社會背景、人文精神和民間生活，是鮮活的生活歷史紀錄；而表現技法因受泰西銅版畫的影響，雕工細致，講究明暗對比效果，層次分明，井然有序，與其他年畫風格不一樣。如「姑蘇萬年橋圖」，古樸雄偉的萬年橋聳跨於胥門城內外，乾隆年間興建，是當時最熱鬧的一座橋。橋上行人熙攘，挑擔揹籮，摩肩接踵。河裡龍舟競賽，旗幡繽紛，木槳齊划。兩岸建築精美緊密，市容興旺繁榮，生動地反映出太平盛世，人民安居樂業，歌舞升平的祥和歲月。畫上還有題詩：「姑蘇城外錦成堆，商賈肩摩雲集來；最是南濠繁盛時，萬年橋上似登台。虹跨晉江真大觀，謳歌載道萬民歡；康衢鼓腹承平日，賦稅先輸示考槃。」

其他還有「姑蘇城內外圖」、「姑蘇閶門圖」、「姑蘇報恩寺塔圖」、「姑蘇虎丘風景」、「虎丘燈船勝景」、「姑蘇玄妙觀」、「山塘普濟橋」、「石湖勝景」、「姑蘇名園獅子林」。也有別地方：「西湖十景圖」、「雷峰夕照圖」、「金山江天寺圖」、「金陵勝景」、「唐山真跡圖」、「天台同樂圖」、「滕王閣風景圖」、「水邊酒樓」、「山雨欲來」。所有山川河泊、亭台樓榭、寺廟寶塔，石橋舟船、古蹟景觀，刻劃精細，布置疏密有致，點綴了人物動態，十分引人入勝。貼一幅在牆上，作紙上神遊，故國家園的風光景色，更讓人不禁緬懷嚮往。

人生天地間，莊稼最為先。中國以農立國，歌頌和祈願自然多：「春耕圖」、「耕織圖」、「莊稼忙」、「男十忙」、「女十忙」、「牧童牛背」、「漁樵耕讀」、「蠶花茂盛」、「禾木生春」、「同慶年豐」。時令應景有：「踏青覓春」、「俎豆馨香」、「鬧花圖」、「戲雪圖」、「蜀峰雪景」、「棧道積雪」、「祭江」、「水邊春光圖」。還有純粹注重美的趣味，專供欣賞裝飾的，各種不同韻致的「瓶花圖」、「花籃圖」、「蘭缽圖」、「花團錦簇」、「富貴牡丹」、「群芳譜」、「花神春宮圖」，任何花卉、果子、瓶罐盆缽、玉石飾品，都能安排成一幅靜物畫。有些詼諧滑稽的像：「十怕妻」、「老鼠嫁女」、「猴子偷桃」。取材於時事社會的像：「慶祝萬國通商」、「蘇州火車開吳淞」、「火輪車」、「西洋劇場」、「豫園把戲團」、「是是非非、明明白白」、「楊乃武與小白菜」。只要是社會上發生的新鮮事情，或轟動一時的新聞，全是取之不盡的題材。

永遠取之不盡，用之不竭的年畫題材，是生活、是工作、是情趣、是創造和進步，人類所有的一切活動。是心願、是希望、是期許、是信仰，是愛好和祈盼，人們最真誠的感情，最坦率的思想。熟悉這一切的民間天才藝術家，將這些元素融合了民情風俗、人文精神、歷史傳說、社會背景，加上豐富的想像力、純熟的技巧，呈獻給大眾的便是多采多姿的畫面。包羅萬象，應有盡有，是生活歷史，是民間百科全書。正如古人描述：「巧畫士農工商，妙繪財神菩薩，盡收天下大事，兼圖里巷新聞，不分南北風情，也畫古今逸事」。

中國版畫創始據說要上溯到一千七百多年前的東漢。年畫卻要算蘇州的歷史最悠久了，明末清初廣泛展開，更是興盛蓬勃。清道光時李光庭在《鄉言解頤》一書中寫道：「掃舍之後，便貼年畫。稚子之戲耳，然如『孝順圖』、『莊稼忙』，令小兒看之，為之解說，未嘗非養子之一端也。」乃題詩為贊：「依樣畫葫蘆，春從畫裡歸，手無寒具礙，心與臥遊違，賺得兒童戲，能生蓬蓽輝，耕桑圖最好，彷彿一家肥。」

在蘇州要看年畫看個夠，就要去玄妙觀。那軒高寬敞的三清殿廊上，掛著攤著，琳瑯滿目全是大大小小、千百種花樣的畫張（蘇州人稱年畫），惱就惱在熙熙攘攘，潮浪般一波一波湧來的人群。脖頸子拉長伸瘦總也看不完全，就像顧祿在《清嘉錄》所寫：「新年，城中圓（玄）妙觀尤為遊人所爭集，賣畫張者聚市於三清殿，鄉人爭買芒春春牛圖。」

玄妙觀是年畫集中專賣場，作坊最早都開在從閶門直到虎丘的山塘街上，康熙陸肯堂在《趨庭隨筆》中這樣記載：「每年重九登高一直到年尾大市，從山塘路到虎丘，年畫鋪櫛比鱗次，遠地客商爭來採購，盛極一時。」後來由於太平天國之戰，畫鋪全毀，到光緒初年，才又在桃花塢復甦。很快就蓬勃發達，凌駕全國，風行一時。

水鄉蘇州，山川秀麗，物產富饒，文風鼎盛，地方繁榮。蘇州人又天性風雅，講究情趣。墨香、花香、稻香，自然融洽成藝術氣氛。年畫中便反映出水鄉婉媚秀麗的氣質，優雅悠逸的生活情致、地方特色。畫風自彩繪到套印，結合明朝木刻的韻味和西洋銅雕的技法，自創新的風格。木刻套印更到達很高的技術水準，不僅開拓了年畫的領域，影響深遠，更馳名國際。桃花塢「蘇州版」、「姑蘇版」年畫，一向為各國愛好者及美術館收購珍藏，藝術評價很高，流傳到日本，還影響了他們的浮世繪。中國民藝的風采和芬芳，不脛而走地散播到海外。可惜的是由於畫張源源不絕，取得方便，蘇州人自己卻不知道珍藏保留，每年張貼新的，就將舊年的洗刷掉，在藝壇上一般正統畫家、文人雅士，又把它看作不登大雅之堂的低俗土產，從來就不受重視，更不曾想到要印書留傳或撰文記載。隨著時代環境、生活型態變遷，據說那歷史悠久，曾廣大受大眾喜愛的傳統民間藝術已逐漸式微凋零。

源遠流長的年畫，來自廣大民眾又深入民間的鄉土藝術，是中國傳統文化的精髓，是豐厚的民藝資源，道道地地的國粹。它表達了這古老民族單純的願望，真誠的感情，直率的思想，和道德觀念。寄望未來，鼓舞情操，帶動善良民風，維繫精神生活，兼具社教意義。豐富的內容、鮮明的色彩、樸質而生動的構圖，常常充溢喜氣和拙趣，散發著淳淳的親和力和濃濃的鄉土氣息，這些都是別的畫種所沒有的特質。千百年來，不知有多少無名的、優秀的民藝工作者，費盡心力，讓民族、文化、生活、民俗結合的鮮活史料，延續發展流傳，留下如許珍品。期望現在的民藝家們不要讓時代留下空白，不要讓桃花塢淪為只是歷史上的一個地名，發揮你們的才華天賦，使它重新發亮發光，讓一代代的後人，也像我們一樣能從畫中感受到節慶的歡樂振奮，和鄉土氣息的親切溫馨。

一九九三年七月

編註：本文原刊於《中華日報・副刊》，一九九三年一月二十七日，第九版；一月二十八日，第十一版，原題〈版畫・年畫・桃花塢——三生花草夢蘇州〉。

月華濃處是姑蘇

我說，我走過的橋，比別人走的路還多。

不是自炫人生經驗，不是誇耀閱歷過人，緣因，我的故鄉是蘇州。

蘇州，是花之府，是園林之城，更是水之鄉，橋之都。二千五百多年的歷史文化古城，花香、稻香、書香、墨香，綿綿不盡。長橋如虹，貫絡時空。沒有一座城比得上蘇州的橋之多、之美、之堅固、之歷史悠久。千百年來，已不知有多少文史記載，有多少詩人文士歌頌題詠。

襟三江，帶五湖，緊傍著隋煬帝開鑿的大運河，幽幽靜靜的姑蘇城便坐落在景最靈秀、地最富饒、氣候最宜人的江南平疇。青磚城牆兜圍起方圓四、五十里的水城澤國，護城長濠環繞如彩帶。更有三橫四直的主流貫通全城，又再岔出數不清的支流港汊，湖沼小濱。縱橫錯綜，曲折迂迴，像葉子的脈絡，像蜘蛛的羅網，像人體的神經，密密委蛇四面八方，卻是涇渭分明，井然有序。儘管是千水瀠洄、眾流交匯，漭漭大運河一脈牽連，三萬六千頃太湖水半擁半攬，但所有江、河、湖、蕩，流經古老水城，注入溫柔水鄉，都顯得那樣從容蘊藉、幽邃平靜，悠悠湉湉地依著青石板街道，優優雅雅地順著寧謐的長巷。冬不枯、夏不溢，沒有急湍，不聞喧譁。淵深水自靜，醇厚如春酒。不被人舟干擾時，勻盈的水面映著天光雲霞，粉牆樓榭、堤岸花樹、圓拱石橋，彼此掩映疊影、鐫深有致，宛如巨幅古銅浮雕。只是水畢竟是源頭活水，潛自奔流，持重悠舒。在夜深人靜，萬籟俱寂，繫舟停泊，或憑欄沉思時，可以聽到那隱微深沉的淙淙聲，那古老水城的生命之歌，二千五百年來一直低唱曼吟到如今。

就是這柔水三千，織出蘇州古城的旖旎的風光，優雅精緻的藝術文化，寧靜悠逸的生活情調。陶冶了樂水的居民們愛好和平、恬淡自適、知足常樂的性向。成為最懂得「享受中國悠閒文化藝術」的「蘇州人」。也是這柔水三千，讓蘇州人最早發揮了這古老東方民族高度的智慧、藝術、才華，以及科技精神和創造力量，在每一道河流上架設起不同的橋樑。

在人類能力智慧尚待啟蒙開拓的遠古，在從未聽說過鋼筋水泥起重機的年代，以女媧補天、精衛鳥填海的精神和耐力，開鑿自崇山峻嶺的粗礪巨石，澆鑄黏土琢磨成溫潤青磚，千千萬萬人力和心血的融注凝結，一座座石橋跨越時空，橫貫河泊，凌駕於湛湛流域。蘇州的橋之多、之美、之堅，乃冠於全國全世界。

從橫跨運河，長一千兩百多丈，五十三涵洞的聯拱橋、多邊形拱橋、五邊形拱橋、三圓拱橋、孤拱橋、尖拱橋、半圓拱橋、亭橋、平底橋、踏步橋到過街橋、旱橋、暖橋，型態氣勢不一，每座橋有每座橋的獨特風貌：有石階連雲，莊嚴雄偉，彷彿直上天梯；有長龍臥波，橋影橫江，越顯得水闊雲高；有鉤欄石刻浮雕，璽柱石古獸寶瓶，華板鑿雲鏤花，全是不朽的精致藝術；有巨石覆蓋砌疊，宛如混沌中鑿磨的千古磐石，散發出原始的渾厚樸拙；有橋頂飛簷畫樑，小小的亭榭避雨憩息，更不盡思古幽情；有青石板鋪與路平，素樸潔淨，步履舒坦安詳；也有往返稍許曲折迂迴，悠然繞行，饒有情致。儘管造型不同，卻都具有鮮明的民族風格；彎彎有致，精確耐久的圓拱結構，凸顯東方建築的典範，是中國人的橋。

起伏有致的橋譜成美妙的節奏

歲月湮遠，朝代遞嬗，一座座橋穿越時空，貫穿歷史，聯繫古今，繁衍文化。雕欄處處，石階層層。春秋時，吳王、西施、孫子走過；漢時梁鴻、孟光走過；唐時張繼、白居易、韋應物、劉禹錫、陸龜蒙走過；宋時蘇軾、賀鑄、米芾、范仲淹、范成大走過；元時倪雲林走過；明時沈周、文徵明、唐寅、歸有光走過；清時顧炎武走過。橋下河水日夜流，橋上眾生走日夜，百代千載宛如彈指間。拾級登臨，歷史須臾重現；輕撫石欄，聖賢俊傑、菁英人物瞬間會合，是詩，是畫，是文史，使橋千載生輝；是橋堅固不朽的存在，成為優雅文化、悠久歷史長遠的見證。而從建築的藝術，更反映出一個民族的文明程度。中國人的智慧，最早便顯耀了蘇州。

五步一登，十步一跨，蘇州城裡，隨便大街小巷走一趟，誰也記不清要經過多少橋。路總是單調而寂寞的，橋起伏有致，譜成美妙的節奏，正好成為緩衝地帶。走上去，匆遽的腳步自然放慢了。左顧右盼，移步換景，視野拓寬，迫促的心情也不覺怡然舒暢。橋走多了，生命的步調從容自在。自小就涵泳其間，天性裡便有一份閒情逸致。上學時，清晨走在深靜的長巷裡，經過一排排森嚴的黑漆屏門，高高的風火牆，門牆內花木蓊鬱，卻不知庭院深深深幾許。朝陽遲遲未能攀越，迂迴的幽巷顯得無比深邃。低頭數著光潔無塵的鵝卵石，弧形的路面忽然升起一道青石階，一級又一級，軟軟的布底鞋踩上去可以感受到石質的稜角。登上石橋，屏障盡去，小河蜿蜒兩側，流過腳底，人在水中央。

傍水人家，矮簷槅窗，綠蔭掩映，浸入水中的石階上有人洗菜濯衣裳，砧聲散揚如空谷回音。挑著籮筐的菜農，挽著滿籃沾露香花的賣花孃，打從橋端走過，空氣中飄留著幽幽的芬芳。清早過橋，總是讓人神清氣爽。而放學時已將近薄暮，霞彩絢爛漸淡，輕靄待掩未攏，河上一片闃寂，拱橋靜靜地倒影水中，上下竟合成一個完美的圓。映襯著藍天白雲，和石隙扶疏的雜樹野草，憑欄俯瞰，圓拱上卻也貼一截小小人影，分不清人在看風景，還是身在風景中。那一刻渾然忘我，小心靈中竟也充溢如許逸情祥寧，深雋難忘。

在較寬闊的河面，橋身自然砌高曳長，垂虹似鍊，綰繫兩岸，或涵洞高聳，躊躇中流。

石階旁也有留有斜斜車道的，橋上人車往來，橋下船帆行駛，交織成十分生動的景觀。赴市肆的船隻全來自四鄉，滿載著黃澄澄的稻穀，堆得小山一樣的稻草，新鮮的蔬菜、瓜果、菱角、蓮藕、成筐成籮的雞鴨、魚蝦，鮮豔的花花草草。碧綠碧綠的西瓜總是把船壓得沉甸甸的。而那雙槳划得飛快的舢板，一定是載著剛出土的春筍，說是竹筍離了土仍是不停地日長夜大，若慢一點怕不把船給漲炸了。較寬的河，少說並排也可以容納三四條船。順序運行，常常五六、十幾艘頭尾銜接，隨著河身迤迤逶逶、彎彎曲曲，自成一種婉轉舒緩的景觀，煞是好看。但有時逢上搶道軋船時，也會擠擠撞撞，你一篙過去、他一篙過來，越是互不相讓，越是堵在橋洞口動彈不得，只攪得一河水興波作浪，橋下相罵，橋上看熱鬧。唯有一種船揚長經過時，誰也得讓它幾分，那便是滿載「黃金萬兩」的「米田共」船。

海闊天空入太湖

河裡船軋船，橋上也會人擠人。幾座通城大橋上，挑擔挽籃進城去的鄉下人，和出城辦事採購的城裡人，熙來攘往，川流不息，逢上年節，看龍船、串月亮、辦年貨，橋已不只是便利交通、美化環境，更可以登高覽勝。有一幅著名的桃花塢版畫「姑蘇萬年橋」，刻的就是胥門萬年橋。橋上行人往來，摩肩擦踵，橋下龍舟競賽，旗幡繽紛，兩岸典雅古樸的房屋，繁華如錦的市容，顯示出當時安樂祥和、歌舞升平的太平景象。

平常日子，晌午過後，趕市的船卸下貨載，多半紛紛返回四鄉，也有上岸購物小飲的，空船就悄悄停泊堤畔蔭下，一上午被攪亂輾碎的雲樹樓榭，重又在水面凝聚成靜畫，影影綽綽，幽幽邃邃。

也許，這時就在疊影交錯間，悠悠蕩蕩搖出一艘畫舫來，明艙雅潔，燈綵懸飾。束髮挽巾，白衫黑褲的船孃，腰肢款擺，盈盈地把櫓船首，一路輕剪雲波，撩撥漣漪，咿呀聲中隱約伴著弦音簫韻，笑語歌聲。一趟水上之旅，可以穿梭運河，遨遊太湖。

當暮靄四掩，夜霧從水面浮升，石橋和景物逐漸浸沉在一片幽暗中，人在橋上，分不清方向位置，自身已失去界限，恍惚凌駕溟濛靈空。夜風透襟，四望無際，闃靜中，河水潛流聲清晰可聞，深沉悠緩，縈繞左右，心神隨之徐徐舒展，時空合一……驀地幽暗中亮起一朵火花，燈暈裡人影綽約，粼光微微，似真似幻，似動還靜。接著，遠遠近近竟有好幾處閃閃熠熠，光暈浮漾，影影幢幢，煞是好看。原來是打漁人家趁著黑夜以亮光誘捕，有的在船舷悄悄撒下魚網，安然守候；有的乘著竹筏，放一隻隻鸕鶿下水，以逸待勞，若隱隱聽到翅膀撲水潑刺連聲，那準是乖馴的大鳥叼著魚兒來向主人交差。

有月亮的晚上，橋浸沐在月色中，堅崚的岩石顯得溫潤如玉，嫵媚委婉，清輝波光相映交流，水溶於月，月溶於水，人溶於水月。佇立橋端，置身在一片瑩澈的琉璃世界，只覺得自己亦被洗滌得潔淨剔透，心中更無半點塵俗。

月夜泛舟河上，煙波蒼茫中，輕舟順流穿越畫橋重重，遠山朦朧，水光清冽，迷離如幻境。有首月夜泛舟太湖的詩：「琉璃世界一無塵，海闊天空入太湖；五十三橋停槳問，月華濃處是姑蘇。」好一個月華濃處是姑蘇！

綰住兩岸不盡的錦繡

春三月，下鄉掃墓祭祖，尋幽訪勝。乘一艘素淨的烏蓬船，或一艘雅俊的畫舫，「欸乃一聲山水綠」，一到城外又是另一番豁達景象。稠密的屋宇換成空曠的綠野田疇，夾岸桑李相望，桃柳輝映。一畝畝碧綠的稻禾，金黃的油菜花，霞彩似的紫雲英，雪球似的蘿蔔花……綰住兩岸不盡錦繡，襯著高遠的藍天白雲，疏朗的石橋益顯出莊矜穩重。柔櫓輕撥擦舷藻荇徐徐穿越拱洞。再回首來程，浮萍菱芰又盈盈合攏，晃盪的橋影重凝聚成圓。忽然飄灑一陣密密細雨，嵐翠河光，縹緲迷濛。煙雨畫橋，人舟都已融入畫中。

「城中有橋三百六十座，每刊橋名於旁。」這是《中吳紀聞》的記載。不僅橋橋有名，且都附有典故淵源，傳說神話，軼聞韻事，地方特色。加上蘇州人的文化涵養，風雅多情，圖吉利，愛和平，可真取了不少既優雅、又鄉土，別致而貼切的橋名。如「積善橋」、「聞德橋」、「廣濟橋」、「福民橋」，歌功頌德，好人好事。「懷胥橋」、「孫子橋」，紀念先賢聖哲。「穀市橋」、「船坊橋」、「草鞋橋」、「絲行橋」，標榜各行各業。「望星橋」、「垂虹橋」、「停雲橋」，充滿對大自然的崇敬。「芙蓉橋」、「百花橋」、「菖蒲橋」，處處花草。「黃鸝坊橋」、「烏鵲橋」、「鳳凰橋」，處處聞啼鳥。「胭脂橋」、「娥眉橋」、「獻花橋」、「折桂橋」、「剪金橋」，令人遐想。「斟酌橋」、「臨頓橋」，耐人尋味。「憩橋」、「游仙橋」、「塔影橋」、「蟾宮橋」，閒情和詩意。「飲馬橋」、「乘魚橋」、「鶴舞橋」，美麗的神話事蹟。「兵馬使橋」、「東閣太保橋」，曾有這樣的官吏住橋堍。

最高的單拱石橋「吳門橋」，船過不落蓬。飛越大運河，最長的「寶帶橋」，有五十三座拱洞，「長橋臥波、未云何龍」（杜牧）。最小的是網師園內的「引靜橋」，古樸玲瓏，袖珍精品。歷代詩人吟誦蘇州橋樑之作不知其數，要算唐朝張繼的〈楓橋夜泊〉，讓寒山寺的鐘聲響徹天下。

念舊懷恩的水鄉居民，總是將所有對人性光輝的宏揚，對美德善行的歌頌，對大自然生命的讚美，對歲月平安的祈願，對詩情畫意的沉迷、生活情致的珍惜，賦予橋另一種使命。而橋堅固穩定的存在，讓這份有情有義的託付由口述、耳聞、筆記流傳下來，一代又一代。

綠浪東西南北水，紅欄三百九十橋。——白居易

三百欄杆鎖畫橋，行人波上踏靈鰲。——鄭獬

畫橋四百。——楊備《吳郡志》

數不清蘇州的橋有多少？寫不盡橋的故事，更寫不完橋的滄桑。畢竟，古老水城二千五百多年的歷史文化、生活習俗，以及居民們的惓惓深情，都已點點滴滴，滲入水裡，絲絲縷縷砌入橋中。承受過千百年風霜雨雪的侵蝕，經歷過無數次戰亂、災禍的劫難，更分擔了千千萬萬蘇州人的歡樂和希望，哀愁和憂傷。高高低低，大大小小的古樸石橋，跨越千水萬流，跨越不盡歲月，屹立於無垠時空。堅貞卓越，一如創建它的那個民族的精神。

我說：我走過的橋比別人走的路還多，緣因我是蘇州人。

一九八七年一月

編註：本文原刊於《蘇州雜誌》總第三十九期，一九九五年四月十五日，頁三十七～四十，原題〈姑蘇畫橋夢憶〉。

聞聲聊慰故鄉情

年輕時在蘇州過得是多麼甜蜜的日子

夏日的濃蔭涵滿了小園，窗前的梔子花已飄香，牆畔的一叢叢茉莉也陸陸續續開放。還記得，有「天堂」之譽的家鄉蘇州在這樣的時節，正是賣花孃最殷勤的時候。一粒粒珍珠茉莉花苞，穿綴成花環、花球、花飾，戴在髮髻，佩在襟前，花籃懸掛在紗羅帳裡。凌晨，夢醒在花氣氤氳中，又迎來芬芳新鮮的一天。那是多麼、多麼甜蜜的日子！

我最近不久曾聽到了最悅耳、最扣人心弦的美妙聲音，那就是親切的鄉音。

思鄉令人愁、鄉愁催人老，這千斛鄉愁又怎生得排解？摯友，並不是我誇耀故鄉的水特別甜，因為啜吮的母乳中有那兒的井水、河水；並不是家鄉的米特別香，因為自小吃的米糧來自那肥沃的土地；並不是家鄉的餚菜特別鮮美，因為那裡加了最鮮的味精——感情。

說了可別笑我，那口音對我似乎有一種特別的震波；能在嘈雜中震撼心弦，囂亂中安定心神。有天在台北市鬧哄哄菜場裡忽然飄來一句家鄉話，我竟忘了靦腆，冒冒失失迎上去跟人家攀同鄉，而就為多聽聽鄉音，我參加了同鄉會的小聚。

那天，從踏進同鄉會第一聲招呼開始，就像一個泳者自沙灘泅入海水，那熟悉的聲浪一波接著一波從四面八方潮湧而來；溫柔地舉起，輕輕地推揉，漫過四肢百骸，一剎那整個身心便浸潤其間，載浮載沉，隨波逐流，引領我通過時光的隧道，恍惚又回到兒時故鄉。那千百支河流潺潺環繞的文化古城，豐饒的魚米之鄉，有阡陌連綿的綠色平疇，幽邃靈秀的山水，巍峨莊嚴的古剎，歷史悠久的名勝古蹟，優雅幽深的園林，數不盡的寶塔和石橋，一座座純粹東方藝術的古老城門，圈圍起幽靜的大街小巷，到處瀰漫著寧謐、安詳、平靜的氣氛，融合著文化氣息和書香、花香、稻麥香。蘇州人樂天知命、恬淡自適，原是最懂得享受生活中的悠閒藝術，善於優遊歲月的人。也就是因為太眷戀如此安逸美好的家園，一向世代相傳，安土重遷。就算年輕時出去闖蕩一番，歷練一番的，也還是葉落歸根。

我回到庭院深深的家宅。陽光透過茂密的梧桐灑一天井金銅錢，和合窗前飄揚著幽蘭的清香。初夏的清晨，賣花孃嬌滴滴的賣花聲響徹了寂寂的長巷，透過一重重門庭，蘭閨中有人等著鮮花助晨妝。縱橫曲折的長巷鵝卵石砌得的溜滾滑，石獅子一對對蹲在一排排黑漆門前，照牆上竹篩那麼大龍飛蛇舞的福字，森嚴的風火牆上探出一枝海棠或紅杏，一座座苔痕斑駁的節孝牌坊矗立路上。蛛網般密密細細的小河就縈迴在街巷間，橋上人來人往，橋下小舟穿梭，兩岸臨水人家紅袖招。九曲紅橋通樓榭，疊石假山成峰巒的幽靜園林，七里山塘飄香的花卉，天平山燒紅了半片天的楓葉，鄧尉山一片香雪海的梅花，靈岩山處處西施的遺跡，虎丘山廣可數畝的千人石，滄浪亭五百多名賢的石刻像，寒山寺悠遠的鐘聲。噢，就在奇妙的聲波起伏間，時光倒流。我依稀重溫了舊日悠閒的情懷，安樂的歲月。久違的鄉音聽起來竟是那麼舒服，那麼熨貼，把心靈重重疊疊的愁紋全給熨平撫貼了。人不親聲親，儘管是些完全陌生的面孔，看起來卻是那麼親切和善。只是，比起那些純正的吳儂軟語來，我的鄉音似乎已有點「荒腔」，「走調」。

有鄉前輩講述姑蘇的風俗掌故，語意悠遠，充滿思古幽情。也許讓下一代未曾沾踏過故鄉泥土的年輕人聽來，以為在編另一篇〈桃花源記〉哩。有人說了個白相（玩）玄妙觀的笑話，引用了不少蘇州人最擅長的雙關語。記得小時候跟大人去白相玄妙觀是最開心的了，吃的有各種糖食、點心、小吃攤；看的有西洋鏡、變戲法、木人頭戲、猢猻出把戲、甕裡矮夫妻；聽的有說大書、彈詞、蘇灘；賣的有各種玩具、西洋畫、香煙牌子、古董、手飾，真是百看不膩，百去不厭。有人提議下次聚會每人炒一色家鄉菜。不由人想那些鮮得會脫掉眉毛的蝦子海參、蔥烤酥鯽魚、冬筍炒雙菇、薺菜蝦仁、清炒蟹粉、鮮嫩碧綠的蓴菜羹……噯，怎不教人噈饞涎。

壓軸餘興是說書：台上擺起陣勢，一剎那間弦索錚鏦，琵琶叮咚，幾支開篇〈黛玉焚稿〉、〈鶯鶯操琴〉、和〈戰場沙〉、〈刀會〉唱得婉轉流麗，抑揚激昂。彈詞會書〈三笑〉、〈玉蜻蜓〉、〈秦香蓮〉更是說唱得委婉細膩，情韻生動，稱得上──「說、噱、彈、唱」俱佳。彈詞風行在故鄉，源流悠遠，一直可以追溯到敦煌經卷中宣揚佛教的變文。實在算得上是歷史悠久，純中國文化的民間藝術。我小時候就常常跟父親去茶館裡茗茶聽說書。戚友家有喜慶也有送說書堂會的。還有夏天黃昏請一檔長堂會消暑，一面納涼一面聽，真是悠閒的享受！如今，不聞此調怕不有好幾十年了？倒不是說此曲只應天上有，而是此時此地，人間又哪得幾回聞？

一九七四年三月

編註：本文據《倚風樓書簡・聞聲聊慰故鄉情》添筆而成。

蘇州餚饌

江南水鄉，蘇杭天堂。山川秀麗，人物清華。說起蘇州，總是先讓人想到河道迂迴縈繞，小橋流水人家，「紅欄三百九十橋」，「臨水人家紅袖招」的旖旎風光。庭院深深，長巷靜寂入畫，「細雨紗窗，深巷清晨喚賣花」的寧靜幽雅。曲橋通水榭，疊石成峰巒，集合了畫家、詩人、工程師、巧匠的心血結晶而「甲天下」的純中國園林；以及一經大詩人題詠名聞遐邇的寒山寺楓橋。至於飲食方面：精致可口的零食蜜餞，倒是小有名氣，全國各省，不知道有多少正牌或冒牌的「稻鄉村」、「采芝齋」、「野荸薺」分號。而對蘇州的餚菜，相信嘗試過的可能不多，不知道蘇州人還是美食家，蠻講究吃的藝術。幼時在家鄉吃過的美味，許多年來就沒有在外面吃到過。這樣說並不是我故意誇耀，緣因每個人對故鄉的餚饌，多少還另外加了一點特殊的調味品——深厚的感情。

蘇州飲食最精緻

蘇州人原是天性崇尚風雅，喜於優遊歲月，又最懂得怎樣享受閒情逸致、恬淡自適的情趣。就連平常吃的餚菜，也是清清淡淡，素素淨淨，重質不重量。大葷大肉嫌粗氣，濃油濁醬怕傷胃。一斤清蝦肉燒一塊嫩豆腐，三斤青菜炒一小碟香菌白菜心，這才算細緻。所謂講究，並不是指山珍海味，燕窩魚翅那種奢華；而是講究烹割、選料和調味的技藝。細切粗斬，切菜時的刀法、刀路要勻均，整齊。橫切豎切，紋理分明。火候要恰到好處，大火煮，小火熬，武火爆炒，文火清蒸，還有用炭火放在有蓋的稻草窩裡慢慢燉，差一點火候就不是原來那味道。配料要齊全，佐料要用上好的。最重要的是選料一定要新鮮。蔬菜喜歡吃「樹頭現」。「樹頭現」就是才從枝頭摘下，土裡挖起的新鮮菜。「時鮮菜」則是剛上市的魚牲蝦蟹之類，而且是「活貨」。蘇州菜餚最大的特色是精致，不油膩，色澤淡雅悅目，味道著重在保持天然的「鮮」與「嫩」，原則上完全符合至聖孔夫子關於食的指示：「食不厭精，膾不厭細」，「色惡，不食。色飪，不食。不時，不食。割不正，不食」。

蘇州人嗜筍若命

詩云：「輕風細雨薦春盤。」愛嚐「樹頭現」，得先從春天說起。最早的春蔬是筍。蘇州人多半嗜筍若命，在產筍的時節，大有「寧可食無肉，不能食無筍」的氣概。冬筍量少而貴，只能做做配料，或偶爾弄盤冬菇冬筍炒雙冬。一待春筍上市，就忙不迭大家搶著購買，一快朵頤。春筍俗叫「飯筍」，遠比冬筍茁壯。最大的足足有七八斤。露出在毛茸茸的筍殼外面那一截象牙色根端，綴飾著一顆顆鮮豔透明的紅痣，都是一出土就是四鄉裝船，日夜飛駛進城，再挑著滿筐滿籮地沿街叫賣。最著名的是「醃篤鮮」，以自家過年醃製的家鄉腿，肥瘦適宜的鮮肉，再配上春筍燉成白汁濃湯，鮮美無比，是春天第一道時鮮佳味。春筍東坡肉，煨得爛爛的，汁稠味濃，筍又比肉好吃。純吃筍烤筍、油燜筍，又鮮又清爽；以及炒雙冬、筍片炒里肌、炒蝦腰、筍絲炒薺菜肉絲、筍丁炒雪裡紅……任何有筍的餚菜都很鮮，很開胃，還有一種特別的清味，讓人齒頰留香。

薺菜蕁菜金花菜

早春天氣，杏花細雨裡，比賣花孃更早上市的是賣野菜的鄉下姑娘。穿過大街小巷，一聲聲嬌滴滴地叫賣：「阿要薺菜，馬來頭，枸杞頭，金花菜！」這些菜蔬長不盈寸，都野生在田塍上、小河邊，只有交春時很短一段日子可以嗜新，待老一點或開了花就不能吃了。拌的拌，炒的炒，清香鮮甜，別有一種滋味。

接著鄉下人又用漆製木桶挑蕁菜上市了。蕁菜出在太湖，跟杭州西湖出的共享盛名。一串串小圓圓，碧綠碧綠，像浮萍又像荷錢，帶著些潤滑的黏液。蓴菜本身除了清香並無鮮味，烹調時先熬一碗清澈的雞汁高湯，配上深色的火腿片，雪白的筍片，綠、紅、白三色相映，襯得越加鮮明悅目。吃起來鮮嫩軟滑，入嘴即化。

盛夏口味尚清淡

一到夏天，越加清淡得連炸炒和紅燒的菜都減少了。不是清蒸，就是涼拌。蒸的是火腿冬瓜夾：冬瓜切寸把見方，三四分厚薄，中間橫剖四分之三，鑲夾薄薄的火腿片隔水蒸。冬瓜盅：揀小而圓的冬瓜，中間挖空，放瘦肉丁，火腿丁，香菌丁，蓮子等調味加水蒸熟。西瓜雞：也是中空放整隻童子雞，及火腿片蒸。冬菇鳳爪湯：雞腳取了骨頭，跟香菇蒸湯。還有扁尖排骨湯、清蒸鱠魚、毛豆子蒸臭豆腐、鹹蛋肉餅子。涼拌是：雞絲拌粉皮，豆芽蛋皮拌肉絲，蘿蔔絲拌海蜇皮，香椿拌豆腐，豆干蝦米拌菠菜，火腿豆干拌茼蒿，洋粉、芹菜拌肉絲，拌黃瓜、拌萵苣、拌腰片、拌茭白……淡淡雅雅，看著舒服，吃起來爽口。天熱胃口欠佳，這些都是最受歡迎的常菜。

蘇州的涼拌菜所以味道特別鮮美，得歸功於那些家裡自製的香油。都是採用新鮮的春筍、香菌、香椿芽或蝦仁，加素油熬成「筍油」、「菌油」、「蝦油」。不但又香又鮮，而且久置不壞。尤其是「蝦子醬油」，味道之鮮之純，無與倫比。春末夏初，魚販從雌蝦腹部取下卵來，洗淨濾清，按兩計算，買回來用上等醬油熬煉，密封在乾淨瓷缸裡。留一瓶拌麵、拌菜，或是蘸蘸白切肉什麼的，那種鮮味，一想起來就令人饞涎三尺。還有把蝦子焙成乾蝦子，燒一碗蝦子豆腐羹，或是蝦子海參，就像俗語所形容的：「鮮得會脫掉眉毛」。

蹦蹦跳跳的活蝦

魚蝦要吃活貨，這在河流縱橫迴繞的蘇州，倒是很方便。走熟的賣魚孃孃自會攜著剛網起的活蝦送上門來。一種是青灰色半透明的比較大，一種是全白透明的比較小。揭開遮蓋，隻隻鮮蹦活跳，一面秤，一面還四處亂竄。蝦的吃法，有帶殼的油爆蝦、鹹水蝦、乾煸蝦、熗蝦、醉蝦、茭白炒蝦。去殼的有新鮮碗豆苗、蠶豆瓣、薺菜、毛豆子什麼的炒蝦肉，燴蝦餅子，炸蝦球，蝦肉爛糊肉絲，蝦肉豆腐。凡是蝦的製品，其鮮無比。我都很愛吃，特別是炒蝦肉。只有熗蝦，是用活蝦加酒加作料醉倒的，有時揭開盆蓋，兀自蹦蹦跳跳地，說什麼不敢吃也不忍吃。還有一味蝦腦豆腐，一顆顆珊瑚色的蝦腦，映著雪白的嫩豆腐，滋味色澤，自不必說。可是一道菜不知用多少蝦，費多少時間，更不是平常所能嘗試。

活鯽魚百吃不厭

魚類方面，鯽魚是最常吃的。一道著名的蔥烤酥魚，鮮美香酥，百吃不厭。做法是選擇不太大的活鯽魚，配大量的蔥，就在紫砂鍋裡鋪一層魚，鋪一層蔥，層層疊疊砌好，加酒，加作料和麻油，蓋緊蓋子，放在炭基火上，小火慢慢地燉。吃起來連骨頭都是酥的，而且擺幾天都不會變味。鯽魚鑲肉：是用肉末子調好味塞在魚肚裡一起燒。鯽魚蘿蔔絲湯：清爽祛火。一種叫塘鯉魚的，圓滾滾的身子，長不過五六寸，肉厚而鮮嫩，兩鰓有肉，有人特別愛吃牠的魚子，用甜醬燒或是乾烤。青魚和鯧魚可做燻魚，燒好後再用木屑或糖皮煙燻，有特別香味。清蒸鰣魚、醋溜黃魚、炒鱔糊、烤鱔絲，這都是時菜。

九雌十雄大閘蟹

到秋天菊花盛開時，陽澄湖的大閘蟹也上市了，一對就有一斤多重。「九雌十雄」，九月吃雌蟹有厚厚的黃，十月吃雄蟹有稠稠的膏，蒸煮時要放「紫蘇」解寒。還有一套專門為吃蟹預備的金屬工具：小小精巧的槌、鉗子、鋏子、別針，吃時敲敲戳戳，剔出肉來，蘸著薑醋醬油慢慢細嚐，再啜一口竹葉青、花雕、玫瑰燒助興，其味無窮。秋高氣爽的下午，一家人圍坐吃蟹是一樁樂事。邀三兩個朋友「持螯賞菊」，更是樁雅事。遺憾的是據說蟹寒不許孩子吃，只能在一旁剝剝螯和爪子解饞。不過炒蟹粉、麵拖蟹，還是有口福可以嚐嚐。

忌油膩，怕吃肉

怕油膩，平常飯菜裡也就很少有大塊文章。吃起肉來，不是切肉絲、肉片、肉丁加配菜小炒，就是剁成肉末，加上香菇、荸薺、用來做豆腐衣肉捲，百頁包肉，油豆腐塞肉，麵筋嵌肉，肉餅子蒸蛋，肉餅子蒸糟白鯗，大白菜煨獅子頭等等。不過說也有趣：蘇州人那樣忌油膩，怕吃肉，卻偏偏有一家專門售醬肉出名的「三珍齋」，世代相傳，名馳大江南北。頂受歡迎的一種叫「醬豬肉」，用特製的紅醬汁加香料燴煮。外面鮮豔耀眼，切開來卻是雪白的肥肉，嫩紅的瘦肉，紅白分明，相映成趣。肥與瘦的成分，大概二與三之比。最妙的是煮得很爛很爛，卻切成一寸多見方，稜稜角角的一塊一塊。那樣肥的肉，竟一點都不油膩，連一般不喜歡吃肉的人，也照吃不誤，因此生意特別興隆。而且該齋一天只燒一大鍋，一早起，一隻碗裡放一張預定的條子，就在櫃台上排長龍，十二點不到，開鍋分肉時，一條街都飄揚著撲鼻的香味，引得路人個個饞涎欲滴。醬豬肉一定要現買現吃，去買的時候都用有蓋的提籃提回家。等冷了或重蒸，就失去原來的滋味了。另外一種乾燴的醬肉、醬鴨，就冷熱一樣鮮美。到別的縣市或較遠地方去走親戚，都是用小篾簍裝得一疊一疊的去送人。附帶還有一個有點荒謬的傳說：說是配醬汁的特製香料，是呂洞賓為該齋主人行善而布施的，純粹獨家專利。

佐酒佳餚有野味

吃厭了平常餚菜，有時也會想吃點味道特殊的「野味腳」。觀前街就有一家專門賣各種野味出名的店，叫「福元章」。一到冬天，店堂裡掛滿了帶毛的野雞、野鴨，也有在鍋裡燒得香噴噴的。薺菜炒野雞片是道時鮮名菜，野鴨肚子裡塞滿了湖蔥，焙煮得又酥又香。另外一種以家鴨套在野鴨外面煮的叫套鴨，也是很特別的佳味。野兔的肉稍微帶點酸，斑鳩卻別有風味。小酌兩杯，這都是佐酒佳餚。不過咀嚼的時候得小心，常常「喀嗒」一響，原來被留在肉裡仁丹那樣大的子彈傷了牙齒。

獨家手法「燻肚擔」

有一種特別的菜，卻是被拿來當點心吃的，那是每天下午穿梭在大戶府門牆第裡的「燻肚擔」。專門以獨家手法，燻製各式內臟，如肺、心、肝、肚、大腸小腸，和少數豬腳蹄膀。乾淨、清爽，不用醬油，不帶油星，燻得很香，滷得很入味，淡淡的鮮裡帶甜，越嚼越有味。賣燻腸肚子的到時候就背上揹著裝得滿滿的廣漆木桶，手裡提著裝滷汁、刀板的大藤籃，挨著跑熟的人家去兜銷，擔子一歇下來，老老小小都圍上去，這個要二角小洋燻肚，那個要二十個銅板燻腸，一面切一面吃，也有留著晚上做下酒菜，這都是在別地方從來沒有吃到過的。

玄妙觀的小吃店

玄妙觀有許多小吃店也很有名。像春和館的什錦血湯，五芳齋的炸排骨，徐正興的豆腐花；還有虎丘對面長興館的醃燉鮮，觀前街松鶴樓的燻鴨、炒蟹粉、松鼠桂魚，木瀆石家飯店的蓴羹、鲃肺湯、南乳扣肉。另外許多寺廟裡的素齋，精美雋永，難得一嚐，長留餘思。

也許家鄉的河水特別甜，在異鄉吃的魚蝦總沒有那樣鮮；也許家鄉的泥土格外肥沃，在外面就不曾吃到過那樣的春蔬。八年流離，二十多年遊牧，遺忘的一定比記得的多，且待回故鄉，再從頭一一品嚐細數。

新店，倚風樓・一九七四年三月

編註：本文原刊於《中華飲食》第二期，一九七四年四月，頁三十九～四十一。

與誰同坐

◎說明：

本集原由艾雯命名編選之未出版作品，依原訂目次順序結集而成。

三千歲月春常在

古老的水城到處飄散著桂花的芳香；在深深庭院，沿河人家，和幽邃的園林裡，枝葉茂盛的大樹開滿密密麻麻的金色小花。將近中秋，越來越濃郁。嬰兒生下來第一口呼吸的便是這般甜甜醇醇的空氣。感謝母親，生我在明淨美好的秋日：情操如秋空高澹，性靈如大地豐盈，心胸溢注熱忱關愛，有如將圓未滿的明月。

小腳追隨著母親細碎的蓮步，軟軟的步底鞋踏過光滑的鵝卵石，白粉牆頭探出一兩枝桃李海棠，走過幽幽靜靜的長巷。拐彎，便是啟蒙的學堂。偎傍著母親，一路聞她鬢邊、襟上的茉莉花或珠蘭花香，去走親戚。黃包車顛頓起伏，經過石板街，數不清的拱橋，櫓聲咿呀，船便徐徐穿越橋洞。最喜歡探頭看舟車交叉行駛，母親叫我坐好不要亂動。回程時，懷中多一條雲片「糕」、一包「餅」乾，高高興興、平平安安回家。母親攜我走過故鄉悠靜安逸的歲月，走過無憂無慮的童年。

抗戰爆發，我們一家四口正在江西大庾。烽火隔絕，父親卻在此時遽然去世。悲慟過後，母親依然平靜持家，安排大女兒上班，照顧小女兒上學，妥貼周到，有條不紊。緊急疏散，她冷靜地摒擋一切，隨砂船赴上猶；敵寇迫境，避難山坳裡，一天必須跋涉八十里，天寒地凍，山路崎嶇陡窄，雨溼濘滑，拖著越來越僵硬的雙腿，舉步維艱，避難人一批批超越我們母女仨。眼看田野蒼茫，人跡已稀，天黑才走到一半，落腳在唯一的村店。我揀一個角隅用熱水浸泡雙足，繫在外面的草鞋早已爛散，咬著牙將腫脹的腳從滿是泥漿的皮鞋中拉拔出來，剝下被水泡黏糊的襪子，只痛得熱淚直流。想到母親所受的創痛一定更厲害，進屋看時，卻見她已洗刷好大人小孩和狗。正哄勸賴在草鋪上的妹妹起來吃頓熱飯。

想起來，母親將錐心刻骨的悲痛和憂懼深藏不露，故作平靜。只為好讓幼小的心靈走出失怙的陰影，讓柔荏的女兒收拾起哀傷，勇敢的面對現實。母親忍受著從未經歷過的長途跋涉之痛楚，強自振作。只為鼓勵士氣，因為明天不知還有多少艱辛的路要趕。

走過悲痛，走過苦難，來台灣，母親那樣熱切地投入生活，現實中的一些匱乏、困頓全微不足道，她主掌中樞，指揮調度。讓上班的上班，上學的上學、寫作的專心寫作。言語不通的小女傭被調教成能幹的主廚，外孫女的長辮子永遠梳得烏溜光滑，她走到哪裡，總有狼狗娜拉、北京狗安安跟隨護衛。進到廚房，群貓便纏繞腳跟，撒嬌作嗲，院子裡一蹲，小雞會躍登腿上，降落手臂；坐下來看書報做針線，膝上腳畔，更是貓狗最安逸的位置。在眷村裡，她是從一歲到幾十歲的眾家奶奶、親善大使。將一手蘇州的佳餚名點，推廣傳授，把蘇州人高雅的審美觀念，散布凡俗。而誰家做了麵食、獵得野味，總少不了孝敬她品嚐。院中手植的鳳凰木花開了一次又一次，她的頭髮也逐漸染銀又飛白。全不在意歲月流轉，最高興的是家族繁衍，由單而雙，由二代、三代而四代同堂。走過克難，走過成長，拓展。那一條漫長安定的路，母親不再牽著我的手。她的心，牽住越來越多的手。

朋友常稱讚我穿著得體，那全是得自母親的高雅品味，但母親烹調一手精緻可口的餚菜，我卻只會拈花惹草弄泥土。母親堅毅、曠達，著重實際生活，正好涵融了我多慮善感，思考勝於行動的理想主義。而自小孱弱多病的我，也不知讓她耗費了多少心力。

母親總是自恃記性好、家裡誰誰誰的什麼什麼，她最清楚。近來卻時常來一段電影中顛倒的蒙太奇手法，全弄不清那些流離逃難的辛酸，卻清晰起記起年代久遠的往日瑣事。原來她是把中間的歲月剔除了，從年輕時的太平辰光，銜接到現在含飴弄孫的安定日子。景物美好如昔，歲月侵人未老，心情越來越年輕，可以與大外孫女投入熱門音樂、湯姆瓊斯；可以跟小外孫女吃麥當勞可樂，欣賞她彈奏電子琴。可以同玄外孫猜謎、玩拍大麥、拋汽球，分享冰淇淋、棒棒糖。她疼愛小輩，溺愛寵物，熱愛生活。把關心和最好的給所愛、自己總是排名最後。

年前返鄉捎回親戚的照片，解釋多少遍她都無法接受那位看來比她還老的老太太是侄媳婦，那個纖瘦的中年婦人是侄孫女。她細述新少奶的賢淑能幹，襁褓中的侄孫女胖嘟嘟的是大姑的最寵。她們家真是庭院深深，進去不知要跨過多少門檻……我告訴她寒山寺的法師親筆題贈一幅「楓橋夜泊」，「月落烏啼霜滿天」，她立刻接下去高聲吟唱：「半夜鐘聲到客船。」她沒有記錯，半夜夜半意思本來全一樣嘛。

三千歲月春常在，人近百年猶赤子。母親去年剛度九十六歲壽慶，今年九秩晉七。老人家從封建朝代、辛亥革命、動亂時代、到建國八十年。那雙纏放過的半大腳，跨越了兩個世紀，正堂堂邁向百歲福壽。進到和平統一的新世紀。

親愛的姆媽，改天，揀一個桂花香滿蘇州的秋節，我們牽著手、一起去聽寒山寺鐘聲的祝福！

編註：本文原刊於《中央日報・副刊》，一九九一年五月十二日，第九版。

山之雛型

這樣的山，應該是不能攀登的，那些密密叢叢，粗粗細細的六角形尖錐，聳立千仞，鋒芒銳利，又容涉足登臨！

這樣的山，似乎是無法翻越的。那樣嶮巇突兀，嶒崚峭拔的形勢，岩筍嶙峋，層峰疊起，又怎能翻山越嶺！

這樣的山，照理是沒什麼遨遊的。那樣屺屺屼屼，童山濯濯。石林森森，寸草不生。又如何能遛達遊逛！

然而，我不時攀登，我常常翻越，我更山前山後，自在遛達。

那座山，很遠，很遠，在海的那一邊。

這座山，很近，很近，就在我案頭。

這山是那山的千分之一、萬分之一、千萬分之一。是山的雛型，山的苗石，手掌大的面積，都是有稜有角，峰巘巖巖，頗具規模。半透明的晶體，比雲母石似更晶瑩，比水晶又顯得朦朧。一支支六角形尖錐參差矗立，縱橫斜豎。最粗的比大姆指稍壯，細的僅一截牙籤粗細。看來玲瓏精緻宛似雕刻，而它卻是原樸的岩石，從山上鑿下來的石英，堅硬、磷峋、結實、穩重、莊穆。它鎮壓在我書桌一角，像一座高山挺峙於疆域邊境。

當我游移的眼光無意一瞥，便已攀登了山峰。

當我巡逡的眼光偶然望一望，便已翻越了山嶺。

當我專注的眼光駐留端詳，更是隨心念所至，任意遨遊。

凝望，端詳……忽然間心血潮湧，一陣令人暈眩的悸動，石苗陡然在我眼前迅速地暴長，竄高，擴充——所有的文稿、書籍、盆栽、圍牆一瞬間全隱退了，升起在面前的是那座灰褐色的高山，沒有樹，沒有草，從山麓到山頂，全是深深淺淺灰色的岩層，灰色的礫石，灰色的山徑蜿蜒曲折，灰色的山路迂迴環繞。彷彿沒有盡頭，沒有終點。在蒼茫的時空大野，在荊棘叢生的山腳下，一個纖細的藍色身影，佇立於山那龐大的陰影中，竭力仰起頭，踮起腳，向上仰望著；一臉的渴慕，一臉的無奈，呆望著白雲飄過山巔，嚮往山那邊遼闊的自由天地——那個藍色的小小人影便是我——十七歲的我。內向、羞怯、純稚，喜歡編織美麗的夢想，只曉得從書本裡窺探世界的少女。

而山，是以盛產鎢鋼馳名國際的江西大庾西華山。

就因為結識那座山，影響了我的一生。

十四歲以前，我不知道那座山，更不認識那座山。

故鄉是溫柔古雅的水域，數不清的河流，潺潺瀠洄著寧靜、安詳，生長於此的人們乃有著水流般恬淡自適的性格、書畫自娛、知足常樂。有幾個人願意背井離鄉，謀求發展？父親亦是這般性情中的人，卻情不可卻，答應了換帖弟兄的邀請，參與他率領的鎢礦探勘工程處。就這樣，攜同從未出過遠門的母親、我、和還不滿二歲的潤妹，千里迢迢地去那蘇州人所謂蠻荒之地。

父親不必上山探勘，我們也不曾進入山區，但那座山，卻已跟我們的生活息息相關。

第一次瞻仰西華山，就被它那屺屼、荒獷而崢嶸的形勢所震撼，印象中，我們蘇州的山都是樹木蓊鬱、濃蔭匝繞，山徑石階上青苔披覆，偶或綠竹掩映著一角寺廟，鳥語松風，幽靜清涼。而西華山卻光禿禿的，不曾披覆一絲一縷植物織繡的綠裳，就那樣赤裸裸袒裎著巉巉風骨，嶙峋峭石。凜然矗立於天地間。重重疊疊的灰色岩層，在陽光照射下，最淺最淺的岩壁彷彿閃爍著點點反光，陰暗面卻顧得幽邃、冷峻，山谷深壑潛流著冷冽的澗水。不知流過幾萬年、幾千年。而幾千年、幾萬年，山經歷過地層更動，風吹雨沖。山吸收了日月光輝、宇宙菁華。在那堅冷、粗厲、厚固的巖石中，誰又知道蘊藏了怎樣珍貴的菁英，怎樣稀罕的結晶？

屺屺屼屼的西華山，蘊藏豐富的便是硬度極高的結晶性金屬——鎢。光是它的產量，就占全世界的百分之六十。成板狀、柱狀的黑色金剛石，閃熠著墨晶似的光澤。那樣精密、那樣細緻、又那樣堅冷。只要鑄鍊成頭髮絲那樣細的一根根鎢絲，能使全世界發光，能使全人類突破黑暗的封鎖，創造文明，又是多麼神奇的石頭！

而山的神奇還不止一種，同一座礦山裡，以鎢為主，陪伴它的有黑褐色具透明感的錫，深灰帶赭紅的錳，以及介於雲母石和水晶之間，形狀成六角形柱錐，一簇簇縱橫放射的石英。

要來很小很小一片片精純的黑金剛石，以白銀精工鑲嵌成一枚枚戒指、一只只別針，戴在指上，扣在襟前，更寄給故鄉和遠方的親友。也許聽過這個名字，也許讀過這個註解，可是，又有多少人曾親眼目睹過這樣漂亮可愛的礦石！如果不被炸藥和十字鎬損傷，方圓自成形狀，石英都是自然最精細的雕刻。

第一次叩訪西華山時，我就是穿白衫黑裙，屬於金色年代的女孩。不知天高地厚，不諳人情世故，去攀登一座開採中的礦山，對我是一種新的經驗，一種對體力的挑戰，山徑陡削，灼熱的石礫刺燙著薄薄的布鞋底。陽光一無遮攔地傾瀉下來，岩石又反射出熱度。人就像匍行在烘爐邊緣，被烤炙得只是不停地補充水份。當我和另一位同學半融化地登上山頂時，別人都將下山了。山上沒有樹、沒有草，卻有民房和草寮，賣茶的煮著從山底挑上來的澗水，踩在石街上，心想：這腳底下不知是不是有礦工在開鑿？輕輕走著，屏息諦聽，沒有任何異聲，也沒有一絲震撼，驀地裡一聲悶雷似的轟響，遠遠地爆炸開來，低沉的回音在山谷中一波一波擴揚、迴盪、彷彿是對面的山頭，又彷彿就是這山的另一邊。還不曾捉摸確定，聲音已被蒸發散失在熱空氣中了。

年少氣昂，山給我的印象是大自然最莊嚴的顯示，是永恆的象徵。

再度登山。山還是那座山，我還是我。但白衫黑裙換上了陰丹士林旗袍，已不是純遊覽的旅客。踏上山脊，有一種新的感受，一份複雜的感情。驕陽依然一無遮攔的照射著屺屼的山，岩石反射出燙人的灼熱，而在那些垂直而下，或横貫深入的礦坑裡。卻永遠是陰暗潮溼、空氣稀薄，礦工們全身披掛，亮著帽上那一點螢光，進入永不見天日的黑洞。進入山的腹部、山的心臟。一次次爆炸，一鎬鎬挖掘，一鑽鑽穿鑿。年年月月，不停地開發，不停地騷擾。山，實在是非常寬宏的，只偶爾對人們永無迄止的予取予求搖搖頭，便造成了坍方。而儘管年年月月不停地挖掘，山仍是屹立不倒的山。

年輕任重，山給我的印象不僅莊嚴永恆，也寬宏容忍。更代表一種頂天立地的精神。

自第一次造巷訪至再度登臨，這其間，只隔了三年。三年中，國家遭受敵寇侵略，故鄉淪陷，接著急症遽然奪去了慈父。遺下母女三人漂泊異鄉。

短短的三年，在我生命中卻是巨大的轉捩；感情上遭受深重的創痛，肩膀上初次承擔起太重的負荷，心靈上留下深刻的創傷；有如那礦山岩層刻下斑駁的鑿痕。

年輕想飛的雙翼是蠟製的，在烽火的灼熱下融蝕了，為生存必須腳踏實地接受現實的挑戰。終於，我毅然投向山，成為礦山外圍的一員。

編註：本文原刊於《聯合報・副刊》，一九七九年十二月十二日，第八版。

自我塑像

未曾生我誰是我，生我之時我是誰？

熊崑珍或艾雯，只是一個代號，一個名稱。

五官容顏，體態身材，只是形象，一個父母所賜予的血肉之軀。

在外婆及雙親的驕寵呵護下，是一個柔弱、羞怯、內向而有點倔強任性的小女孩。在深深庭院的綠蔭下，寂寂古屋的書香中，當同年齡的孩子忙著計算雞兔同籠，忙著遠足郊遊時，那易感的小心靈常常獨自浸沉於幻想王國，一知半解地自書本中探索另外一個世界。

在清平安詳、無憂慮的歲月中，是一個沉靜、善感、十分矜持的少女，書卷氣多過屬於女性的溫柔。在校時國文總是高分、圖畫上過展示欄、數學體育勉強及格。不慣嬉笑遊樂，愛好自然、藝術、一切美好的事物。心高氣傲，任何事情要求完美。對未來、對自己，懷有崇高的理想，美麗而遠大的期許——那是生活在幸福的雲端，做看綺夢的熊崑珍。

抗日戰爭爆發，炮火震碎了寧靜的歲月，父親在任上去世，溫馨的家庭突然失去支柱。遽遭失怙之痛。烽火又隔絕了家鄉。而寡母幼妹，活著的仍需活下去。面對兩種抉擇：接受師長和學校特別設置的寬免名額，繼續念書；負起養家的責任，接受安排的工作。不加考慮，擦乾眼淚，挺起柔弱的肩膀，接下了重擔。只是一個不知天高地厚、不懂人情世故的十七歲女孩。

想高飛的翅膀尚未展開，便已鎩羽折翼。

複雜繁富的社會，可以是無情的染缸，純潔的心靈毫無防備地投進去，不知染成什麼彩圖。也可以是不設教室的學校，在工作中學習擴充自己，接受深廣的自我教育。從枯燥繁瑣的文牘、檔案，轉而圖書管理——能被書本圍繞著真是一種奢侈的享受，接觸到前人豐富燦爛的智慧、喚醒了血液中深潛的文學因子——幼時父親的薰陶，嗜讀的興趣，老師的培植，交融洽合成一股躍躍欲試的渴望，而外在的壓力，和內心的衝擊，更促使憂傷苦悶的心迫切尋找宣洩的出路——開始學習寫作。「把寫作當作一支舵，裝置在那葉在人海風濤中奮鬥向前的小舟。」（《青春篇．序》）

在寫作中發現了自己，在思考中認識了自己，在接受時代的考驗、生活的挑戰中，建立了自己——那是從蔭庇下站出來，面對現實的艾雯。

一支筆，一支筆在坎坷的人生途上，成為我的生命之光，成為我的希望之火，成為我轉變時的支柱，成為我傍徨時的指針。成為我生存於這個世界的憑恃，成為我接受挑戰的對抗武器，也成為我的心腹朋友。

責任使人長大、苦難使人成熟。艾雯的我，慢慢化柔荏為堅毅、化憂傷為力量，除了在那個「生產報國」的工作崗位上貢獻微小的力量，也投注全部熱忱在自己選擇的志趣上。有了目標，同時也增加了生存的勇氣和信心。當三十三年日寇迫近大庾，機關停止生產，我押著一船圖書，疏散到較偏遠的上猶縣待命。卻由於投稿副刊主編的介紹，意外地進了凱報社。開始先負責資料、不久又主編副刊。我是個孜孜不倦、勤奮盡責的小園丁，經常讓小小園地花草茂盛，生氣盎然，新的工作更開拓了我新的境界。接觸到一些成名作家和充分熱忱的年輕作者。那時閩浙一帶未曾淪陷的區域，周遭與外界隔絕，形成孤立。東南一角人文薈集、各報的副刊也蓬勃一時，熱烈地進行展開發展東南文藝運動，我參與號召，並試著擬定一套編輯方針；為提高作品水準，讓副刊《大地》成為純文藝的讀物，陸續又另外開闢了《詩藝術》、《文談》、《文藝評論》、《民間》、《大家看》等三日刊式週刊，方塊取名為「大題小做」，針對現實、反映社會、警惕民心、鼓舞士氣。在當時當地還頗有點感召力量。

最難忘懷的是到三十三年年底，敵人已成強弩之末，進退失踱。終於步步迫臨這孤立一角。全城居民撤退，保管圖書及報社器材均用木筏運走，我伴同小腳的母親、幼小的潤妹、翻山越嶺、長途跋陡、歷盡了艱辛困苦，避難到離城八十華里的管前鎮，接著又進入山坳的平富鄉。每人準備一小包米和衣服，以備隨時躲入山壑。由於各方面迫切的需要，報紙在稍作安頓後，便在一座空的學校內印行了。我在黯淡搖曳的油燈盞下畫著版面，校訂文稿。手搖的印報機在亮晃工的竹篾火把下不停地轉動著，一卷卷印好的報紙用本地產的空白竹紙偽裝，天不亮送報的就挑著籮筐翻過山頂，穿過荒野，送去四面陷敵的城裡，和送去敵後的村莊鄉鎮。一直到報導勝利的消息。而當收音機裡播報出敵人投降的新聞時，大家狂喜歡騰之際，我忍不住獨自攀登屋後常去的紅土山巒，流著滿眶熱淚，振臂疾呼：「我們勝利了！」只聞群山欣然呼應，迴聲透過天風松濤、一波波從山谷湧來，掀起衣袂飄揚，散髮拂面彷彿要把我高舉上天。

圖書館的五年喚醒我、啟發我、充實我、使我踏上寫作的路。報紙副刊三年，增加我珍貴的閱歷，拓寬我生存的範疇，在學習發揮才能時肯定了自我。我是那樣由衷地喜歡那兩份工作，願視為終身職，但當三十八年為避亂辭職來台灣時，我只是一名無業的軍眷。

三十八年，台灣文壇幾乎是一片浩劫後的真空，我拾筆專心寫作，從屏東到岡山。前幾年，「我在辛勤的默默耕耘中，得到更多的體驗，有更深切的認識，失鄉的悲憤感時憂國的苦悶，和文藝的使命感，寫作的熱忱特別高昂旺盛。寫反映戰鬥氣息，闡揚人性光輝，刻劃這時代人類堅苦卓絕的精神的小說，寫鼓舞心靈、培養情操、提升生存勇氣的散文。寫配合當時掀起文藝運動、文化復興的短文，也寫童話，寫的很雜，也很粗淺，卻付出了我全部熱忱和心力」（「在飛揚的時代」，《聯副》五十年代文學座談會）。

四十年出版第一本散文集《青春篇》到現在，已經三十一年了，在六十七年重新交水芙蓉出版時，我在〈新版題記〉最後曾說「……如果青春不只紅顏，也包括一種心情，一種意志，一份永遠對事物的好奇，對一切美好的喜愛，對人類的關懷，對理想的執著；那麼，青春雖然不再，慶幸我還多少剩有這些，可以作為明日創作的資源。」而現在，我仍然執著這樣的說法。在這許多年來，寫作最勤時有一年出過三本集子的紀錄，也有一個時候寫小說的興趣比較濃厚。六十二年遷來台北，卻越來越喜歡寫系列散文。生命真是漸行漸深的覺醒，想是由於年齡增長、生活體驗豐富、閱歷寬廣、思想暢達、體察更深，每每觸及一種題材、一點感受、一份構想，總會像漣漪般一圈圈擴揚，聯想到更多類似的蘊涵。最近在一篇〈不具「風格」的風格〉中，也曾寫到我的旨趣和觀點：

在散文的領域中，我寫多方面的內涵，我也試著寫多樣性的體裁，和各具獨立性的形式。常說作品的風格反映一個作者的人格，而所有優秀的作家，自始至終，傾注全力在自己的觀點，文字、意境上琢磨錘鍊，一貫作業，的確都有他獨特的風格，無論說理抒情，給人極其深刻的印象。但對我來說，風格兩字也可以把它分開來詮釋：風是風度，代表一個作者的精神、人格、和氣質，是心靈和德性的結晶，是不卑不亢的骨氣，堅貞的意志，高潔的情操，和不倦不息的愛心，屬於人的本質和平時的修養，就像光附著於太陽上，融貫映照於所有不同形式的作品中。而作品的作風、格調，卻由於一貫的思想，獨立的內涵、文字、意境、技巧，形成各種不同的形象和體裁。也許我自己缺少點專精的耐力，又怕局限了格局而內容越寫越貧乏。總喜歡做多方面的嘗試，以期從變化中求創新、求突破。近年來，尤其喜歡寫自成一系列的作品，像在觀點上一致，文字上自創一格，獨闢門徑。取材卻是多方面多角度的，或者是一種新的領悟，或者是述說一些事物，或者是探索生命的真諦。

……也許，不具風格就算是我的風格罷。雖然這樣不一定能寫的精緻深刻，使作品臻善臻美。但我就喜那種將構想付諸實踐，每次寫作一系列時都有一種「創新」的感覺。新的姿態，新的聲音、新的語言、新的面孔、新的傾訴，都令人振奮鼓舞。畢竟，寫作的路上，原是不斷的嘗試和創造。

寫作半是環境、半是遺傳，自小就靦腆羞怯，不善言辭，天性中又有舊文人那種謙沖為懷的性向。當初從事寫作、出發點純係興趣所在。最怕的就是虛名之累，和精神壓力。認為一個文藝作者，應該讓讀者通過文字，去了解他的思想、感情及旨趣所在，不必現身說法，展示本人，或炫耀自己。因此，寫作數十年來，一直避免參予公開演講、座談、接受訪問。以致常被人誤會。為此，我寫了〈今之隱者〉（《綴網集》）：

朋友常揶揄我是今之隱者，隱於名利界，社交圈，隱於物欲橫流，科技器與外的淳樸，隱於市塵紅塵中的淨土，隱於不合時尚的執著，隱於白底黑墨的鉛字背後。

我雖不欲承認，亦不予否認。因為我熱愛人生，喜歡生活，更關懷周遭的一切。我渴望能深深了解些生於斯長於斯的國家，知道發生在四周的事情，關切人類的命運，萬物的生長盛衰。我願意嘗試各種生活方式，參予各種生存的搏鬥，體驗人生的淬煉，我重視人性的尊嚴，尊崇生命的莊敬，更讚美那些奉獻的精神，忠貞的赤心，誠懇的意願，高潔的情操……我融攝所有的愛心、關切、感受、領悟於方寸之間，鎔鑄成文字、織就篇章，呈現在別人面前的是心血之作，卻與我那血肉之軀，色相形體無關。作者只須讓讀者通過作品了解思想，不必以自身詮釋作品。

而「隱」不是遁世、不是逃避。我入世接受試煉，參與人生。站出來還我自我。自甘清靜淡泊，好似清風明月；喜歡自由自在，如同閒雲野鶴。

儘管滿眼繁華、蓋世名利，我只取我那一簞食、一瓢飲。

而唯有如此，才能領略「獨立市橋人不識，一星如月看多時」的境界，而當我欣賞美好世界、當我參予人間活動。既可以超然物外，也可以與物為春，真正享受了「萬物皆為我備，眾生由我旁觀」。

一生健康欠佳，受氣管宿疾牽制，不知剝奪了多少人生的樂趣、蹧蹋了多少可以寫作的時間，但我一直服膺吉辛所說：病的是身體，是靈魂的衣服，思想的茅舍，而靈魂仍然可以遨遊宇宙，頭腦仍然可以運轉自如。而思考、寫作，更是隨時隨地可以進行的活動。儘管體質上、性格中都有軟弱之處，但對理想，對做人做事的原則，對是非黑白的分辨，對生活所持的態度，對美的追求，對自己選擇的立場，卻是十分、十分地執著。

或說：「頭腦的困倦，由於興趣的繁富。」那正是我。由於興趣廣泛，分散了神思。英國女作家朗爾說：「我愛自然。次於自然，我愛藝術。」而我還加上愛一切可愛的、美好的、樸拙的、新奇的事事物物。身為女人，不擅也不耐調味烹飪，卻熱中於弄泥翻土、拈花惹草。不只欣賞花木的韻姿，更參予生命成長的喜悅。如持贈友人，與人分享也就擴大了喜悅。俗諺：「種花植樹的人，心中洋溢著愛。不僅愛己，而且愛人。」我完全相信。

受蘇州人那種崇尚風雅、恬淡自適，善於優遊歲月，又最能享受中國人悠閒藝術的傳統影響，和秉承了父親愛好自然、愛好書畫、淡泊名利、狷介不羈的性向。塑就我早期的原坯。而生活的磨練，和自我鞭策、自我教育，鎔鑄成如今的我。性格中有可愛的優點，也存在著無數弱點。不完全滿意，卻也得無可奈何接納。未來也不知還有沒有可塑性？好在人不能改變，總還能擴充。

編註：本文原刊於《陽春》第十一期，一九八三年一月，頁八十九～九十四，「作家介紹」專輯。

十月小陽春

人的際遇，一向總被認為是「命運」，是「緣分」。在這動亂時代，應該還有一種因素：「戰爭」。

是戰爭，促使一個蘇州女子和一個安徽青年，在那座小得常常在地圖上漏印的山城相遇、相識。我原來在大庾，從二十六年春離開故鄉，抗戰爆發，父親去世，到三十二年庾城告急，才連同圖書等物質，由運鎢專船疏散到山城「留守」。同時我又兼任了該縣報社的編輯工作，暇時寫點東西。家中全由母親主持，潤妹上小學，還有一隻伴隨我們翻山越嶺逃難的忠狗。儘管是風聲鶴唳中苟安的日子，一切運作如常，正顯示出大家的信心。彼時，他亦派來山城主持團務。

山城名上猶，是江西最僻遠的一縣，層巒疊嶂、叢山環繞、交通不便、落後閉塞。要不是經國先生平亂開發，實施新贛南建設計畫，也許沒有外人會知道它的存在；如果不是抗戰逃難，恐怕也沒有外鄉人會專程探訪。就因為烽火阻隔，文明不到，卻也另有一份遺世獨立的清靜和淳樸。尤其是當鄰縣都不幸淪陷時，山城是惟一不曾遭受敵寇蹂躪的「福」地。

勝利後一年，山城種種匱乏，不便一如往昔，我們卻要在那兒史無前例的舉行婚禮。好在經過艱困的八年，人人都磨練出克難精神，自有一套無中生有，點鐵成金的本事，就看有沒有貼切的構想，和新鮮的創意。

借用社教館會場，土牆磚地，空洞寒傖。而小城的紅土山上，松樹成林；瀨水兩岸，修竹茂密。於是就地取材，用綠竹裝潢空間，以松針鋪地。竹，「色經寒不動」；松，「松柏長青」，正是最好的采頭。從學校借來風琴，也連同邀請了音樂老師。

我用半匹薄綢，縫製成新娘披紗，褶裥裡綴上粉紅絹花。捧花是情商來的大麗菊，繫上曳地的野藤，直髮用燙鉗捲成大波浪，覆垂兩頰，禮服是蜜底繡紅玫瑰的錦緞旗袍，潤妹和她的玩伴扮花童。

「十月芙蓉小陽春」。那天，是個秋高氣爽的好日子。

步入禮堂，恍惚走進了一處綠意盎然的林園，四周翠竹招展，地上青松緜密。柔枝翠柯交織成天然圓拱。秋陽自屋頂天空照射下來。照得葉際竹梢懸掛的玲瓏雙囍、星星、彩球，閃閃爍爍，喜氣流轉。悠緩柔慢的琴聲透過枝枝葉葉，有似仙樂飄飄，隨著琴韻走過青香四溢，軟滑而帶有彈性的松氈，走向綠叢深處，囍幛閃耀、燭影搖紅，金碧輝映下的禮壇……一切都那樣美好，可惜小城唯一的攝影師無法來現場攝下這別致的場景，結婚照還是在家中陽台上照的。……新家在沿河街獨一的一幢木造樓房，陽台面對流過門前的湲湲江水，隔岸葱鬱的樹林。平常行人稀少，白天有人下河灘挑水浣衣，入夜，除了山風捎來水吟，更是安靜闃寂。女兒恬恬便誕生在小樓上，我們一直住到三十八年才離開。

歲月悠悠，贛江水依然不停流。當年羈留山城的四口——母親、潤妹，和我倆之家，如今早已繁衍成三分天下，四代同堂了。但願那許多熱心幫忙辦「家家酒盛典」的朋友們，也都安然無恙。

事隔四十二年，追記這點點滴滴，彷彿還隱隱聞到松針透過時空散發的青香，歷久如新。

編註：本文原刊於《文訊》第三十六期，一九八八年六月，頁十六～十八。

走過抗戰

失鄉失怙的舊恨新仇一肩挑

一九三七年春天，清明過後不久，煙雨楊柳岸，花草滿街頭。雙親攜著我和未滿周歲的潤妹，離開悠悠靜靜的故鄉去江西。父親應他換帖弟兄程宗陽之邀，參與他鎢業探勘處的工作。對安土重遷的蘇州人來說，贛南是遙遠的蠻荒之地。懷著些去見識探險的意念，父親撂下他最愛的字畫，行李輕簡，安慰叮嚀相送的外婆說，「我們就會回家過年」。

誰想到這一別，我們再也沒有見到外婆、祖母和所有的親友。而父親也永遠回不了故鄉。可恨可惡的日本人引發殘酷的戰爭，改變了我國家民族的一切，更改變了我的命運。

到南昌安頓下來，父親上任，母親忙著照顧妹妹，羞怯的我卻遇到一位與我有緣的鄰居媽媽劉淑儀。她邀我和她的女兒一起隨她習畫，帶我出遊。替我報名學鋼琴和葆靈女中，上進的步驟安排得緊密妥貼，但還不曾舉步卻忽然禍從天降。戰爭一爆發南昌馬上就遭遇敵機轟炸掃射，大門上中了二彈。父親派人接我們去大庾。那座小城以擁有產鎢砂占世界之二的西華山而馳名，戰時更亟須大量生產換取軍援，敵機似乎要將此夷為平地，慘厲的警報嗚叫聲日夜撕裂著人的神經，防空設備不夠，倉皇躲進田溝、泥坑、山坳、棺材移走後霉溼的墓穴裡。警報一解除，又立刻帶一身塵土，匆匆各就各位，上課上班。戰爭不斷擴延，家鄉淪陷，親情隔絕。一度想突圍去重慶，在廣西又受阻折回。父親一介文弱書生，平時花、畫養性，恬淡自適，禁不起憂累交迫，思親情深，就在抗戰第三年遽然病逝。樑柱傾圮，家園路斷。一直懵懵懂懂生活在翼護下，全不知天高地厚的大孩子，只有脫下白衫黑裙、換上陰丹士林，擦乾眼淚、挺起肩膀，戰戰兢兢進入社會，就像初生之犢硬給套上了笨重的犁耙。國恨家憂，失鄉失怙的舊恨新愁從此一肩挑。社會是不設教室的學校，在工作中可以學習很多，從繁瑣枯燥的文牘、檔案，到豐富多采的圖書管理，培養了我的寫作興趣，在接受時代考驗、生活挑戰中，我慢慢地建立了自己，而責任使人長大，苦難讓人成熟。想想國難當頭，不能驅敵衛國，堅守工作崗位貢獻微薄的力量，也算盡了一個國民的心力，內心的衝擊恚怨也就平定下來。儘管警報仍時疏時密，隔夜報帶來這邊克復、那邊淪陷，到處是殺戮轟炸的戰爭資訊。人們在冗長的等待中，一切運行不輟。我每天在小城裡來回步行四趟（那時從未聽過「便當」）。工作、閱讀、寫作、縫紉，也參加合唱團，唱出年輕人激昂的憤怒，低迴的鄉愁。節儉自重、鞭策自勵、離亂歲月，就這樣一天天填充。只在夜深人靜時，才會黯然想起淪陷區的親人不知如何生活在水深火熱中。受挫時感到沮喪委屈，會在心裡低低訴求：「父親，請你在天之靈保佑我們度過難關，到勝利來臨。」稍有成就感時會喃喃稟告：「父親，請放心，我會學習擔當你留給我的重任。」神思低迷時，腦海中也偶然會隱現一座莊嚴的白石殿堂，那是滄浪亭的蘇州藝專，我從小的憧憬。

遺世獨立的寧靜小城

日本妄想鯨吞我國，武力傾巢而出，畢竟中國幅員廣大，我軍英勇抵抗，六七年纏鬥下來，只落得到處流竄。一九四四年初夏，黔桂湘粵等鐵公路被截斷，鎢砂無法輸運，員工龐大的鎢處採取緊急措施，大部分資遣，拿三個月薪津自尋出路。一部分隨處撤退，我和極少數幾個，保管物資疏散到上猶。派令頒下，我惶懼落淚，聞說那是座圍困在叢山中，無車可通的荒僻小城，敵人如來侵犯，猶如甕中捉鱉。聽起來好可怕的地方！但不管是絕境或牛角，我們別無選擇。鎢砂船連人帶物資撐了三天二夜才攏岸，那真是一座蕞爾小城、蕭條落後，卻也樸素簡潔、群山圍繞，贛江水悠悠流過，烽火遠離、塵囂不到，倒也有份遺世孤立的安靜。

戰爭成膠著狀態，鎢砂一時不能產運。派駐上猶的同仁仍陸續遣散，只剩下我和另一個工程人員留守。日坐愁室，不知明朝如何。一天忽然自一堆公文中撿到一封輾轉來自贛州《正氣日報》的信，李主編問我為何許久不見寫稿，我覆信說「坐以待命、無心執筆」。不想第三天就有專差送信來，要介紹我給當地的報社。說報紙創刊不久，亟需人手。社長是他朋友。要一個一向十分矜持的人去當面求職，這太難為我了。但一想到現有職位已朝不保夕，有機會能嘗試新的工作也不錯，何況是滿高尚的文化事業。我終於鼓起勇氣第一次去衙闕。社長周鼎帶著濃醇的鄉土氣息，和藹親切一如長者。他胸有成竹地翻一翻我帶去的作品，問些家庭狀況，又臨時出題讓我寫了一篇報導，就笑問我願任「外勤」抑「內勤」，我一時不曾會意，改說是「記者」還是「編輯」。我哪敢跑新聞！當然內勤。就這樣簡單，第二天走馬上任。

那時正推行新贛南建設計畫，一縣一報是文化建設。各縣互別苗頭，各顯神通，不計盈虧辦好報紙，更大力推廣到各鄉、各村，到一保一報。設欄張貼、培養民眾每天看報的習慣，在那樣落後閉塞的小山城裡，的確是很有意義的創舉，而要不是靠它報導戰爭消息，宣揚政令，反映社會動態民心所向。居民就像生存在真空管裡，與外界完全隔絕了。

在文藝綠園做一名勤奮盡責的小園丁

上猶《凱報》日出四開一張，後改三開、對開。卻也設備俱全，自電訊、編採、排版、印刷到發行，一貫作業。報社設在唯一的大街盡頭，緊靠紅土山崖公路預定地，是一般新贛南模式的速簡建築，門面齊整像樣，樓上編輯部寬敞明亮，只是腳步稍快便震得桌上茶杯叮噹。有一次頭頂吱吱直叫，原來是老鼠奔跑太猛，竟從天花板接縫處岔下半截被夾住了。

一上班，我並沒有在那「大統艙」裡見習，卻單獨安置在堆滿各家報紙的資料室，原先的負責人是中大學生趕著暑假開學，匆促離職交代不清。我只有參照管理檔案的方法，和杜威圖書十進分類法，自訂規範，很快便進入狀況。且能瀏覽群報副刊，也是樂事。抽空仍寫點短文，寄贛州或自家副刊。適逢首屆記者節，乃以新聞從業人員立場為特刊寫下了〈建立心防〉。

冗長的戰爭造成了不少遊牧族，流亡學生和失鄉青年，逐工作而遷，報社同仁流動性大，總編輯就得多編幾版，便將副刊《大地》交給我，一時身兼三職：資料室主任、副刊主編，而原來的機關一直沒有遣散我。副刊有整整一面版面。那時閩浙贛一帶未淪陷的東南角，人文薈集，年輕人不少喜歡用文字來表達思想、宣洩感情，各報副刊蓬勃一時，還展開了發展東南文藝運動。編副刊讓我接觸到更深廣的層面，認識許多愛好文藝的年輕作者和少數幾位名作家，投稿最多的是泰和中正大學、長汀廈門大學、建陽暨南大學、梅縣中山大學、上饒誠明學院、吉安十三中學、九江中學、廣東興寧一中、南平師專等，還有社會青年。我像一個每天配一桌佳餚的主婦一樣，有方塊、散文、小說、詩、評論，設計版面、更換刊頭，強調特性的所在不是迎合讀者的趣味，而是領導讀者的趣味，方塊取名「大題小做」，輪番執筆。針對現實、反映社會、警惕民心、鼓舞士氣。在彼時彼地，還頗有感召力量。另外還開闢幾個專門或通俗的週刊、三日刊，《文談》、《詩藝術》、《文藝評論》、《大家看》、《民間》，我每天要排字房送五六張純副刊單頁親自寄給當刊作者。過些時也寄幾張給久未來稿的作者催稿，留一份裝合訂本，計畫編一套大地叢刊。選副刊好文章印行，可惜只出版了創刊號《祝福》。在動亂的大時代、在戰火蔓延中一角苟安的淨土，僥倖在文藝綠園做一名勤奮盡責的小小園丁，作學相長，自己覺得充滿了信心和期許，是責任使人長大，苦難使人成熟。

贛南很少下雪，那年近年腳邊下了些落地即溶的微雪，很有瑞雪迎豐年的意思，居民忙著醃魚醃肉曬糯米。壞消息接二連三傳來：敵寇從湘粵贛邊區大舉南犯！先是贛州失陷、緊接著攻抵塘江向南竄。電訊中斷、全城立刻宣布緊急疏散。報社指派我一名挑夫，黎明即倉促上路，目的地營前鎮，離城八十華里全是崎嶇的鄉道田徑，還必須翻越一座名十二碑的山，母親是放小腳、潤妹年幼，我一向體弱，而我們的挑夫永遠保持遙不可及的距離。別人一天走完的路我們竟萬分艱辛地走了二天。好不容易抵達鎮上，同仁早就趨前深入更僻遠的鄉村了。

敵寇在離城二十五里時煞住獸蹄，贛南諸城盡失，上猶是唯一未遭蹂躪的福地。由於迫切需要，報紙就在平富鄉一座未完工的小學內復刊。消息來自收音機，稿源斷絕，只能東揀西剪加上自己動筆，印好的報紙用籮筐挑進城，挑去四鄉，更有以白紙偽裝。悄悄翻過山頭散入敵後。山村地曠人稀，稻田疏落，樸實的農人日出而作、日入而息，單純得恍如原始民，編印報紙是我們生存在現代的唯一的憑藉，直到勝利的喜訊來臨，那花費了國家民族多大代價的勝利！大家歡躍擁抱又熱淚盈眶。我獨自奔上紅土山巒，振臂高呼：「我們終於勝利了！」只聞群山回響，松濤長嘯，天地間萬有生命在呼應。當晚，我在牛舍旁的小茅屋裡，挑亮燈盞、振筆疾書勝利感言，教堂裡，桐油竹篾火把高高舉起，手搖印報機飛快的轉動。白紙黑字，我們第一個印上歷史的證言。

編註：本文原刊於《中央日報・副刊》，一九九一年八月十四日，第十六版，原題〈守著崗位的園丁〉。

夢裡的家園

似乎沒有什麼比音樂、比一支曲子、比一條歌那樣富有感染性，能像雷射般迅疾炯徹滲透，一瞬間支配你的感情，左右你的心思，以致渾然忘我。

是的，一篇歌詞，只是真情流露，一支曲子，只是委婉申訴，而正好遇上那種情懷，那種心緒，那種際遇，和那種時代背景。「聲」「情」交接，彷彿電鈕觸發，光熱迸射。又似閘門啟動，心潮洶湧。所有壓抑強忍的憤怒、悲痛、憂傷、恥恨。所有鬱積隱藏的哀愁、悲傷、思念、惆悵，全都投入歌聲中，融入音律裡，盡情唱出心底的喜怒哀樂，不能自已。

有這樣的體驗，是在抗戰時期，唱歌不是為藝術，不只是興趣、更不是娛樂，而是一種內心的吶喊，感情的舒放，精神上的激勵。

當敵寇犯境，家鄉淪陷，在大後方的一角，一群來自不同省分的年輕人，說著不一樣的鄉音，卻唱著同樣的歌曲，用歌聲來溝通，用歌詞來表達。許多常唱的抗戰、愛國歌曲如〈熱血〉、〈巷戰〉、〈游擊隊歌〉、〈全國總動員〉、〈流亡三部曲〉、〈中國一定強〉……總讓人唱得氣憤填膺，熱血沸騰，鬥志高昂，使我們更團結，對最後勝利的信心更堅定，總有一天，我們要在一起合唱〈凱旋歌〉。

這些歌中，讓我感受最深，有時更在夜闌人靜時獨自悄悄吟唱，又忍不住熱淚盈眶的，是〈夢裡的家園〉，和〈夜夜夢江南〉。〈夢裡的家園〉的詞是：「白雲飄，輕煙繞，綠蔭深處是我的家呵！小橋呵，流水呵，夢裡的家園路迢迢呵。微風輕輕的飄，飄落了梨花春去了。明月高樓匆匆就老，老紅了楓葉愁難消。」故鄉蘇州是水城，也是園林之都，處處小橋流水，花樹蓊翠。當我唱到「小橋呵，流水呵」，眼前立刻浮現出我熟悉的潺潺河流，似葉脈般貫穿全城，兩岸柳綠楓紅，粉牆樓榭，一座座古樸的石橋橫貫其間。童年的腳步不知多少次踩過石階，走在如詩如畫的風景裡。而烽火隔絕，來路渺茫，鄉愁千斛，親情萬斛，卻無歸舟可載。「昨夜，我夢江南，滿地花如雪，小樓上的人影，正遙望點點歸帆……」（〈夜夜夢江南〉）不正是暮春三月，鶯飛草長，城裡城外一片繁花飛絮，太湖中，運河裡，過盡白帆。可是、可是：「今夜，我夢江南，白骨盈荒野，山在崩陷，地在沸騰，人在呼號，馬在悲鳴，侵略者的鐵蹄，捲起了滿地煙塵滾滾，去吧！去吧！你受難的孩子們啊，我們要把復仇的種籽，散播在祖國的地下，在今天發芽，在明天開花。開花，開遍了中華。」唱著，唱著，不由得悲憤交集，氣結梗塞，恨不能馬上參加戰鬥行列，驅逐侵略者，收復國土，重回家園。我們都是受難的孩子啊！

抗戰勝利，接著播遷來台，苦難和仇恨已全被時光沖淡，被繁複的生活型態掩埋，很久，很久，沒有人唱過這二支歌，而我，似乎也完全記得自己曾唱過歌。直到前二年，又有人唱起老歌，唱起抗戰歌曲來，那歌聲，那歌詞，竟一下子衝開塵封，喚了沉睡的靈魂，喚回了同樣的感受，八年、二十年、五十年過去，歲月悠悠，韶華易老，從流浪顛沛，艱苦奮鬥，到現在安和樂利的局面。但是，只要一開口唱：「小橋呵，流水呵，夢裡的家園路迢迢呵……」依舊忍不住熱淚盈眶，滿心酸楚。

編註：本文原刊於沙笛主編《歌與故事》，台北：漢光文化，一九八八年六月十五日初版，頁一四一～一四三。

一支搖蕩鼓

走在人行道上，遊蕩的眼光掠過五光十色的路邊攤，太多太多的成衣、塑膠製品、玩具飾物……形成了物資的氾濫，正待跨越那股誘惑性的炫耀，驀地，在一個手工藝攤上，那些仿古雕刻、紫銅塑像、藤竹製品中間，一件古老樸拙的玩具，卻像磁力般吸住了我。

不是新奇的造型，沒有鮮豔的色彩，約莫二寸半直徑、寸許厚的木質圓框，兩面蒙上薄薄的真皮，四周鑲滾紅色膠布、釘著閃閃發亮的銅釘，做成一面小鼓。鼓的兩側各以棉線貫穿一顆蓮子大小的木珠，底下裝上四五寸長的木柄，漆成黑色的框及柄上隨意雕刻數條原木花紋，更顯得十分樸拙而富鄉土氣息。只要捏在三個手指間輕輕搓動，垂直的木珠立刻扯成水平，前後撾打著繃得緊緊的鼓皮，發出脆亮的音響；或是雙手合掌，擱在掌心中搓撚，隨著搓動的快慢緩急，由沉緩均勻的「咚咚」、「篤篤」，倏忽轉成一片「卜浪卜浪」，渾圓緊密，恍如國劇急鼓密鑼，緊迫催場，人馬喧騰而來。木珠迅疾飛舞出雙弧如虹，光影環繞，繽紛撩亂，手一停，喧騰戛然終止，木珠垂掛兩側，立刻啞寂無聲。

噢，那是一支搖蕩鼓。

只是一支小小的搖蕩鼓，而它卻具有歷史性的傳統，賦有最古老的民間文化氣息。想想看，我小時玩過，我父母親小時玩過，父母親的雙親小時也曾玩過……追溯上去，將無底涯。其間戰亂時期，似已湮沒。而如今，在這七十年代，又出現在台灣街頭，不曾被時光淘汰，不曾被人們遺忘，更不曾被機械文明改變，維繫這一脈流傳的是根源於那份屬於民族性的習俗，那份純樸的匠心，一雙熟習民間工藝的巧手，和一片童心，多麼可貴而又可愛的流傳！

以極便宜的代價，購得一支，寶貝似地捧回家，禁不住童心未泯，獨自把玩欣賞。指尖那麼輕輕搓撚，寂靜的書房裡立刻洋溢一片「卜浪卜浪」聲，那歷史性的回響，震撼著我的心弦。自胸臆深處，激起親切的回音；故鄉，童年，往日歡樂、升平歲月……一霎時全錯綜繽紛、萬花筒似地拼湊出一幅幅朦朧的圖景。

深深廣廣的宅第，幽幽邃邃的庭院，一道道屏門是穿越拱道，高高的門檻是難以翻越的小山，更有一個個天井又一條條便弄，軒敞的廳堂裡豎著雙手抱不攏的庭柱，紅木雕花嵌大理石的桌椅龐大而莊嚴，繡花門簾沉沉垂掩著閨房，青苔披覆的小天井裡，一叢粉紅色海棠一年到頭開得冷冷豔豔。空氣中淡淡地飄浮著不知是蘭花還是桂花的芬芳，那樣靜悄悄、沉寂寂……突然，一陣叮叮咚咚，那個小身軀掙脫了奶媽的懷抱，小手握著搖蕩鼓，蹣跚的腳步顛頓著在平坦的方磚地上撒野，就像小牛犢亮起繫著的鈴鐺，若斷若續，忽密忽疏的咚咚篤篤聲，攪碎了一宅靜寂，激盪在樑柱畫簷間，串起了一家人的歡樂，放下書卷，停下針繡，擱下刀鏟，全來圍著寶寶逗笑。彷彿得意自己能發出聲響，攪碎一屋子沉靜，咧開小嘴笑得咯咯地，繞著方磚地跑得更快，搖得更起勁，「咚、咚咚，篤、篤篤……」

芭蕉半掩著朱欄畫廊，竹簾高捲，疏影橫窗，一個髮髻挽攏、細眉絳唇、裙裾曳地的少婦，抱著幼兒俯身向前，湊合站在地下那梳雙丫、角執搖蕩鼓逗弄的小男兒。裡面藤榻上端坐著慈眉善目的老人，正輕搖羽扇，含笑諦視。另一幅是過年情景，大廳上紅燭高燒，映著瓶供的天竺蠟梅，寶塔似的乾果糖食盤，火盆裡燃燒起熊熊的歡喜團，大人們正忙著張貼春聯，供祀祖先。提燈籠、擎搖蕩鼓的孩子們嬉戲穿梭其間。最有趣的一幅是上百個差不多大小的胖娃娃，正興高采烈地遊戲玩耍。放爆竹、舞龍燈、豎蜻蜓、滾鐵環。其中也總有一個轉搖蕩鼓的，玩得好不開心。無論是含飴弄孫，是歲朝歡慶，還是百子圖，畫中人的衣著打扮也分不清是什麼朝代，但那種融融樂樂，闔家歡慶的氣氛，全躍然紙上，溢於畫面。深深感動了幼小的心靈——兒時鐫留在心底的珍藏，卻在數十年後一串鼓聲裡翻撿出來，不管是真實情景、畫中印象，拂除湮遠的塵埃，竟依然鮮明如昔。

搖蕩鼓聲咚咚，也引起了今年八十五高壽的母親另一種回憶。更早，還在她們年輕的時候，大家閨秀是不作興隨便拋頭露面滿街走的，平時需要添置些針線花粉，自有「京貨擔」

送上門來。賣京貨的一扁擔挑著兩座長方形的玻璃立櫥，一手搖動搖蕩鼓，卜浪卜浪的鼓聲響徹了幽邃的長巷，沿街淺戶自會聞聲叫買，大戶人家便逕自穿堂入室，擔子歇在牆門間裡，妯娌姑嫂的從各房各間圍攏來。老太太要髮網鉋花，少奶奶添點絲線撲粉，小小姐要支絨頭繩紮辮子，賣貨郎很有耐心的一樣樣從格子裡搬出來，任挑任揀。別看小小的擔子，就像具體而微的小百貨店，親切誠懇，服務週到。若是缺貨，關照一聲，下次一準送來。

一支搖蕩鼓，為母親帶來舊時悠閒的歲月、湮遠的往事，和些許失落的惆悵。

一支搖蕩鼓，喚醒我童年的歡樂、思古的幽情，和如許無奈的鄉愁。

剛剛學步的外孫拜年來了，穿一身藍綢的新棉袍，圍一條雪白小圍巾，好一個相貌堂堂的小中國人！我把搖蕩鼓遞給他，歡歡喜喜接過去，小胖手那樣搓搓搖搖，立刻喧騰地響起一片咚咚咚咚，紅潤的臉蛋得意地笑開了，一雙酒渦裡漾溢著甜甜的蜜汁。搖吧，使勁地搖吧，搖出古老中國的聲音，搖出歷史性的迴響，在那掌握明天的小手裡，搖落我一片片鄉愁、一絲絲惆悵，在七十年代的今朝。

倚風樓・一九七九年新春

編註：本文原刊於《中央日報・副刊》，一九七九年四月二十五日，第十版。

與誰同坐

前年，桂花飄香的季節，我回到我生命開始的地方。

神話中有位天女，擔著滿籃筐鮮花，撒散人間，我是從另外那片「天」空回去的「女」子，擔著重甸甸半世紀的鄉愁，撒在故宅遺址、撒在大街小巷、撒在迴轉的河流中，末了，是園林。

我古老的故鄉蘇州，是水鄉亦是「園林之城」，「不出城郭而獲山水之怡，身居鬧市卻有林泉之致」。蘇州人都懂得享受閒情逸致，最多時，大大小小園林竟有二百多處，可溯源到二千五百多年前的春秋時代。明朝時建的拙政園，在排行中算是古老中的年輕，卻也是面積最大的一座，取晉代潘岳〈閒居賦〉中「灌園鬻蔬，以供朝夕之膳，是亦拙者之為政也」之意為名，融匯了文學藝術與園林藝術，是地面上的寫意山水。進入園中，便走進了歷史的風景，吸吮著風景的文化，浸潤在古典的雅致和自然的質樸裡，移步換景，總在詩情畫意中。

依稀記得，幼年常跟隨父親繞廊踱橋，徜徉荷花池塘，穿林拂花，逗留亭榭樓閣之中；隨處是湖、是池、是澗，景物彷彿全在水上。那叫枇杷園的不僅種植枇杷樹，連地上都嵌滿枇杷，那長長的粉牆砌出各種花式的漏窗，只聽得語聲細碎，卻踮起腳尖也看不到那邊的風光。時光早已磨滅年少的足跡，眼角恍惚還晃動著父親灰藍衣袍的衫襟，在柳蔭曲水間。

彷彿相識，在為鄉愁輾壓的心碎的歲月中，伸出探索的觸角；搜尋圖片、畫冊，資訊都已影印腦葉，眼熟能詳。「梧竹幽居」、「荷風四面亭」、「別有洞天」、「見山樓」、「十八曼陀羅花館」、「浮翠閣」、「海棠春塢」……每一處景致總配上取自文人詩句的對聯。園中近四十景，蘇州詩、書、畫三絕才子文徵明就題，畫了三十一處。胸中丘壑、落紙為畫、發文為詩、構地為景，不知是經營構得那些景勝，再覓取最貼切的妙詞佳句，抑是按照詩中情景布署造境。而探訪過無數美景後，我心中卻另有一份詞意、一種情境，渴待印證。

步出三十六鴛鴦館，經宜雨亭，走在起伏曲折的迴廊上，盈盈一水之隔，對岸疊石為島，一座小小素淨的軒榭臨水屹立，兩側飛簷翹揚、亭身斜斂，與後者「笠」亭尖頂相接，有如扇骨軸柱。遠看恰似一把打開的摺扇形象。那扇亭，正是我心嚮神往的「與誰同坐軒」。

循廊繞池，迂迴抵達小島，軒屋幽幽靜靜掩映在老樹濃蔭中。近門時我駐足不前。不是情怯，是等遊人離去。

返鄉多日，一直是秋高氣爽，豔陽普照的好天氣，那天忽然陰沉下來，益顯得古木鬱蓊，庭院幽邃，彷彿蒙上一層歷史的煙塵。佇候中，偏又飄起雨來，未曾多帶衣披，髮襟微溼、涼透脊腑。心想只怕又要受寒犯病了。

終於，等到了那珍貴的一刻。眾人散去的空隙，我急速跨進門框，成為扇中人物。軒內粉牆楮柱，素雅古樸，所有構築、石桌、窗台、坐椅半欄、全弧形展開成扇面，玲瓏別致。牆上有扇額隸書軒名，及取自杜甫的對聯：「江山如有待，花柳更無私」。

我撫遍木石執扇，悄悄憑欄倚坐。美人肩靠彎彎探伸，崖石間的草蒙青苔透過雕欄，水中倒影默默相對。那一泓縈繞迴轉的曲水，就如溶化了滿園的蒼翠碧綠，黯然無底，卻被雨的韻腳敲得水面瀲瀲生紋。陣陣清風從湖上，從四面徐徐吹來，真箇是心曠神怡。

「與誰同坐，明月清風我」。高潔情操、孤傲風骨，誰能為伴，唯清風明月。宋時蘇軾超塵絕世的精神境界，被明時詩人藝術家以實體捕捉詮釋。彼時不見明月，卻有秋雨、湖水、清風拂面吹不盡。

而在那一刻，我擁有這一切。

自故鄉回來，未帶來一撮泥土、一掬河水，但當拋卷停筆，寂寞迷茫時，當從俗務瑣碎中抽身，我闔上眼睛，意念一轉，心中竟也有一座小小臨水扇亭。隨時隨地，容我幽獨與共，怡然自適。

編註：本文原刊於《聯合報・副刊》，一九九二年八月十五日，第二十五版。

生命中不能承受的痛和恨

身體上的任何創傷痊癒後，只不過留下瘡疤。

感情或心靈上種種斲喪，時間總是最佳醫生。

唯獨戰爭傷害——包括身心、精神、感情各方面，是一生一世的創痛。

自那年那月那日，那群有如集體感染了狂犬病的倭人族，猝不及防地在我國四處亂竄猛噬開始，今年已整整六十年。六十年，一甲子、漫長的歲月，當年的抗戰兒童，如今已兩鬢蒼霜，應該還記得小時跟隨長輩逃難躲警報，小心靈充滿恐懼，腿腳痠疼忍飢挨餓的艱苦日子。當年英雄抗敵，或劫後餘生的中堅壯年，大多已帶著傷痕憾恨長眠安息。而像我這般十四、十五的青少年，如今也已進到古稀之年，也許記憶有些減退，心境已日趨平和。但常常一念如微風。拂散歲月的塵封，心中血的記憶依然清晰似深深的烙印，驚嚇過度的神經，就是平空一聲演習警報，仍讓我怵然震慄，偶然瞥見腥紅圓圓的標記，仍使我感到怵目驚心。有時翻閱幾幀殘缺發黃的老照片，總不禁熱淚盈眶，心血潮湧，那些疼愛我的親人或早逝、或失散，不該太早就斷了親情，萬劫餘生，一輩子漂泊，竟不能終老於從小生長的地方。夢裡纏繞牽縈，總是生命中不能磨滅的悲痛與憾恨。

我生長的地方是寧謐安詳的歷史古城——水鄉蘇州。自小浸淫在濃濃的文化氣息，醇醇的書香、花香、稻香裡，沐浴於溫馨的親情、人情、鄉情中，風物清嘉，河水日夜流，歲月和平無驚，少年的我，天真自在，無憂無慮。未來，如同蘇州數千年來編織不盡的絲綢，一片錦繡。偷襲盧溝橋的槍聲一響，有時天崩地裂、世界變色，所有的和平安詳、美夢理想，全被炮火炸得粉碎。

那年春天，父親應好友之邀，答允暫時幫忙他的新工作。平生第一次出遠門。一家四口甫抵南昌，不二月戰爭爆發。家鄉旋即淪陷，一連串的噩音不斷傳來；侵略的獸蹄到處蹂躪我國土，血腥的魔掌殘酷地屠殺我同胞，敵機更是濫施轟炸。城市是目標，鄉鎮也不放過，不能占領便摧毀。淒慘異常的警報聲起起落落，載滿炸彈的飛機，沉重的嗡嗡聲忽近忽遠。學校不能如常上課，機關行號不能如常工作，家庭主婦不知道什麼時候能煮好一頓飯。半夜裡從被窩中跑出去，黑暗中磕磕碰碰，撞了頭傷了腿，冬天裡冷的牙齒直打顫。有月亮更可怕，孩子一哭便給蒙上嘴。防空洞不夠，出城下鄉上山，躲在霉濕的空墓穴裡，望著兀鷹般的飛機低掠俯衝。聽到炸彈投下時慘悶的回聲，心中悚懼，不知又是何處遭殃！回城時被叫改道，原來就是城門口那間茶棚炸個正著，平時常向他要茶買南瓜乾的沈老闆，一條腿還掛在樹上，另一個路人肚腸外流。一旁的學校坍了幾間教室。沈老闆為人樸實誠懇，對我們這些小主顧十分和氣，他獨家自製的南瓜乾是我們最愛吃的零嘴，一個善良無辜的人，卻遭遇這樣慘酷的下場！然而，像這樣的例子，又何止千千萬萬！

大庾西華山以生產製槍炮必須的「鎢」聞名國際，抗戰時用來向國外換取武器。父親所屬的鎢管處便是管三山的探勘、開採、輸運等繁重業務。敵機三番四次轟炸，炸毀了一些山上的設備、建築，死傷了好幾個人。大山屹立不動，氣得礦工們向空揮舞著鴨嘴鋤，恨恨地喊叫：「炸吧！炸吧！把鎢苗全給炸出來，好省點力氣！」

無休無止的驚擾，人人忙於奔走、神經緊張、生活失序。纏過腳又解放的母親，每天晚上用溫水紓解她腫脹不堪的半大腳，直疼得咬牙蹙眉，剛走路還拖手的潤妹，成天穿那二件改自母親旗袍再染黑的衫裙，臉蛋臂腿曬得黑黑的，大家叫她「小黑皮」。我經常帶著課堂上教不完的課本，想溫習又看不下去，最受影響的是父親，愁眉不展，日益清癯。原先邀他來的朋友在調飛重慶，他曾打算突圍入川，一家卻被困在廣西全州，又只得踅回大庾原處。原來是個書畫養性、恬淡自適，而個性耿直狷介的文人，怎禁得起憂國思親，顛沛奔波，就在戰爭慘烈的第三年，身心交瘁，猝然病倒，三天來還不曾探出病情，便含恨去世。父親英年早逝，樑柱傾圮，撇下母女倆在舉目無親、烽火阻隔的異鄉。那年我十七歲，忍住傷痛，挺起柔荏的雙肩，套上太沉重的耙犁。青春沒有美麗的春天，只是在憤恨和憂懼，哀傷和惶恐，責任和期許間掙扎奮鬥，堅毅沉穩的母親是我最大的支持。

畢竟，人是有潛力的，不到生命和尊嚴受到劇烈的迫害，不會展現，青春代表著頑強的韌性，越加壓力越能反抗，接受挑戰，苦難使人產生生存的勇氣，化柔荏為堅強，心中泣血不落淚。承擔考驗，使人長大成熟，鞭策自勵、錘鍊意志成鋼鐵。想到國家民族蒙受如此奇恥大難，多少同胞拋頭顱、灑熱血，壯烈的犧牲奉獻，渺小如我，不能為捍衛國家而戰，便應該在小小的崗位上，竭盡微薄的心力，做好自己的工作。由於更迫切需要大量武器對抗頑敵，鎢處日夜加工增產，我高興也間接參與了任務，之後在上猶兼另一份報社編輯工作，努力呼籲青年作者群，一起來以文字振奮民心，激勵士氣，建立我們的心防。穩固大後方，便是支持前線，而大家信心堅定，信念如磐石，堅信最後勝利必定屬於我。

抗戰中期，江山失陷大半，卻遇到堅強抵抗反攻，侵犯失利，要轟炸時又遭我方空軍迎頭痛擊。戰爭成拉鋸膠著狀態，敵方獸性大發，反變本加厲，濫施暴行，舉凡南京大屠殺，重慶大轟炸，所到處姦殺擄掠，酷虐百姓，無惡不作，血流成河，屍骨遍野，驚天地而泣鬼神，是有史以來最慘烈殘酷的殺戮戰爭！

到三十三年底，日寇長期窮兵黷武，遭我國奮勇抵抗，似乎已技窮力乏。索性迴光返照般，傾巢而出，全面攻襲，就連平時不屑一顧的偏遠鄉鎮也分頭突擊。那年夏天，鎢在不能輸運的情況下暫停開掘，我和少數人員坐運砂船疏散上猶，是一個三面環山、沒有交通電力的偏僻山城，一個陰寒的歲暮年尾，報社周社長忽然召集員工宣布：敵人「從湘粵贛邊區大舉南犯，干州已淪陷，有一股游兵正自塘江過來，離上猶不過二十五、六里，明天天亮全城撤離。目的地營前鎮」。

全程約八十華里，中間必須越過一座高山，沒有任何代步，一天要到達。我不知道我們母女仨怎樣走完了這趟艱辛可怕的路程，但那種舉步維艱、淒苦無助的狼狽模樣，如今閉上眼仍能在腦中顯現。第二天到達鎮上，碰到鴿處唯一同仁說我已被遣散。之後報社同事找到我，告訴我人和機器都已安頓在平富鄉一座尚未完工的小學校舍裡，距此約三四里路。

那真是一座僻靜的小小村莊，山坳里疏疏落落幾家農舍，全務農為生，生活簡樸單純的近似原始，自然也不受警報干擾。獲得一時苟安，竟在這山坳裡又開始發行起報紙來。

而最後，也就憑那台舊收發報機，第一家得到勝利來臨的喜訊。

苦待中的勝利終於來到，收復國土，贏回自由，又付出了何等巨大的代價！國家元氣被嚴重斲喪，無以補救，多少勇士犧牲，多少百姓慘死，不能復生。無數珍寶國寶，民間財物被掠奪、被破壞，又有誰來賠償？而八年來，我失去了好幾位親人，失去了家園，耽誤了學業和前程，破壞了生涯規劃，被毀掉所有生命中應該擁有的，一切美好和珍貴的事物，扭曲了我的一生。人生的路只能走一次，又怎能回頭再重覆？國仇家恨，這仇被饒恕了，「血」債也可以不還，但心中的「恨」卻永難平息，「痛」更是一生一世！

戰爭結束，殘局猶待善後，由於我們寬大為懷，侵略者毫不負責地，又很快從戰敗中建立、強盛起來。

歷史書上，正確的記載著窮兵黷武者如何陰謀發動戰爭、侵犯中國，以致引發二次世界大戰。別人卻已昧卻良知，用那染血的手，抹煞歷史、歪曲事實，寫下掩飾罪行的謊言。

禁止用武，但看看今天人家早以次等文化一步一步輸入、拓展而至氾濫。從文具、衣著、器皿、電子電腦、漫畫、音樂……從生活所需到消遣娛樂、醫藥機械種種，無所不備，有些國人喜歡沉迷到崇拜的程度，卻不知思想觀念的滲透，比用槍炮攻陷城池還可怕。

偷腥的貓兒改不掉習性；親善的外貌下仍可能隱藏覬覦的野心，釣魚台事件便是明顯的例子。與狼相處，應該保持警惕，不能沒有戒心。

六十年，漫長的日子，那慘痛血腥的暴行，恐懼震慄的轟炸，顛沛流離的艱辛困苦，親人失散，家破人亡的無盡悲慟，對走過抗戰、劫後餘生的中國人，永遠是刻骨銘心的創痛，提起當時，依然血脈賁張，老淚盈眶。若干年後，可能僅留下白底黑字，無聲的記載。如今生活在富裕安樂中的新人類、新新人類，要知道眼前的和平，是前人用犧牲換來的。請記取歷史的教訓，多珍惜！

編註：本文原刊於《青年日報》，一九九七年七月二日，第十五版，為「七七抗戰六十周年紀念專文」專題文章。

鳳凰花的歲月

——我住柳橋頭之一

當我小時候，在千水縈迴的水鄉，在幽靜的園林之城——蘇州。住在誕生的老屋裡，走在自小摸熟的大街小巷，踩著數不清的拱橋、旱橋，穿過桑柳夾岸，臨水人家紅袖招的潺潺河流，喝的是自家庭院中沁甜的井水，聽到的是世上最親切悅耳的鄉音，蘇州人天性就最重視「安土重遷」，認定生長的地方便是長根的土地，從來不曾想到有朝一日會離開家鄉。

當我年輕時，由於父親工作的調度，更由於戰亂災禍流離顛沛，轟炸機在頭頂盤旋，炮火在背後驅逐，人隨著工作崗位輾轉挪移，逃亡到一個陌生的城，又躲避到一個陌生的城。駐留於一個純樸的市鎮，又暫棲在一個僻遠的村莊。心理上總認為只是暫避戰爭風暴，等待勝利的雨過天晴，只是短期借枝稍作棲息，隨時準備重返生長的地方。從來，從來不曾為長久居住而妥為安排。

可是，不想離開的卻離開了三、四十年不曾回去看一眼，在新贛南那些小山城裡一困就困了十幾個寒暑。抗戰勝利還來不及回家鄉，便來到寶島，在南台灣那個小鎮上，又整整蟄伏了二十年。

二十年，比我在故鄉住的日子還多了四分之一。二十年，手栽的幼苗早就結實成蔭，剛啟蒙的孩子早就學有所成，年輕的已邁過少壯而哀樂中年。二十年，七千多個日出日落、花開花謝的日子，數不清守著寂寞默默耕耘的漫漫長夜，數不清付出心血仔細刻劃思想的朝朝暮暮，數不清生命中的坎坷和衝擊，數不清生活裡多少艱辛和喜樂，更數不清流水般悄悄流失的時光。歲月帶走了青春韶華，沒有春華秋實，不見豐功偉績，只留下一疊疊白紙染透黑字，青鬢成絲。

二十年來，我雖然仍不曾在那塊土地上生根。但是那片土地和土地上的一切一切，卻在我感情裡埋下了深深的根。無論是人物，是花木，是南台灣炙熱絢麗的陽光，是高爽溫暖的氣候，是那遮蔽了二十年風雨的木屋，是門前踐踏千萬遍的石子路，是小園中親手栽植的白蘭花、鳳凰木、珊瑚藤、山櫻、紫薇、樹蘭、木瓜、桂圓……以及無數花花草草，是每一個鴿子呢喃、公雞引吭報曉的黎明，是草坪上孩子們和狗兒嬉戲的晝午，是籬外牛鈴叮噹串起的黃昏，是村後密密叢叢青紗帳似的甘蔗林，芊綿的番薯田。村旁潺潺潺流的小溪，村前幽幽邃邃的鳳凰木林蔭大道，和村子口垂柳飄拂的樸質木橋。尤其是鄰居們相處的那一片真誠和諧，彼此關照、相互攜助、融融洽洽、無限溫馨。小鎮居民純樸淳厚的人情味，生活中難忘的種種小故事，孩子們在那兒一起成長的喜樂和光榮。還有貓狗親家，花草同盟，不寫地址也送得到的老郵差，一通電話就大駕親臨的獸醫（看狗）……這些那些，全都留下我誠摯的關懷和不盡的思念。而單純的生活，平靜的日子，讓人從沉思中學得睿智，在悠閒中陶冶性靈。那田疇、菜園、溪流、幽巷，都培養了我的靈感，從我筆尖流出的墨水匯成鉛字的長流，也浮現著綠巷、小河、田野、人家；生命之流，感情之流，思想之流，文字之流，和那條柳橋下的溪流，已融匯成一條永恆之流。在我的心版上，在我的書裡。

畢竟，那一段漫長的、鳳凰花的歲月，在我生命逝去的歲月上，已烙下了難以磨滅的印記，我將寫下點點滴滴，不用雕琢的文筆，不用華麗的詞藻，只以純樸的字句，真摯的感情，蘸上祝福及感謝的蜜汁，勾勒出一幅幅真實的小品圖景。

編註：本文原刊於《青年戰士報》，一九八一年十一月二十一日，第十一版。

小鎮溫情
——我住柳橋頭之二

小鎮位在南部兩大名市——古老的文化城與新興的工業城之間。也許，正因為它的地名有一個山字，就像山那樣頑強、執著，有它自己地域上的個性，不輕易被風氣同化，也不太受任何潮流感染。在機械科學突飛猛進，物質文明橫流而行，文化與工商業同時起飛的時代，獨保持原來風貌，歲月行進的腳步遲緩而從容，顯得有點保守，有點落後；也許就因為不去追趕那種尖銳化的物質文明，浮誇的奢侈繁華，卻保留了那份難得的樸實風氣，淳厚的人情味，以及悠閒的生活步調，安詳清靜的氣氛。

在小鎮上，人們不必受服裝的拘束，把自己打扮成紳士貴婦，不管走在鄉道或大街上，盡可以領略一會路邊的景色，思考一個小小的問題，或是緩緩地權當散步，不必擔心市虎對生命的威脅，空氣裡沒有囂張震耳的廣播聲搓揉神經，眼睛所接觸的也沒有五光十色櫥窗廣告的誘惑。那些樸素而簡單的小商店，默默陳列路旁，彷彿只告訴人們一句話：「我所以存在，只為供給你們的需要。」也有三五家冷飲店，沒有醉人的音樂和迷人的情調，白色玻璃櫃裡擱著剛剖開的西瓜和木瓜，好像在招呼路人說：「你若渴了，讓我替你解渴吧。」不管白天晚上，街上的行人不會太多，但走不了幾步，總會遇到一個微笑，一個頷首，或是一聲招呼，也有彼此默默對望一眼，嘴角掛著一抹笑意，好像說我知道你是誰。也有半生不熟的面孔，只不記得在哪裡見過……似曾相識的還真不少。

走到商店裡，有時還像老朋友似地問候家人這家藥房說：「好久沒有看見你家老太太出來了她可好？」那家雜貨店說：「妳的孩子上中學啦，好福氣！」走進書店，小夥計迎上來：「替妳留了本《今日世界》。」買一束信封，文具店的老闆立刻擱下算盤，親自挑一束乾淨的給我。……買東西少帶了錢，老闆娘早把我要買的東西包好塞進手提袋，笑著說：「下次隨便什麼時候上街帶來好了。」

逢到放學時，就像水銀瀉地，幾乎每條大街小巷都有學生的蹤跡。揹著大書包的小學生，神采奕奕的中學生。還有騎腳踏車的，驚鴻游龍般飛駛過去，這時我得不時微笑點頭來答禮，他們和她們有的是朋友的兒女，有的是孩子的同學，但因為一個個都長大的那麼快，我常常弄不清誰是誰。只覺得一樣全有著純潔可愛的笑容，活潑有禮的舉止，樸實、勤奮而活力充沛。唯有他們，給這古老保守的小鎮，帶來了朝氣和新生命。……當學生們散完，小鎮已臨近黃昏，我提著滿袋雜物踽踽獨行，忽然背後一聲鈴響：「要不要送您回去？」一回頭，只見一張誠樸的笑臉和一輛空三輪車，也不知是什麼時候坐過的，坐上來不用說一個字，自會轉彎抹角地給拉到家裡……

十幾年以前，我就在一篇題為〈小鎮上〉的短文中這樣寫過。在我離開那時，似乎一直沒有很明顯的改變。如今又過了七八年，也許，拓建了一些新的路，填平了一些溝壑，加蓋了若干新式樓房，寺廟修築的更輝煌，放牧牛羊的公園添置了運動場。而遠山更蒼鬱，路樹更濃密，南台灣的陽光更絢麗熾熱……

——當你在一個地方待得太久，你便會變的與周遭的環境相似。沒有新奇，沒有崇敬，也就不再汲取。不再提升，更不求超越，不求突破。缺少新的養分和潤澤，慢慢地，心靈困乏，思想枯澀，精神貧血，生命力衰憊。而影響所及，外形也變的平庸、呆滯、愁苦、迷茫、冷漠……當我厭倦了長期蟄伏的生活，也曾在《浮生散記．夏日，在燃燒》篇中這樣寫過，一如紀德在《地糧》中所寫——別停留在與你相似的周遭；永遠別停留。當一種環境已與你相似起來，或你自己變的與這環境相似。立刻它對你不再有益。

終於，揮一揮二十年的積塵，我離開了。

而當我真正離開了小鎮，離開了我們的村子，那一切卻都在我心深處扎下了感情的根。時間隔的越久，距離拉的越長，所有不愉快的，令人厭倦生膩的，都逐漸隱退消失在時光的塵埃中。一些美好的、可愛的、親切的，撥開現實生活的陰霾，自遠遠的返顧，卻顯得更純淨、清晰，煥發出珍珠般的光澤。

那些光澤，常常在我情緒低沉，心靈黯淡時倏忽閃現，溫暖我、點亮我，在我心情浮躁，意念混淆時，悄然閃亮，安撫我、澄清我。

可能，有一天，我還會回小鎮去，回去我們的村子去重新覓取往日情懷、往日溫馨。

編註：本文原刊於《青年戰士報》，一九八一年十一月二十四日，第十一版。

小溪一曲抱村流
——我住柳橋頭之三

小橋，流水，人家……
小溪（清江）一曲抱村流……

只要輕輕唸這幾個字，誦這兩句詞，總不由得讓人泛起一股悠然的情緒，眼前浮現一片樸實幽靜的鄉野景色。人也彷彿超越塵囂，離開城市，走進遠古，融入詩詞……只不過這江僅僅是一道無名的溪流，環抱的也不是什麼大唐浣之溪，而是我們羈居的小小眷村，村裡有橋、有水，自然也有人家，三、四十戶望衡對宇而居，和睦相處，秩序井然。不是避秦的桃花源，卻自有一份市囂外安靜寧謐的氣氛，村後展延開一片寬敞的田野，莊稼人隨著自己的喜愛，像自然的藝術家般，四時不同地栽種些番薯、蔬菜、甘蔗、玉米、稻禾……一畦畦高高低低，深深淺淺的綠，綠到最深遠處，是一排疏朗有致的竹林，掩映著農舍三五幢。溪流不知從何處起源，於何處終止？就涔涔浥浥潛行在幽篁叢裡茂密的水草中，彎過竹叢這邊，才開始活潑起來，沿著草坡蜿蜒而上。繞過農舍，穿越田疇，便並著村旁的小徑直往直前。淺隘的地方淺到可以光著腳涉水而過，寬闊處卻高高地架著木橋，聯繫起兩岸。越是上溯越加寬深，黃梅季或驟雨時水位也會暴漲，也會滿溢氾濫，也會濁浪滾滾。平常日子卻總是潺潺湲湲。輕唱慢吟，顯得如此安詳而悠舒。

溪流兩旁迤邐展開的草坡和沙灘，更是一段有一段的景觀，野牽牛花從水畔一直蔓延到岸上，一年四季渲染得奼紫斑爛。秋天裡，蘆葦搖曳著一片盈盈的白。不時也點綴幾叢紅黃相間的美人蕉。在滩灣僻靜處，偶然也會發現幾株白蝴蝶似的水薑花。有人隨意墾拓一塊泥沙地，周圍插上些三角仙人掌作為界限，便在土裡種上白菜、茄子、番茄什麼的，有人隨便用細竹子搭上矮矮的棚架，攀緣著滿架開大朵大朵黃花的絲瓜，或細細緻緻、藤梢翹揚著小蝴蝶的豌豆。將近傍晚，莊稼漢就近用木桶在溪中舀滿水，那樣好整以暇地灌溉一遍。也有在沙灘曬米粉的，一方方雪白的米粉，平鋪在竹編的曬架上。一扇扇斜撐著的，很像空白的畫布。唯有太陽能在上面揮灑自如，抹上大塊大塊的金色。更有人看中了橋塊的空曠灘頭，乾脆連人帶鴨在那裡紮營築棚，鴨群在水中嬉戲，在岸上食宿，喧喧嚷嚷，成為最熱鬧的地段。卻從來沒有擠軋，沒有爭執，溪岸線拉得很長很長，和平相處，誰也不影響誰。

這天然的源頭活水帶給居民的方便，又勝過自來水，不但用於灌溉，剛拔起的菜，挖出來的蘿蔔，就在溪中洗去泥土，耕了一天田的水牛似乎就盼望下水那一刻，龐大的身軀動也不動躺在清涼的水裡，顯得滿足而舒泰。我們也常常帶了有德國牧羊犬血統的狼狗娜拉去溪中沖涼，挑一處不太深也不很淺的地段，牠從容地涉水過去，巍然蹲坐在水中央。讓寬闊多毛的胸脯承受著水流沖濯，一副中流砥柱的模樣。孩子們赤著腳在淺水裡捉青蛙、抓蝦，有時摺成紙船，放進溪中隨水飄流，自己跟在岸上跑一陣、叫一陣。純稚的心彷彿當真乘著帆船去遠航。也有熱心人士搬來巨大的鵝卵石，堆在水淺處砌成跳橋。小學生抄近路去上學，可以踮起腳尖跳蛙般跳過去。水流分成好幾股沖過石罅縫裡，依然一路歡唱激進。

在長長的梅雨季，小溪往往顯得躁鬱不安，容易激動。記得有一年雨季特長，雨勢特猛。霪雨成災，已有好些地方淹水。小溪承受不了，一下子也洶湧起來。草坡淹沒了，沙灘淹沒了，牽牛花、菜畦不見了，鴨棚也撤退了，沒有牛沐浴，沒有人汲水，水面一波一波眼看著快漫上橋身。田裡溢著水、路上積著水、院子裡也淌著水。村子幾乎成了水村。卻還有人在上流撒網，在橋墩垂釣。雨稍停，孩子們光著腳，帶著狗，村前村後的踩水遊戲，大人們去橋頭觀賞洶湧的水勢，全沒有把它看成威脅，卻當作新鮮。只因為小溪只是小溪，多少年來，朝夕相處，太熟悉它溫順和平的性格了。縱使忍不住被惹得激動發怒，也不致氾濫。危害安全，於是居民們誇耀自己住的村子是「福地」，從不淹水。

潺潺的溪流，也給村子帶來了安謐的氣氛。居民們生活得從從容容，安排得舒舒齊齊。繁忙中有悠閒，忙亂中有秩序。朝朝暮暮，歲歲月月，時光如流水一般悄悄流走。流失了坡岸上數不清的屐痕。磨平了沙灘上重重疊疊的腳印，曾經是那樣小小的光腳板印，已穿上皮鞋健步如飛，不知那一天真的飛走了，不再踐踩。曾經是踏實穩重的腳步印，已逐漸蹣跚遲緩，且已很少踏涉。只有溪水總是悠悠地、潺潺地穿過田疇，繞過村子，輝映著南台灣熾麗的陽光；伴著村民的勤勞、喜樂、憂傷，不停地向前奔流。生存的種種，一切都在默默中運行、進步、成長、發展……而每晚、每晚，在深邃的星空下，在澄淨如水的月夜。村子便枕著小溪沉沉睡去；和所有村中的居民——家中操勞的、地面籌劃的、天上飛行的、學校求知的，一起做著安逸溫馨的夢。

整整二十年，我沉思、我寫作，我也酣睡在這最清靜安謐的夜晚，在星空下，在小溪一曲枕抱中。

編註：本文原刊於《青年戰士報》，一九八一年十一月二十八日，第十一版。

柳橋風光

——我住柳橋頭之四

小河潺潺地橫貫全鎮，鎮上便有好幾座跨越河流、聯繫兩岸的橋樑。在我們村民心目中，似乎只有這座村子對外交通的橋最親切、最著名——柳橋。「煙柳畫橋」聽起來顯得多麼詩情畫意，又多麼簡潔樸素！只要唸過一遍，便再也不會忘記。何況千百次往返來去，腳印已踏出史蹟。鐫在木板上，也鐫在心版上。

本色白木頭的架構，沒有絲毫雕飾漆髹。厚實的木板鋪砌成橋面，齊腰高的粗木柱欄杆，很鄉土。走在上面平坦舒爽，有腳踏實地的感覺。那些匆促趕路的腳步，到得橋上自然而然會緩慢下來。挑著籮擔的也許就卸下重負，靠著欄杆拭拭汗，歇口氣。騎腳踏車的技巧地一隻腳煞住車輪，望望無盡的流水、青青的草坡，再輕疾地滑駛而去。放學回家的小學生喜歡攀著欄杆，俯首在欄上觀看，撒下兩片葉子當小船，跟著從這邊跑到那邊。就連大狼狗娜拉跟了主人去散步，也總是把毛茸茸的巨頭從欄杆空隙伸出去，一看就楞楞地看半天。夏天晚上，更是納涼看星月的好去處，三兩個朋友靠著欄杆，東一句西一句的閒扯。也有年輕人帶了口琴去吹奏。語聲、歌聲零零落落飄浮水面，像微風吹落花瓣葉片穿越橋洞，順水流走。當人聲寂然，就只聽到水聲淙淙，那是它們在星光下私語、在月色中吟唱。而橋總是篤實自持、莊矜無語。

　　不知什麼時候起，被養鴨人看中了橋底下一大片空敞的沙灘，開始在那兒紮營駐防起來，從此橋下又多了一種鴨的景觀、動的畫面。看群鴨進餐可真是一番壯觀！養鴨人端著重甸甸的一籮稻穀，傾倒在箕中。鴨群立刻像潮水般從四面八方迅速湧來，一剎那便遮沒了黃澄澄的穀粒。只見萬頭鑽動，長頸伸縮。等再蹣跚離開時，籮箕已空空見底。一隻隻腆著圓滾滾的鎖囊，有的三五成堆在一起整理羽毛，或將扁嘴藏在翅下打盹。有的跳下水去載浮載沉，好不悠閒自在。從披一身黃茸茸胎毛的傻小鴨，到體態豐滿、羽毛光澤，活潑潑的生命就在水裡成長。有那麼一天清晨，踏上露水濡濕的橋上，卻見鴨欄裡排滿一顆顆晶瑩的蛋，在晨光微曦中閃著淡青，乳白的光澤，養鴨者正忙著一一拾取。連橋上所有早起經過的人，不覺都沾上了一份收穫的喜悅。

　　村子原是純住宅，沒有一家商店或小舖。剛搬去時，橋堍的拐角上卻有一座比人還矮的迷你草棚，是村中孩子們最嚮往的寶庫，也是唯一准許單獨交易的場所。連話還說不清的小小孩，都曉得討上五分一角，跟著大孩子跑去小攤上，面對琳瑯滿目的糖食、玩具，露出一副目迷五色，無所取捨的神情；紅紅圓圓的酸梅糖，一毛錢兩大顆。尖角包爆米花，裡面還附有錫的小飛機、小輪船，一毛錢一袋。紙糊的摸獎板，一毛錢打個洞碰運氣。七彩的玻璃彈子。可以用泥土做動物形象的模型。畫著人頭的圓紙牌，比一比看誰飛得遠打得準。吹氣紙球、鐵皮手槍、不倒翁、小鍋、小爐……還有現削現買的蜜汁甘蔗——孩子們忙著跑去橋塊，卻不是為著要過橋。一毛二毛買的不只是糖果玩具，也購存了童年美好的回憶。

時光隨著流水悄悄逝去，不留痕跡。任何進展與成長彷彿也在悄悄運行，不顯形跡。孩子們陸陸續續都上學了，興趣更廣泛了。遠遠的社會工業發展的浪潮，也隱隱波及村落，提升了那些小小的好奇與欲望，像變魔術般，簡陋的迷你小攤忽然從地面消失拆除，橋塊下視野清了，卻再也不見孩子們來留連盤桓，再也聽不到清越純稚的笑語聲。冷落了好一陣，一排扶桑、相思木和仙人掌混合的綠籬，把那一角圈圍進去，開拓了一座花圃。裡面一畦畦、一列列的花草，栽種得整整齊齊，各色玫瑰、大理菊、康乃馨、夜來香、十三太保、變葉木。……隨著時令更換種類，在南台灣炙熱的陽光下，紅嫣紫奼，開得一片炫麗。從此，上橋下橋，總不由得在綠籬外窺探一會，或在橋上多望兩眼。也讓過路人悅目賞心。花圃沒有名字，大家就管它叫橋頭花圃。

還記得剛搬來不久，我寫了篇短文〈趕在太陽前面〉（收入《漁港書簡》）曾寫到：

門前的路通向不遠的一支小河，水很淺，卻有著寬闊的河牀。兩岸一叢雪白的蘆花，在風裡招展。生長在斜坡上的藤蔓，每天迎著陽光開出一朵朵紫的藍的喇叭，是大地吹奏著無聲的生命樂章。聯繫著兩岸的是一座木橋，木橋有個恰如其分的淡雅而可愛的名字：柳橋。每當彩雲渲染著河水的薄暮。我們常散步至橋上，聽流水嗚咽吟唱。而在月夜，橋浴在融融的月色裡，更是無限嫵媚，若是渴了，橋堍不幾步便是清靜的文化茶座（新生社），進去呷一杯冰紅茶，聽兩支輕音樂，再讀幾本新到的雜誌。鄉下市面早，這麼看也就享受了一個恬靜的夜晚。

文章刊出在《中副》的當天晚上，就有人找上門來，提起我的名字探詢，正詫異剛搬來並沒有熟人，進來的卻是四個白衫黑裙，清純得像四朵百合花的女孩子。她們說讀過我的第一本集子《青春篇》，又在報上看到我寫的文章裡提到「柳橋」，推測我一定搬來了村中，在眷村要打聽一家新加入者似乎並不太難。她們鼓足勇氣登門拜訪……她們喁喁噥噥地輕訴細述。含羞帶怯，暢語又休，那種熱忱可愛的嬌雅模樣，令人難以忘懷。有兩個還帶來了書讓我簽名。那也是我第一次面對面接觸我的小讀者們。不是由於我的文章，而是由於大家都熟悉的柳橋。

最有意思的是，當大家都把柳橋叫得琅琅上口時，橋的兩端卻並沒有栽種柳樹，更不知這名字由何而來？直到很多年以後，重新拓寬了橋，才想起應該名副其實的在兩頭栽上兩株楊柳。這以後，當真兩岸垂柳，隨風飄拂，嬝嬝依依，撩人情思。更替橋添注了無限風情。

一橋之隔，橋那頭卻又是另外一番境界，寬敞平坦的道路通向學校、醫院、訓練基地、水庫、海邊……只是，橋拓寬了，車輛頻繁，人們倒反漸漸減少了閒情逸致。而橋那邊卻越來越熱鬧，一幢幢樓房建立，開了鐵工廠、車行，也開了電影院，四元一張全省最便宜的票，可以享受冷氣，享受很夠水準的電影。烤番薯、炒花生、烤魷魚……一些應時而生的小攤販，像衛星般，拱繞著巍峨的中山堂亮起點點熒光，形成小小的夜市。

橋聯繫起兩岸，暢通無阻。橋也是分界線，一邊引伸向知識的探求，棟樑的培植，工商業的發展繁榮，一邊依然是小溪一曲抱村流，家家園子裡花木茂盛，濃蔭匝地。門前綠巷幽幽，草地青青。勤勞中有著和諧，忙碌中有著秩序，村子裡永遠瀰漫著安祥寧謐的氣氛。

編註：本文原刊於《青年戰士報》，一九八二年一月七日，第十一版。

鳳凰林蔭道

——我住柳橋頭之五

有人類的地方就有路。

這世界上，有不知其數的路，每個人一生所經過、走過和正在走的，也數不清有多少路，有的只是為到達某處，偶然通過，有的是長期居住，恆常來去。有的平平實實，經過只是匆匆經過，誰又能記得比自己年齡還多得多的路！有的兩旁樹木扶疏，風景幽雅，經過時不由人放慢了腳步，一面欣賞，一面緩行，留下深深的印象。而在那何止千百次來去，往返次數多了，不只眼中有路，心中也有路，閉上眼睛，也背得出來哪一段有房子，哪一段有樹，哪裡拐彎，哪裡有低窪。一朝離開，只要稍一凝神返顧：路的風貌，又會清晰地展現在回憶中。

我們村前那一條鳳凰木掩映的林蔭大道，就是那樣一條令人懷念的路。

猶記得二十五年前的夏末秋初，倉促自屏東遷往小鎮，吉普車在炎陽烤炙的公路上奔馳了一個多鐘頭，人畜（貓狗）彷彿都將融餳，忽然轉入一條綠沉沉的林蔭道，兩旁盤虬蟠踞的樹幹向上縱橫伸展，叢密的枝葉在半空中參差相接，形成一座濃蔭遮掩的拱道，幽幽邃邃，筆直向前延伸。細緻茂稠的葉隙間，還閃爍著將凋未落的鮮豔花朵，路旁樹根下也有層層落英。風過處，更有三朵兩朵輕盈飄舞，似彩蝶翩翩翻飛，又悄然墜落車篷上、地下——一瞬那只覺得心平神怡，暑氣全消——這一段，是我在《倚風樓書簡》中所寫見到那條路的第一次印象。路並不很長。茁壯的鳳凰樹旁，一帶粉牆朱門，庭院花木蔥蘢。間隔著菜圃、薯田，半村半廓，亦鄉亦鎮，路的一頭通向高南公路，一端連繫著柳橋，寬敞、平坦、視野清朗，悠悠舒舒橫貫在村前，是出入必經之路。

鳳凰木實在是自然界最守時的植物，每年按著時序循環作業。似乎從不誤期出錯，因此路上季節分明，情調不一。——每次打從那兒經過，總有些不同的感受；春天漾著柔柔的輕陰，漾著鳥語的漣漪，兩旁的菜畦和薯田綠意潤潤，心頭也平添一份清新的滋潤。夏日來臨，茜紅的花朵便在樹巔逐一點燃。越燃越熾熱，一片閃閃灼灼，光焰直沖雲霄，而底下卻濃蔭匝地，風助燃花之火，又透過樹隙吹在身上，卻是不汗自清涼。秋天裡，落花盈我衣。一路鋪上不是中國，也不是波斯的豪華織繡地毯，從火紅的到金黃色的，待慢慢地化作春泥又護花。冬日看一株株盤錯蟠虬，奇崛樛曲的光枝幹，又如何遒勁地支撐著澄碧的天宇。顯得高曠軒朗，南台灣的陽光，一瀉無阻地傾注下來。而在有濃霧的早晨，又別有一番情趣，沒有天空，沒有樹木，也沒有路和房屋，迷迷濛濛，渺渺茫茫，似乎沒有止境，也沒有盡頭，感覺就是眼睛，知道哪裡是樹和房子，哪裡是菜畦和水池。當頭頂傳來啁啾的鳥啼，便已來到林蔭大道。腳步引起了窸窣騷動，不知是驚動了早起的蜥蜴，抑是朦朧的青蛙。霧慢慢浮動擴散，溟濛中隱隱露出暗暗沉沉的朱門，綿延的粉牆上點點閃閃，懸垂著一盞盞燈籠扶桑，空濛中有人晃動著像演皮影戲。道路漸漸現出輪廓，卻幽幽邃邃，彷彿無底隧道——突然隧道中有什麼怪物猛衝過來；原來是車及載著小山似的蔬菜，趕去赴早市的菜農！等千萬縷陽光透過細細緻緻的鳳凰花葉，撒一地金絲亂繡時，已是霧消雲散。路上絡續串起急促而又快樂的叮噹聲，上學的、上班的一個個精神抖擻，朝氣蓬勃地騎著車子疾馳而去，路旁，兀自吱吱咯咯響著沉緩的節奏，霧中皮影戲的人物——一個農夫，正好整以暇地灌溉他的菜畦，一根粗碩的桂竹橫貫三腳木架上，一端繫一只木桶，一端縛一塊巨石。繩子一拉一鬆，木桶便在水圳中舀滿水傾倒在斜斜的水槽裡，再泊泊流進一道道田溝。很古老的方法，卻帶來一份歲月悠悠的氣氛。村子裡忙中有閒的一天，也就這樣開始了。

路上顯得最忙碌，最熱鬧的時候，也就是早上，趕早市的、上學的打頭陣，緊接著上班的交通車滿載著軍裝筆挺、活力充沛的空勤地勤人員，莊重通過，還有穿一身比朝陽更搶眼的飛行裝備，英挺煥發地開著吉普車風馳電掣而去。再下來，是主婦們為一家營養膳食出發採辦的辰光，騎車的輕疾如燕，走路的安步當車。馳過綠蔭、踏過花影。每個經過的人，眼前一片清新，心底一片明淨。一天的活動，將是意興奮發、神志飛揚。

沒有兒童樂園，沒有動物園，孩子們遊樂的區域，從村子裡延拓到林蔭大道，打從理個短髮小平頭的小男孩，梳兩條小辮子的小女孩，在路上東歪西扭騎小三輪車開始，到踩著四輪溜冰鞋橫衝直撞，斜著身子，自橫檔底下伸過腿去蹬腳踏車腳蹬，那裡是一試身手的最好場所。活潑的身影，穿梭跳躍在綠蔭裡，快樂的笑語聲、驚喚聲，夾雜著眾家狗兒的追逐吠叫，常常驚動了枝梢的小鳥。撲著翅膀，撒下繽紛的花瓣，有沾在孩子們的髮上、身上，那情景，實在美麗動人。

自萌芽、舒葉、成蔭、開花、萎謝、到落葉，每年每年，循環不息。而循環中有不斷的成長。經常打從鳳凰樹下經過的人們，也許會感覺到四季的景觀不一樣，卻不曾去研究枝幹是不是更茁壯、更高，花葉是不是更茂盛、更濃密，只有人類從孩子長大到成人，那過程是那麼顯著、變化是那樣大。二十年來，村中的孩子們一起成長、茁壯，蹬小三輪車、踩溜冰鞋的，一個個開始揹上書包，三五成群唱著「來來來，來上學」。跳跳蹦蹦地走過林蔭大道，走過柳橋——花開花落，孩子們換上白衫黑裙，短髮飛揚；白衫短褲，調皮搗蛋，小女生珍惜地拾起花瓣，夾在課本裡，小男生卻製成標本。接著又換上卡其布制服，船形帽俊俏地斜戴在頭上，騎著腳踏車並駕齊驅，或前或後成縱隊，輕疾地馳過林蔭。敏捷的身手，充沛的朝氣和活力，可愛的十七、十八，讓人覺得那花的豔、樹的青，那麗日、那清風，都是為青春呈獻。

沒有人去丈量光陰，沒有人去點數歲月，鳳凰花一年比一年開的絢爛稠密，花蔭下，卻彷彿有點蒼涼，少男少女似蝴蝶鶯燕般逐漸飛出林子，飛向遠方。也有些返顧歸林的，於是，林蔭道上出現了年輕的父母攜著嬰兒車，那是早年蹬小三輪車的和他們的小貝貝，有白髮成絲牽著小小孩指點鳳凰木花講故事，那是做了祖父母的帶著孫兒女，偶爾又有挪著短短的小胖腿蹬小三輪車的，那是新生的第三代——。

鳳凰花樹越長越高大，花越開越豔麗，根越來越深入，人也一樣生長、成熟、壯大，樹長青不老，人卻會老去，只是繁衍了新生代，綿綿不盡。

懷念中的鳳凰林蔭道，是一條長青的路，一條永生的路，更是一條美麗的路。

編註：本文原刊於《青年戰士報》，一九八二年二月六日，第十一版。

我們那個村子

——我住柳橋頭之六

人們住的地方：是城、是鎮。叫街、叫路，似乎都不及村來得實在而動聽。

村蘊含了純樸、踏實、勤奮、親切。沒有城鎮的熱鬧繁榮，不像路街的平鋪直砌，卻擁有田園的清靜祥和，享有自然的四時景觀。彷彿自成部落，居民與居民相處，自然而然產生安定的秩序，和諧的氣氛。守望相助的精神。軍方將眷屬住宅分成好些區域，並分別取一個富有朝氣的村名；如正氣村、康樂村、勵志村、樂群村、醒村……實在是很高明的措施。

村與我有緣，離開故鄉，住過不少叫村的地方。抗戰時避難於贛南，住過平富村、石溪村，那是名副其實的真正鄉村。以及賃居了九年剛剛搬離的，代表特殊身分集居的中央新村。自然，最難忘的還是那個消磨了生命中最好二十年的村子。

稱它為「我們那個村子」，最貼切不過了。凡是在那兒住不管他住在哪兒，還是離開很久很久了，只要一提起，所有的弄巷、屋宇、田野、池塘、林木、景物和每一家每一個人，每一件經歷和發生過的事情，就都那樣清晰地一一呈現，時光和距離永遠不會磨滅煙消，而且，使每個村民有一種所屬感。

我們那個村子，村前橫貫著幽美的鳳凰木林蔭大道，村後延展一大片廣袤的田野。潺湲的小河一曲抱村流。在遠遠近近眾多眷村中，我們那個村子不算最大，卻是人口密度最稀，環境幽靜，綽有迴旋的餘地。四十幾戶人家，排成非字。中間都間隔著寬寬的巷弄，兩旁聳立著高高的防風木。五、六十坪大的日式平房，圍繞著寬敞的院子。兩家共一幢的，有中間縱切，東西各半。有橫裡對剖，前後銜接。院中樹木蔥蘢，花草叢生，蔚成一片疏疏濃濃的綠蔭。四家打通了，暢行無阻。是眾家孩子們遊樂的園地，也是主婦們洗滌、交誼的場所。誰家樹上結了芒果、蓮霧、芭樂、桂圓什麼的果實，總讓大家品嚐。誰家開了曇花什麼的，總是一起欣賞。下雨時沒人在家，不愁曬的衣服會淋濕，孩子們玩得過於撒野或蠻橫，自有媽媽出來吆喝或主持公道。而下午燃燒煤爐時，滿院子煙霧瀰漫，濁氣嗆人，亦是大家共享。

這個屬於南台灣的小鎮，在中華民國的全國地圖上，大概是看不見的。就在台灣省地圖上，也只是一個小黑點而已，我們的村子更不知是其中的幾十分之幾。但就是那五、六十戶人家，卻占了全國三分之二以上的省籍，那時，像我們這般年歲以及更上一代的人，大都不曾接受過嚴格的ㄅㄆㄇㄈ訓練，抗戰八年流動的逃亡生活也不曾改掉濃濃的口音。交談時可真是南腔北調，纏夾不清。譬如湖南人說：

——我的「腸胃」不好。

——「薔薇」不好就改種玫瑰好了。河南人告訴她。

江西人說——我喜歡「雛菊」。

山東人接口說——嗯，紅燒「豬腳」味道不錯。

江蘇人認為「複瓣」的聖誕紅更好看？

北方人滿腔懷疑地問什麼「腐敗」了還好看？

像這類「冬瓜纏到茄門裡」的笑料，層出不窮，但語言的隔閡，絲毫不曾影響感情的溝通。孩子們卻自己創立了一套類似四川話的語言，從最大的小學生到剛剛學說話的幼兒，一直到他們國語說的標準流暢，交談時仍用他們的第二國語。聽起來似乎特別親切。因此，對他們來說，任何一個省籍，沒有什麼區別。

自然，除了言語，同樣的，生活方式、習慣、風俗，以及思想觀念都不太一樣，相處日久，雖然不完全水乳交融，多少也還是彼此影響默化。先是民生問題，主婦們心中那本老食譜忽然都增加了新的篇幅，口味變雜了，南方人愛吃起麵食來，會烙薄餅、蒸饅頭、做拉麵，更別說擀麵包餃子了，配給的麵粉不愁沒有銷路。逢年過節，北方人卻裹得一手又糯又香的潮州粽子，碾芝麻、搓餡子，滾出一粒粒皮薄餡多的蘇州元宵。上海人擅炒四川麻婆豆腐、江西人做的獅子頭完全揚州口味、湖北人學會了貴州的金鉤玉牌、安徽人燉得一手廣東鑲豆腐、山東人能燒鮮嫩的杭州糖醋魚、天津人的雲南椒麻雞十分夠味。過年時每家除了自家醃製的鹹肉香腸，也有香味特殊的湖南燻臘，全是那家湖南芳鄰代辦的。四川泡菜、廣東泡菜、江西鹹蘿蔔乾，成了每家的副菜。——那時主婦們彼此熱心學習各家烹飪，不是講究吃得怎麼精緻美食。而是要從有限的副食費中，如何調度得當，既能配合家人的胃口，又不失營養。

經歷過那樣艱苦的八年戰爭，居民們大家都有克難精神，物質匱乏，生活艱辛，環境荒蕪簡陋，都難不倒人。平常移東補西，改頭換面，敲敲打打，拚拚湊湊，整舊如新。分配的日式舊房子，簡單或改裝的家具，看來也都整潔安逸。炸過的斷牆殘垣，缺門少窗，花樹掩映下，卻顯得幽幽雅雅。全村自有一種安詳的氣氛。太太們在操作家務的空隙，喜歡學點新東西。有人帶頭鉤紗，幾乎每家都添了精緻的桌巾椅披，婦聯會設了車繡班，張家小妹的衣裙、李家的窗簾、王家的牀單枕套，全繡上了美麗的圖案。大家一模仿切磋，便蔚成風氣。孩子們都有童子軍的服務精神，媽媽們偶然差遣跑跑腿，幫忙做點小事，勤快俐落。誰家的貓生了小貓，誰家的狗最會抓老鼠，誰家的園子裡種了些什麼果樹，他們比大人都清楚。像「路不拾遺」、「守望相助」這類詞兒，村民們會覺得連字典上都用不著。有什麼可以詮釋，可以標榜的呢？人與人相處，天經地義就是那樣子。村子四通八達，從來沒有人巡邏或守崗，附近本地農家，經常放牛羊在村裡悠悠吃草，借用空地，栽種點玉米番薯什麼的，也有些賣饅頭、收破舊、補皮鞋、爆米花的小販，穿流交易。沒有防嫌的城堡是治安最好的城堡，別說從來沒有宵小窺視，連小雞小狗都丟不了一隻。舉一個例子，有一次朋友借了我家狼狗去，一下午就有好幾批小朋友來報告說你家娜拉被一個陌生人牽走了。過二天朋友送狗來時苦笑著抱怨，說那天牽了狗回去覺得自己好糗！一路上逢到小孩大人都用懷疑的眼光打量他，一面嘟嘟囔囔地，那不是×××家的娜拉麼？還有人直接問他打算把狗牽到那裡去，好像自己是個偷狗賊似的。

……

我們的村子，就是那樣一片未被物欲奢華，機械文明所沾染的樸素地。

——芳村近，田原隱隱，疑是避秦人。那位元朝詩人喬吉所寫的很有點相似。我們這些村民，本來就是今之避秦人。能有這樣一片樸素的福地生聚教訓，還有不勤儉持家、奮發自勵的！雖然一家家來自不同的東西南北，卻是信念一致、目標一致。結為芳鄰，已不止是守望相助、和睦相處。而是息息相關、同舟共濟，把村子當作第二故鄉。

編註：本文原刊於《青年戰士報》，一九八三年十一月三日，第十一版。

牽牛花人家

——我住柳橋頭之七

——就是過去第二條巷口，開滿牽牛花的那一家。

我們的村子沒有豎路牌，只要有人問訊，村中的大人和小朋友們都會這樣不加思索的指點——那正是我家。

村中四十多家住戶，有石牆、磚牆，還有少數樹牆。唯獨我家，葳葳蕤蕤一帶綠籬，從橫巷繞到村道，繁花如錦，四季常青，也稱是村中的一景吧。

四十二年搬來時，原來的圍牆早在抗戰時被炸毀了。殘留下堅實的磚頭水泥廢墟，栽樹不長，砌磚不能，清理工程又太艱鉅。小販常把我們開放的院子當捷徑。帶來的貓兒狗兒全走失了，雞雛們散散步就溜去田野，再無蹤影。一直到抱來了我家第一條狼狗——生下才四十天大的娜拉，怕再失去，不能不有個關欄，我一直嚮往鄭板橋筆下那種「一片綠陰如洗，護竹何勞荊杞。仍將竹作芭籬，求人不如求己」和「竹籬疏映白茅花」的鄉野情調，於是選擇了竹籬笆。

當青中泛金的桂竹籬笆編成時，我也沿著L形的籬腳，疏疏朗朗地扦插下一排牽牛藤的剪枝。每天一桶桶的清水灌溉著，筷子般的枝條上很快就萌發新芽，引伸藤莖。我又幫忙牽引攀附，輕繫細繞。還得不時叱趕常來吃草的牛，叮囑割草的別弄斷了藤，惹得放牛的童子劈嘴說牛才不愛吃番仔藤哩，割草工也不以為然地揶揄：這種野番仔呀，越斬越長得旺。

印象中，記得家鄉的牽牛花是屬於纖柔的。脆嫩如豆芽的藤莖，沿著為它支架的竹子優雅地迂迴攀緣，心形的葉子披一層茸毛。花朵碩大豐盈、色澤光豔如紫絲絨，朝開夕斂，花期很短。結下豆莢似的種子，便全株慢慢萎謝了。要等翌年春夏間，落在土裡的黑色種籽再萌芽發枝。但這同屬牽牛成員，被鄉下人叫作番仔藤，又名野牽牛的槭葉牽牛，似乎完全不一樣；它的成長還當真透著點野性哩！藤上萌葉、葉腋吐莖，成長近似一種放射性的迸發蔓延，五裂的掌狀葉密密層遞，纖柔的藤莖稍過一時就韌得拗不斷，衝勁十足、生勢旺盛。要不多久，竹籬的金色底子越來越少，末了只有一帶勻淨綿厚的綠牆，彷彿天生豎立在那兒。這還不算，還得不時提防「五爪金龍」的綠爪勾勾搭搭，稍不疏隔，就纏上籬畔栽種的花木，更越界爬上側院的雞舍，替矮矮的屋脊鋪上一層翠綺，藤葉花串沿著屋簷披拂懸垂，真個是化腐朽為美的神奇。槭牽牛花的花期很長，一年中有三季開的興興旺旺。每天迎著朝陽，眾花齊放，高擎一支支紫色喇叭，向全村吹奏出晨光曲。就是無花的日子，還是一片綠意盎然，配上院內花開時灼灼如火焰的鳳凰木，鮮豔的一品紅、木槿，明麗的紫薇、山櫻，後來又在轉角處撐起一座緋紅的珊瑚藤，也是自夏至冬瓔珞滿架。紫奼嫣紅，相映成趣。那種眩目絢麗繽紛，常使經過的人，不由得放慢腳步，多望幾眼。

籬下那堆沒法剷除的廢垔亂石，乾脆利用碎磚砌起一座三尺多寬、橫貫全院的花壇，填上新土，任由我栽種。「只要是花，我統統喜歡。不分品種，不管類別，弄到花秧花苗，一律分配一撮土壤，一掬清水，讓它自由地扎根、生長、開花。因此我的花壇可以說是花世界的聯合國、花民族的大團結」而「密密叢叢栽滿了花草，就像擠得滿滿的列車，再沒有餘地可以容納遲來的乘客」。在那篇〈載著春天的船〉的小文裡，我這樣記載著：「我那多采多姿的花壇，就像是一艘綠色的長船，載著不謝的春天，停泊在我窗前！」

由於滲入太多的砂礫水泥，全院是一片堅硬的瘠土。嬌弱的花草還真不容易成長，但生命力堅韌的樹還是能夠深深地扎下根去。絡絡續續，我扦插和移植了樹蘭、白蘭、鳳凰木、變葉樹、日日櫻、芭蕉、木瓜，還有種籽落在土裡自己成長的桂圓和芭樂。其中最資深的要算原來的兩株老榕樹，一左一右，正好分植在房門兩側，鬚根垂曳，濃蔭匝地，翠柯交織成拱遮，掩蔽下那幾級紅磚台階和磚墩，是家人最喜歡歇息的地方，納涼、曬太陽、講故事、話家常，大狼狗把身子拉得長長的讓肚皮貼著磚墩，貓咪縮攏四足安詳地閉上眼睛蹲在母親身畔，女兒捧出她豐富的童話書招待小朋友，或是擺家家酒，而我總是趁寂靜的時光，托一塊夾著稿紙的墊板，斜倚著階石塗塗寫寫。在〈夏日，在燃燒〉（《浮生散記》）中我曾這樣寫著：

唯有老榕樹，誰也不知道它曾閱讀過多少星月，經歷過多少風霜？枝枝虬虬的根莖從泥土裡竄出來蟠踞在地面上，細細長長的鬚根自枝端飄垂，彷彿慈祥老人的五綹長鬚。但只要那麼一挨著泥土，便深入潛行，又長成茁壯的樹幹，寬容廣庇，一左一右，兩株老榕樹正好在階前互相參差掩覆成天然的拱門；綠叢中是鳥的樂園，濃蔭下是我的篷帳。

我的篷帳，不是遮風避雨，不是席地而眠，只在瑣碎俗務的空隙，自那兒獲致片刻的寧靜，讓緊張的神經得以鬆弛、煩厭的情緒得以安撫。在枯燥單調的日常生活中，自那兒覓得一份悠閒自適。讓性靈從現實的囚禁中解脫。給幽閉的思想以迴旋飛揚的空間。而躲避陋室的燠熱，更是最佳的蔭蔽。一陣陣清風透過葉叢，拂除了身上的汗水，驅散了心頭的躁鬱。

綠蔭匝地，風透樹梢，鳥在葉叢，我在樹下。攜兩冊書，挾一疊原稿。……由著興致讀幾頁好文章，品嚐些智慧的果實。補住靈感，留下些章句，撒下些單純的字粒……

那些字粒串綴的日子，那些平凡無華的歲月，在牽牛花朝開夕落中淡淡地過去，母親的兩鬢漸漸飛白，女兒從啟蒙而進入社會，樹木一年比一年繁茂竄高，貓兒狗兒換了一代又一代。那雙耕耘的手，一直不停地開拓著密密的格子田，灌溉著滿園花草樹木。默默地奉獻、悄悄地關懷。二十年來，那條載著春天的船，永遠載滿了我從眾香國裡邀請來的嬌客，悠然停泊在書房窗前，那株高過屋脊，夏日每天開花百十朵的白蘭，總讓我一早忙著將芬芳分贈芳鄰。那些桂圓芭樂，等著小朋友們隨時來擷取，那些一品紅，年年為新年散播著喜氣。那兩棵遮蔽半條街的鳳凰木，一直是路人和小販憩歇的陰涼處，那蒼勁的老榕樹，一年四季攢滿了厚厚圓圓的葉片，總是要等新葉長齊了才落葉。那珊瑚藤常在簷前綴滿了緋色的瓔珞，把紗窗裝飾得華麗如錦。而總是那樣蓬勃葳蕤，生勢旺盛的牽牛花，儘管三四年重編一次籬笆，被剪斷過了不久，立刻又很快地蔓延滋長，花團錦簇一座翠屏，攬住滿院秀色。樸質的木屋就掩映在花影綠蔭中，顯得幽幽靜靜，也有雞啼犬吠，書聲笑語，益烘襯出一片祥和安謐，在奢華文明的潮流沒有到達的地方，自然總是特別仁慈而慷慨，它幫忙愛花愛植物的人們裝潢美化環境，不花一文，卻比什麼人工刻意裝潢都更美好親切！

牽牛花人家；我從來不曾離開。因為它一直在我心中。

編註：本文原刊於《青年戰士報》，一九八四年三月十九日，第十一版。

早安．晨光

曚曨中，似有微聲輕撼。神智突破夢與醒之間如薄竹膜的界線，甦醒在晨光微曦，黎明前的寧謐裡。正是牠，我的芳鄰——那棲息在牀頭窗上珊瑚藤中的小鳥。第一個得到晨光的消息，便忙不迭頻頻呼喚播報：「喳！喳！」立刻，不遠外傳來了愉快的反應：「啾啾，啾啾！」緊接著一個稚弱的新聲怯怯附和著：「嘰嘰嘰，嘰嘰嘰！」驀地裡又冒出一個高八度耍著花腔。就只一會功夫，已是啾啾唧唧，一片嗚囀宛啼。是歌頌黎明，是互道早安，抑是商討這一天的旅程？切磋呼應中便已開始了行動；有碰撞鐵欄柵的金屬聲，是在磨喙擦爪罷，有悉索悉索聲，是在整理行裝（羽毛）挨擦著葉叢。於是，遠遠近近響起了撲翅聲，嗚囀漸遠漸輕漸低微，彷彿一陣陣音樂的小雨，隨著晨風飄揚灑落……

更遠處，隱隱傳來昂揚嘹亮的號角，那是人們迎向黎明的晨興曲。

當第一道曙光悄悄地透過窗紗，也通過自一夜沉酣中清醒的心靈，混沌乍闢，隔宿的積塵盡去，靈台明澈如鏡。

早安！鳥兒們！多謝喚醒，海闊天空，願你們永享翔翱之樂。早安，號角！多謝帶給人們以振奮，早起迎向生存的挑戰。

●

推開紗門，走上陽台，晨風拂面，袖裾飄舞，沁涼清新的氣流從四面擁來，潤澤我、涵泳我、高舉我，彷彿我也翼生雙腋，展翅欲乘風……

越過樹巔，越過屋脊，群山偃伏於青灰色雲幔下，有如沉睡中的巨獸。忽然，巨獸恍惚正欲醒來似地顫動了一下。不，不是山在動，是一道金光，湧自山後，烘襯得群山輪廓突出，峰巒分明，一層層雲卷染上了紅暈。放射越來越擴展，強烈，當一輪豔豔旭日帶著萬丈光芒從山後脫穎而出，世界在朝陽中升起——好一個嶄新的世界。

雲幔由輕紅變淡變白，悄然引退。露出藍藍的天壁，群山完全自煙嵐迷離中澄清：岡巒起伏，峰嶺崢嶸，巍然聳立於天地之間。

陽光照耀下，山屹立著；以它廣大深厚的基礎，我佇立著，以挺直的脊骨和自身的力量。

早安！朝陽！感謝你的照耀，為世界散布光與熱。早安，沉默的山嶽！我要學習你的凝重和堅強。

我深深呼吸，感到新鮮的空氣充沛於胸腔，我活動四肢，揮灑自如。我俯仰轉側。關節靈活，我閃眨雙眸，晨光照耀下的事物盡在眼底。脈膊的跳躍與大地的一致。健康真好！生命更可愛。

長巷中人們開始活躍起來，隨著熟悉的音樂一路飄送，清除了隔夜的髒亂，一天的開始乾乾淨淨，接著送報人載著兩大袋猶有油墨溫香的報紙，把這個世界人類活動的種種，塞進小小郵箱。銅嘴唇啟開又合攏，「咯嗒」、「咯嗒」，一聲聲挨戶傳遞下去。騎腳踏車的，揹大書包的莘莘學子，有一本正經邁步躦路，有跳跳蹦蹦小麻雀似地邊走邊唱遊。賣菜的女人挑一擔甫自自家田園採摘的蔬菜瓜豆，曼聲叫售。賣水果的三輪車匆匆趕赴早市，半車碧綠碧綠的西瓜上疊放兩半剖開的紅瓤，板格上堆放著香蕉、木瓜、芒果、柳丁、葡萄……跟那賣花的一樣，搖晃著滿車鮮豔的色彩，在陽光裡炫耀。

早安，勤勉的人們！不管勞心與勞力，願你們這一天擁有豐盈的收穫。

晨妝完畢，鏡中人顯出容光煥發，換一襲整潔合體的衣衫，步下樓梯，迎著我的是金絲雀歡欣的招呼。打開廳門，大狼狗肅立於門外搖尾巴請安，替小鳥換上新的墊紙、乾淨水，加添些小米，又插上一株青菜一撮麵包，提出去掛在廊上。金絲雀一面親暱地唱出牠的感謝，一面高興得竄上竄下，喙喙菜、喙喙米，把麵包喙進水盒裡，又跳下「名片池」，撲著翅膀大洗其澡，迸濺的水珠紛紛灑落在大狗頭上耳朵上，弄得牠直搖頭搖耳，一副沒奈何又好脾氣的模樣。當金絲雀開始播唱一支支自譜新曲，唱得千囀百迴，珠圓玉潤。牠姿態閒雅地俯伏階前，嘴筒擱在伸長的前腿上，聳起尖尖的耳朵靜靜聆聽，就像是金絲雀唯一的知音。而牠心中卻正迫切地在等待，密切注意著主人的動作，只要一個暗示，龐大的身軀立刻敏捷地一躍而起，竄跳奔馳，追隨主人去做早晨的散步。

牠也知道，清晨的散步是一天的幸福。

早安，快樂的歌手！多謝妳美妙的歌聲令人心曠神怡。早安，忠實的大狗！你那寬厚的心地與敏銳的反應真是奇特的天賦。

●

晨曦中小園花木掩映，這是個植物的小小共和國。主人只管扦插播種，從不刪剪，也不劃分範疇，盡其自由生長發展。從一叢小小的野蕨到壯碩的鐵莧，細緻的蔦蘿到蔓延的九重葛，以及許多自生自長的野花野草，生存的權利是均等的：一任它們密切偎依，糾纏不清，所有的樹巔枝梢都懸垂著粉紅纓珞——珊瑚藤與長春藤滿地蜿蜒，炮竹紅到處點燃，彩葉草、花麒麟、鳶尾、孤挺、酢漿草……擠在一起不分彼此，而當露水蒸發在晨曦中的一刻。都等待著更多水分滋潤，我拎起長長的塑膠管，手指便是最好的自動調節器。以強有力的水柱橫貫上空，給樹木來一次淋浴，以霖雨自天而降的飄灑潤澤花花草草，細水輕注灌溉盆景，一霎時滿天晶瑩璀璨的水珠似碎鑽紛紛飛墜，映著陽光，絢麗閃爍，又如彩虹自地上升起。我彷彿聽見泥土根莖吮汲的聲音，發光的葉片，益顯得生意盎然，春翠欲滴。

早安，花花草草！由於你們的點綴才使世界美麗蓬勃。早安，清涼的水！感謝你們使生命孳生繁殖，欣欣向榮。

●

朝陽傾注入敞開的窗戶，滿室柔暉微曦。

家是兒童的樂園，男人的城堡。而女人，用她的手和心，將瑣碎繁雜的家務編織成秩序，放進安詳的氣氛，譜成和諧的樂章。

我在幾間屋裡轉來轉去，循著無軌的路線，執行單調的例行任務與灑掃洗濯，安排飲食，收拾房間，整理衣物，布置環境，調度策劃……當我正忙得似轆轤轉圈把光陰碾碎磨掉，卻恍惚聽見自己舉手投足間有隱約的音樂伴隨迴繞。

不，不是我在唱歌，是那位詩哲在讚美，聽聽：

——婦人啊，妳優雅的手指接觸到了我的器物，便井然有秩像音樂般有節奏之美了。

——女人，當妳走動著料理家事時，妳的手腳都在唱歌，像一條山溪在卵石中歌唱一般！

早安，仁慈的泰戈爾！多謝你對在瑣碎家務上奉獻自己的女人以鼓舞，願你在天之靈安息。

●

塵埃落定，物歸原位，勞動後的安逸，是進行曲中的一枚休止符。

行動靜止，換一支輕音樂吧，讓優美的旋律柔柔迴盪，金絲雀比美似地更不時插播一曲，悅耳的音波微漾輕溢，浸浴其間。只覺神經熨貼，身心舒坦。環顧四周，窗明几淨，懸垂的珊瑚藤花葉扶疏，顯得光線柔和而清涼。四處散置的盆栽，各有韻致和野趣，我閒閒地端起新泡雨前，清澈的茶汁裡一片片碧綠的嫩葉正卷卷舒放，啜一口齒頰留芳。閒閒地翻開當天的報紙，世界的動態展示眼底，國際風雲，人間溫情，動人報導，雋永文章……怡然神遊心馳一番。

片刻的休閒，恬靜中更添注了生命的源頭活水。

早安，音樂、清茶和報刊！多謝供應休閒時刻似陶冶。早安，寧靜時光！多謝使我心靈重又單純似清晨的復甦。

●

保持著心靈單純似清晨的甦醒，我走進書房，走進另一個生存空間。將一切攪擾摒棄於門外。

我喜歡我的領域，我的小天地。熟悉的書本肅立櫥中，心愛的紀念品，畫框散列架上，手栽的小盆景點綴案頭，在早晨是如此生動煥發！

坐進椅子輕輕一轉，便面對那張伏肘幾十年的舊書桌。玻璃板上，花影掩映家人友好的照片，兩旁堆疊著書冊、本子、信札、存稿、斷章殘篇，雜亂中自有秩序。看看手稿、翻翻札記，漸漸覺得心中有什麼在起伏湧升，腦際有什麼在潛移默運。相互映射滲融，形成一股飛揚的力量，亟欲擢拔超越……

——在你感覺到有無限力量時，這就是你的靈感時機。也就是精神充分昂揚的時機，此時應該把你的思想記下來……

是了，在這清明朗澈的早晨，我得開始我另一堂早課——付出全副熱忱，勤懇地耕耘我小小的方格子田。

早安，所有的書本！多謝許多年來，以智慧之光引領我在孑孓獨行的路上。早安，靈感！你這神祕的守護天使，多謝助我以寫作的泉源。

●

早安，晨光！我將留下你照耀下一切新生的喜悅、成長的光輝、活動的紀錄、進行的韻律，顯示的力量在字句裡，塑造美好的今天。

一九七七年

編註：本文未明出處。

春雷・驚蟄

乍暖還冷，忽陰忽晴，有陽光照耀的日子，溫馨暖熱，細雨溟濛，又峭寒瑟縮。似這般難以捉摸的氣候，彷彿因有所期待而不穩。

鳥聚樹巔、新聲初試，欣然啼唱又倏忽中斷，展翼飛翔又斂翅返枝，似這般飄忽迷離的行止，似有所盼望而迷惑。

冬睏甫解，倦慵未消，亟待奮發，振起猶乏力，渴望作為，欲試還遲疑。似這般微躁稍紊的情緒，彷彿因有所佇候而不安。

然則枝頭綴滿新綠，遍地小草青青，早春的花已開始綻放，風雨中恍惚有大地解凍的聲音。不正是春的徵候，又為何而期待？

氣流中滲有雨水的清冽、陽光的暖意、草木吐露的青味、泥土翻動的氣息，不正是春的預兆，又為何而盼望？

體內血液的循環加速，心臟的跳躍有力，四肢靈活、步伐輕捷，胸際似有什麼上升、衝動、躍躍欲試，這不分明是春的感召，又為何而守候？

不知道！

真的不知道？

那麼，且共我屏息凝神，虛懷清欲，靜肅佇候、諦聽。

就在那一天、那一刻、那一個時辰……

樹梢風息，萬籟闃寂，冥冥中似有神威震懾。驟然，自穹蒼的無底深邃、無垠廣闊，隱隱迸發隆隆聲響，倏忽間輾滾中天，猛地當空一聲霹靂，震撼大地，激盪胸魄。

剎那間雷霆萬鈞，徹底震醒了那些兀自冬眠在深穴中的獸類，蟄伏在泥土下的虫豸。驅散那些遺留的倦懨昏慵，那些心靈上的猶豫和遲疑，那些生命中的困瘁和迷惑。

剎那間電光閃擊，完全擊退了寒冬殘存的陰影，溶化了凍結的大地，冰雪封鎖的生靈。點燃起世界更新、更亮、更炫麗的光焰。

於是，甘霖沛然，山泉奔騰，湖流滿溢，潮汐升湧，海浪澎湃。

於是，陽光一天比一天熾熱，溫馨注滿世界。風越吹越輕軟柔和，空氣裡滲和著蜜汁。

於是，鳥雀們盡情翱翔，鳴囀啼唱，歡暢地唱出生命的喜樂，世界的美好。青蛙開始亮亮瘖啞一冬的嗓子，甫自蛹繭脫穎而出的蝴蝶，到處炫耀著華采。

於是，植物突破性的茁長，枝莖指向天空又縱橫伸展，葉片快速萌發，濃濃密密，鮮綠光潔，花兒紛紛競放，散布著芳香和美的喜悅。播下的種籽都已醞釀著秋夏的收穫。

於是，人們怡然感到精神振奮，活力充沛，心頭凝聚一股銳厲的勇氣，蓄勢待發，胸懷豪邁的青春氣概，衝勁十足，正待滿懷熱忱和信心，抬頭挺胸。跨上新的里程，再接再勵，打人生那一仗。

期待永遠不會落空，佇候永遠不會失望。

只為——只為一陣春雷。

春雷，一年中最早的蟄雷，來得準確，來得及時，來得氣勢磅礴，像黎明的號角，突破惺忪朦朧的霧翳，使所有的生靈在新鮮的歡欣中恍然甦醒。

而可敬可佩的中國人，當生存在地球上的時候起，便已計算出每年這一天、這一時辰的來臨。更聰明的是取名為「驚蟄」。

多奇妙的驚蟄！一聲春雷，一切的一切，便全從寒冬的「蟄」伏中驚醒，各自紛紛展開生命的活動。

驚蟄、春雷，那是季節的號角，宇宙的總動員令。一聲令下，世界敞開了大門，自然獻出了寶藏，所有生命之流挾著新生的力量，奔赴目標，衝向無窮。

總動員令頒下，誰還能怠忽，誰還能猶豫，誰還能疑慮不前？

我們已從寒冬的蟄伏中甦醒，自憂傷的蟄伏中甦醒，自沉默的蟄伏中甦醒，準備去接受明天的挑戰。去攀登超越自我的高峰，去擁抱美好真實的世界！

感謝你，春雷。

編註：本文原刊於《中華日報・副刊》，一九七九年三月二十四日，第十一版。

花鬧

每次走過小園，就像通過磁場，視線總被左右吸去——不止是吸引，簡直是奪人目光，撩人情思。只緣於鮮豔的小紅倦開得如此灼熱，不是一簇簇，不是一叢叢，而是密密麻麻、重重疊疊，成片的爛漫。像是小女兒們打扮得喜氣洋洋，聯袂結伴地去參加太陽升起的朝會，去赴春日的慶祝歡宴，勾肩搭背，耳鬢廝磨，那樣親親暱暱卻又爭著邀寵炫耀，吱吱喳喳，喧嚷拂揚地。少見這樣的陣仗，可真有點鬧哩。

熱熱鬧鬧的小花兒，卻有個清逸古老的名字——鳳仙花。

只是，別混淆了，這鳳仙並不是古老東方的鳳仙。當我們做小女兒時，搗碎來染指甲的那種，「其花頭翅尾俱具，翹然作鳳狀」。一朵朵剪絹似的花盅，展揚自葉腋。花開後，結成小橄欖的籽囊，像裝了彈簧似的，成熟時忽然迸開，撒射一粒粒細小的咖啡色種籽在土裡，又慢慢地萌芽生根——新的非洲鳳仙都不用種籽，只需扦插。

真不敢相信，那樣嫩嫩脆脆，充滿液汁的梗莖，折斷了，隨便插在土裡，竟又能生根、成活、繁衍，創造生命的奇蹟！

記得當初折來斷梗殘枝三五株，第一次插在花盆裡，大概水分太豐沛了，爛了。第二次插在地上，許是日照太強烈，萎了。第三次天時地利恰到好處，三五天工夫，便硬朗地挺直梗株，舒伸餘葉，自斲傷中復甦過來，慢慢恢復元氣。嫩綠的葉子秀長如梭，淡綠的莖枝圓潤豐澤，小小的花蕾攢集在頂叢，像瘦杏仁。綻開時，輕托著薄薄五瓣透紅花瓣，凝聚成盈盈的圓，閃著絲絨似的光澤。豔麗、纖柔、溫潤有點畏怯烈日，微蔭掩映下，卻神采飛揚，長得很快。隔些時日，我又將長高的折下一截，再度折插。那種無根而能生存的勇氣，常使人鼓舞感動。而安排這份勇氣一再顯示的人，也覺得自己有參與生命再生的喜悅和驕傲。

不記得是什麼時候停止播插的。花早已獨立生存，自由發展，而恣意拓長，而遍地蔓延了。起初悄悄地淹沒了青草地，接著猛浪地遮奪了酢漿草，侵犯到中間的彩葉莧又箝制了一旁炮竹紅，擠迫到四周的孤挺花，圍困住幾盆散置的盆栽。只有不甘屈服的羊齒草，還瀟瀟灑灑地自花叢中探出半截來，保持點手采。如若不是中間隔著條水泥甬道，花潮花陣，怕不早就漫過階前來了。也曾想去救出那陷入重圍，只露出枝梢尖端的盆栽來，就是找不到可以落腳的空隙。恨自己沒有貓咪的輕功，再怎麼小心，踮著腳尖踩進去。腳底還是立刻感到輕脆的碎裂，腳心彷彿也沾到迸濺的液汁，不忍蹂躪，只好由得盆樹自己去抉擇，要就屈居花下，奄奄息息，要就突破重圍，高於周遭。

起初，我管花的顏色叫一品紅，豔麗中帶點古樸，很中國的。開著開著，中間忽然竄出一簇柔柔的淺粉色，再過些時日，邊上又開了一撮橘紅色。偶然還穿插幾朵紅白相間的，誰也猜不到什麼時候，什麼地方又冒出些變調的花兒來。一年四季，彷彿也很少休息，疏朗時，星星灼灼，旺盛時，熾熾熠熠，像永不熄滅的朵朵火焰，燃燎在寒冷的冬日，高爽的秋天，炎炎的長夏。而在早春，更是熾烈熇熱，使綠色太穠稠涵滿蔭影的園子，顯得光彩煥發。

花是搬來不久，分自對門芳鄰，如今房子早已易主，長日裡朱門緊扃，靜靜寂寂，正是「空鎖一庭紅雨，不知人面何處」。倒是我這邊卻是喧喧嚷嚷，情熱如火，越開越旺盛、越開越熱鬧。說春鬧也好，說花鬧也好，因為春鬧，花就開得更繁盛。因為花鬧，春意就更濃更醇！

編註：本文原刊於《大華晚報．副刊》，一九八一年四月二十二日，第十版。

蛙潮

半夜，酣睡受到騷擾。恍惚被羽毛輕托著，飄飄忽忽旋轉入無底無淵的深壑中。而某種沸騰從四面八方升起，一縷模糊的意識就陷在不停的沸騰中，只是翻滾轉側，載浮載沉……

驟然驚醒，夜涼如水，一片單調冗長的聒噪聲，自地下，自空中，自四周圍，漫天漫地地密匝環繞，像撒下綿綿無盡的網，兜住幽邃的夜，幾乎連黑暗都嘎噪得白熱化了。

是蛙鳴麼？怎麼沒有此起彼落，沒有間斷升降，始終是一樣的頻率，一樣的聲調。猶如工廠裡開作了馬達的機器，幾千幾百部同時發出操作時的聲響。

瞪著黑暗，在不眠的等待期間，也出現過二次較低的音潮，但還是整片聲音稍稍轉輕，像潮水微微滑落，旋即又回升到原來的頻調，不休不止地曳得好長好長——

想起來，許是今年的霪雨實在太長了，從冬天到春天，跨越了兩個季節。那樣的陰冷潮溼、淒寒苦凍，使自然界原來早該活躍煥發的生命，久久受到壓抑。才放了幾天晴，太陽一露臉就熱情如火，氣溫急速上升。所有蟄伏沉潛了許久的小蝌蚪，就在這期間同時蛻化成蛙。於是千千萬口剛變音的歌喉脫穎而出，一齊欣欣鼓噪。因為是一樣的稚嫩新聲，所以分不出輕重高低；因為太多太厚的和鳴，就是有少數陸續參加，或中途間歇換氣，也毫不影響大合唱的頻率。

仔細傾聽，那平穩持續的喧囂，漸漸融匯成一股奔泉，溢注著生命的喜悅，涓涓不絕地流過深靜的夜，流過枕畔、流經夢的邊緣。浮泛的意念變作一串串透明的泡沫，輕輕舉起、騰空、擴散……

幾乎就像乍來時一樣突兀，當我感覺到聲浪漸輕、漸弱、漸遠，再凝神諦聽時，卻已像最後的潮水般迅疾褪落、消失，只捕捉到三兩聲稍稍落後、參差不齊的「嘓嘓」、「嘓嘓」。那正是清清晰晰的蛙鳴，但已成為壓軸的尾聲，戛然而止，結束了這一場空前龐大的新聲大合唱。

喧譁後的岑寂，黑暗彷彿在瞬間凍結。

不久響起了啾啾唧唧的鳥聲，窗外已透進灰濛濛的曙光。

噯，今年第一次蛙鳴，該是「夏」的前奏罷。

那春天呢？似乎還不曾跟大家打過照面！

編註：本文原刊於《聯合報・副刊》，一九八三年七月七日，第八版。

小小使者

三月的清晨，朝旭披一層濛濛薄霧，氣流中仍有微凜的寒意。兀自帶著夜眠不安的困鬱，我步下台階，漫不經心地俯身拔除一撮乾枯了的鑲邊草，眼角裡忽然那麼一亮，竟以為是匆遽撤退時撞落下來的一顆灼灼晨星，待定睛細看，卻原來是一朵小小可愛的黃花！

依稀記得還是去年遊一座以樹聞名的林園，在萬綠叢中發現了一注金色瀑布——那株似綴滿星星般盛開黃花的迎春花樹。忍不住攀折了一小枝綠枝回來扦插在盆裡，泥土培育了新根，活是活了，卻因為容器太小，又未加扶持，那一根根萌發出來的柔枝又細又瘦，軟弱無力地低垂在地面，狗兒也就常常不經心地踐踏過去，幾次想把它移植到牆腳地下，總嫌費事不曾動手，誰能相信如此纖弱清癯，竟也綻放生命的芬芳，小小黃花只一元鎳幣那麼渾圓大小，透明感的七瓣橢圓形花瓣，有著幼鵝絨毛那種嬌柔鮮明的色澤。雖然只伶伶仃仃一朵，開花，畢竟是植物生命中最美的顯示。

噢，第一朵迎春花開在黎明的恬靜中，也是第一次迎春花開在吾家小園。

縱使那麼嬌小沉靜，花名「迎春」，又該承當著怎樣莊嚴光榮而又美麗的使命，代表自然以及世間萬物，迎接春神蒞臨！

然則，春有消息麼？我仰視天空，薄霧已消褪，蒼穹一片深邃寧靜，澄藍無雲。一群鳥雀正穿過光的漩渦，投向空曠，飛向遼闊。我環顧四周，晨曦變得明亮溫潤。清新的空氣似沁洌的冷泉泊泊迴流，從挺立的芒果樹、椰子、桂樹、杜鵑、扶桑、變葉樹到矮小的虎尾蘭、孤挺、石蓮……全浸潤在淡金色的泡沫裡，煥發著一種盎然生意，似乎迫不容待地要擺脫冬眠的餘悃，伸展枝桿，舒發新芽。海棠葉底已隱隱閃現淺粉的蓓蕾，炮竹紅剛悄悄地燃亮自己，連纖柔的酢漿草也盈盈舉起紫色小盅，待滿斟春之醪液。

寧靜中，一聲「啾唧」，怯怯地、短促地，帶著試探的謙遜。接著，一聲比一聲圓熱、嘹亮，鳴聲來自我家金絲雀，已是二三個月的噤默，今朝不知由於一股什麼衝動，竟又欣然開腔，快樂的旋律一波一波擴散播揚。驀地裡激起一陣撲翅聲，一隻小鳥從九重葛濃密的葉底慌慌張張竄出來，一個衝刺像箭矢般直上雲霄。想是貪睡被驚醒，忙不迭飛去追趕夥伴們，一同翱遊於晴空萬里。

一隻很小很小的白蝴蝶，也許是甫從蛹中孵出罷，翩翩翾飛一周，羞怯地選中了迎春花小憩。粉翅半斂還翕張，彷彿自天際派遣來一朵活潑的花，來問候地下靜默的花，以密語傳遞一個消息。

天籟微微，和風輕輕，樹葉喊喊，鳥鳴細細，都在傳播那個消息，那正是春的音。迎春花不僅是迎「春」的使者，也是第一個預報「春訊」的使者。

我深深地呼吸著清涼的空氣如吸吮沁甜的甘泉，似乎可以感覺到它汩汩地流過氣管，充沛於肺腑，清滌隔宿污積的濁氣，大大地擴增了肺活量。我貪饞地啜飲下滲和了花木的青味，陽光的溫馨，以及泥土芬芳的春的氣息，如同啜飲芳醇的醍醐。似乎可以體會到它涓涓地滲入血液，加速循環，使生命的脈搏有力地躍動。有什麼極其溫柔地在胸臆浮漾，像花瓣輕輕展開，漣漪悄悄擴漾，融化了冰霜的封鎖，幽閉一冬的性靈乃自困慵中解凍。有什麼磅礴豪邁地自心底擢升；似潮汐起伏升騰，河流滿溢上漲，沖散了鬱積的陰翳，生存的銳氣乃蓄勢待發。

泰戈爾那美好的詩句和晨光一起湧進敞開的心胸：

我的思想與這些閃光的葉子一起閃耀著，
我的心由於陽光的接觸而唱著：
我的生命因得與萬物一起飄浮進空間的蔚藍，飄浮進時間的黝黑而欣喜著。

原以為陰冷的酷寒無盡期，原以為心靈沉睡於厭倦和疲憊的深淵，再也不會甦醒。不想就在發現迎春花的一剎那，陰霾盡去，愁霧四散，自覺精神超拔上升，又恢復了信心。面對另一個充滿生意的春天，面對嚴酷苛刻的現實，滿懷希望，準備接受挑戰！

時令的冬季和生命中的冬天都不過是一種考驗。一種試煉經過冬藏，世界將呈現新穎的美，人生又有了新的意義。

謝謝你的喚醒，迎春花。小小可愛的使者。

倚風樓・三月五日

編註：本文原刊於《聯合報・副刊》，一九七六年四月一日，第十二版，為「日光頻道」專欄文章。

春城杜鵑

是什麼引力，是什麼風向，在這樣的季節，這樣的天氣，連慣於靜居的我，也自覺定力不穩，心血來潮，只想抛開書卷，撇下思維。走到外面去，投進陽光裡，從起點到終站，讓大巴士帶我馳行過黃金大道；什麼花展畫展轉一轉，書店百貨店逛一逛，大街小巷走一走。提袋裡胡亂塞些零零碎碎，腦袋裡隨意收集些五光十色。又晃晃蕩蕩讓車子載我回來，只為，只為在陽光下走一趟。

從起站到終站，從村郊到城市，從靜謐的新店溪畔到喧囂的鬧區中心。這其間，三、四十分鐘的路程，說長也滿長，說短也就短。時間和距離，有時往往只是一種心情，一種感覺。若不是分秒必爭，若不是孳孳為什麼，不妨優哉遊哉挑一個靠窗的座位。車旁那一方透明剔亮的車窗便是最生動的畫框，靜物是兩旁的建築，從底矮的日式平房，鴿籠式、火柴盒式的小樓，到高矗的大廈，以各種不同的風貌排列展示，路樹和盆花是風景，流動的人和車都是點綴。四車道中間兩道狹長的安全島卻是頂不顯眼的線條。上面也不知栽種些什麼，灰頭土臉，瘦瘠伶伶，蒙塵終日，已被污染得分不出模樣顏色。只有遇上大雨滂沱的日子，彷彿才洗出一點點蒼古的綠意，證明它不是塑膠鏞鐵，而還是活生生的植物。可是雨一晴，馬上又恢復了黯淡面目。平常人來人往，車去車來，誰也不會注意一眼那卑微存在。

那天，也是個陽光普照的日子，龐大的巴士輕快的疾馳在黃金大道，像浮泛在平滑的光海中。車窗動畫，滑過房屋的靜物，路樹的風景，人和車的點綴。……一個小站是一個逗點，景物靜止了，畫框一角卻閃現了亮麗的一滴——像是畫筆濺潑了一滴鮮豔的顏彩，濃濃郁郁化不開……車又馳動了，我讓視線釘住框外那個角度，一路搜索，忽隱忽現，乍淺乍深，終於捕捉到一個具體的輪廓；那弧形的線條連成圓潤的五瓣，盈盈作喇叭狀向上展揚。可不正是杜鵑花！東一朵淺紫，西一朵深紅，就從那煙塵污染，灰土蒙蔽的枝葉中脫穎而出，開得那麼鮮妍璀璨，開得那麼溫潤瑩澤，不沾半點塵埃。

是春天，在煙塵中微笑。

這以後，每隔幾天經過，就平添一些新的丰采；自最初三朵兩朵疏疏朗朗的萌發，一小撮一小撮婷婷勻勻的布置，一大簇一大簇欣欣孜孜爭相競放，到濃濃郁郁、密密叢叢、熱熱鬧鬧地開滿枝頭。往日瘦瘠伶伶的柴梗竟一變而如此雍容華麗；白的白得璀璨高潔，粉紅的如此嫵媚嬌柔，淺紫的淡雅而亮麗，玫紅的有喜慶的熱鬧炫燁。而那灼灼的大紅，依稀似那火焰般燃燒在山野的，原始的鄉土本色。各種顏色又常常參差混合栽在一起；紅白相映烘照，粉紅與淺紫和諧交融，玫紅火紅越加熾熾烈烈……灰撲撲的安全島已成為美麗的花徑，當車子穿過杜鵑甬道、左顧右盼，真箇是悅目賞心。若敞開車窗，那一叢叢花團錦簇，就在眼皮底下，鼻子底下，輕疾滑溜，車速形成了翅膀，恍惚感覺自己就是蝴蝶，就是蜜蜂，逐朵逐株逗引飛掠，只盼多碰上幾次紅燈，好盡情吸吮芳醇蜜汁，馬達的節奏伴著跳躍的音符，耳畔似乎盪漾著那支相識的旋律：

淡淡的三月天，
杜鵑花開在山坡上，
杜鵑花開在小溪畔……

而一路上，兩旁更有不少圍牆、竹籬，木柵內，伸探出一叢叢紫奼紅嫣，白璀粉嬌，彷彿遙遙呼應。

一座十字路口的圓環是一個彩色繽紛的杜鵑花圈，車子繞著它，來回劃著括弧。

一道寬寬的岔路通向那杜鵑花著名的學黌。是一股隱藏的引力，是一份仰慕的嚮往，鮮豔的花盛開在陽光下，智慧的花綻放在靈台上。那裡是人類永恆的春天。

蒼翠的鐵欄杆，蒼綠的樓牆，這中間，卻綴飾著一片耀眼的潔白，清新、純淨，是春風自天際吹送來璀璨白雲，縈繞著翠屏山。

最有意思的是那一排平常門禁森嚴的機關建築，終日裡嚴肅的衛兵守住一院靜穆。這些日子竟也紛紛綻開杜鵑，滿院紫紅粉白溶在金色的光流中自牆頭氾濫，已禁不住一片春色喧騰。門前，英挺的衛士依然肅默佇立，也不知是他倆守護著一院嬌柔的花兒，抑是嫵媚的花兒陪伴著守衛的辛勤。

儘管空氣污染，塵土飛揚。

春天，在煙塵中悸動，

城市，在花朵中微笑。

趁晴好的日子，趁杜鵑花盛開的時令，一次又一次，我疾馳在陽光下。從起點到終站，自村郊到市區，說長也滿長，說短也就短。時間和距離，有時往往只是一種心情，一種感覺。我喜歡那種恍惚蜂蝶逐花的愉悅心情，有若翅膀展掠的輕盈感覺；當車子疾馳過杜鵑甬道，當那一叢叢花團錦簇就在眼皮底下滑溜；於是，時間和距離都化作一種心靈的飛越，意念的昇華。馬達的節奏伴著跳躍的音符，耳畔迴盪著那支輕快活潑的旋律：

淡淡的三月天

杜鵑花開在……

編註：本文原刊於《聯合報・副刊》，一九七七年三月三十一日，第十二版，為「日光頻道」專欄文章。

嗨，春假

我們放春假了！

娃娃在電話中以充滿了忭奮的聲音，報告這消息，就像一隻振動雙翼、震顫著歌喉的畫眉，用狂喜的新聲，向世界唱出第一個春訊。

感染到那份喜悅，眼前恍惚閃耀著一堆金色的時光，一串顏彩繽紛，有翅膀的日子。

暑假，只因為困於夏日炎炎，寒假只為了躲避嚴冬酷冷，是屬於靜態的，休閒的，消極的。而春假，它駕著華麗的花車，穿越彩虹，馳過金色的暖流，讓三月的和風送上請帖，是一種殷勤的邀請：邀請人們參與花季來臨，大地開放寶藏的盛典，它揚著綠色的旗幟，翻山越嶺，闖進森林和原野，要初試新聲的鳥兒做使者，是那種令人振奮的召喚，召喚人們參與世界自冬眠中甦醒，自沉寂中更新生命的慶祝歡宴。

想想那歡慶花季來臨，自然寶藏開放的盛典，想想那祝賀世界復甦，萬物更新的歡宴，該是怎樣壯麗可喜的景象，怎樣熱鬧動人的情況！太陽是一切的前導，剛撥開冬霾，便那樣浩浩蕩蕩，漫天漫地地奔瀉傾注，照徹了陰濕的角隅，融解了凍結的河流，烘軟了僵硬的土地。把世界照耀得金光燦燦，鳥雀們浴著陽光，成群結隊飛翔追逐於天空，新聲鳴囀，互相呼應，美妙的音符隨著輕風四散飄蕩，似花雨紛紛灑落，小溪活潑地奔流過田野，一路潤澤著兩岸茂密的水草，春水溢溢的池塘裡，白鵝三五浮漾在綠藻間，隱藏在地底下的根竄出了新莖，孕育在泥土裡的種籽萌發了嫩芽，老樹桿上更綴滿點點新綠，舒展片片嫩葉，而那些花，就像被魔杖點中了似的，倏忽開放，星星點點的迎春、長春、長壽，嬌豔的桃花、櫻花、熱熱鬧鬧的杜鵑，火辣辣的炮竹紅，濃濃的九重葛，輕盈的鳶尾，小巧的美女櫻，俏麗的鳳仙，淡雅的雛菊，豐碩的扶桑，英挺的石蒜，羞怯的海棠……以及小小不知名的、紫色、黃色、白色野花，開得一片絢爛，蜂蝶就酣舞於絢爛中，酩酊在花叢間，和風自山嶺、自海洋、自林野吹來，空氣中滲和著草木的青香、花朵的沁甜，泥土的溫潤潮味，地面上、土壤中，到處有生命在悸動、在成長、在活躍、在歡唱。太陽所照耀的一切是那樣光明美好；那樣興高采烈，生氣蓬勃——想想，只是想想，就讓人心馳神往。

春的邀請慷慨殷勤，春的召喚熱情洋溢，如此歡宴，如此盛典，一定更歡迎人們踴躍參與，共慶佳日，分享愉快，又豈止僅僅限於少數在校的朋友！

人可以沒有暑假，更不在乎寒假，但是，不管是老是壯，是男是女，每個人都該放自己一次春假。

放一次春假，為的是參與春的慶典，為的是分享生命復甦，萬象更新，歡樂重回人間的喜悅，也為的是給自己添注些激勵和活力。

接受春的邀請，且讓我們離開油膩的廚房，離開沉寂的書房，離開狹隘的寫字間，離開囂鬧的工廠，離開不見陽光的辦公大樓，讓我們暫且擱下那些瑣碎繁冗的事務，枯燥的數目字，塵封的故紙堆，乏味的圖表帳冊，複雜的機器儀表……一無掛慮地走出去，走出城市，投向自然。

接受春的召喚，且讓我們擺脫那些名利之爭，撇開那些世俗的憂慮，忘卻那些怨憤煩惱，卸下心頭的重負，解除性靈的枷鎖，放鬆精神上的緊張壓力，坦坦蕩蕩走出去，走出城市，投向自然。

自然，可以是近郊鄉村，阡陌連綿，溪流迴縈，可以是崇嶺丘崗，翠黛嵐煙，青山如畫，可以是森林原野，綠蔭深深，大野莽莽，可以是海邊河畔，驚濤拍岸，水波粼粼，可以是名勝林園，也可以是人跡罕到的海角山陬，春是無所不在，無遠勿屆。

放一次春假，脫下城市那世故虛矯的外衣，以赤子之忱，走進自然，讓輕柔的和風拂除生理上的疲憊，心理上的暮氣，讓清新的空氣洗滌性靈的積垢，心智上的蒙塵，讓溫暖的陽光融化思想的遲鈍、感情的麻木，讓沁涼的甘霖潤澤靈感的枯澀、心田的荒瘠，讓美妙的天籟喚醒昏睡於因循中的內在生命，飽啖一次春的歡宴，是青春最滋補的營養。

自然原是生命最初的源泉，又自生命的源泉汲注新的活力，渡假歸來，心裡將裝滿陽光，裝滿芬芳，裝滿山和海、藍天和白雲，胸襟豁達，心情振奮，機能活潑，思想敏暢……

嗨，放一次春假真好！

編註：本文原刊於《聯合報・副刊》，一九七七年五月一日，第十二版，為「日光頻道」專欄文章。

青山有約

召喚

不知從何時起，在片刻寧靜中，在悠然沉思間，或是在生活慵倦時，常常有一大片綿延起伏的青山，連接著碧綠無垠的草原，悄悄浮現於心底，顯影在眼前，依稀相識，卻又渺邈，是映像留下的印象，抑是意識中最早最深的渴慕，竟是一次比一次凸顯、清晰，幾乎可以感受到自然強烈的誘力，山林神秘的召喚，令人神馳夢牽……音訊傳來，那不是心中丘壑，夢中幽境。原來就在城的北邊，在那一抹大家熟悉的青山更深處，占地一萬公頃的陽明山國家公園。那裡峰巒聳疊，草原遼闊，林木茂密，湖沼幽邃，保持著自然原始的風貌，蘊藏著自然豐富的資源。是人間未沾污染的一處淨土。

青山顯示意，相信大自然與人也有靈犀相通。

叩訪

接受感召，以朝聖的誠意去朝山，接受邀約，敞開心胸，去赴大自然豐腴的饗宴，「才向山陰道上行，千巖萬壑正相迎」。百轉千迴，升高降落，總在山中盤旋。一路芒草夾道，幽篁掩映，翠柯低拂，濃蔭遮覆，岩壁上叢叢山花照人，懸崖下處處幽谷深邃，路轉景換，風光山色一程比一程壯麗奇妙，正來不及觀望欣賞，忽然山脊右邊冉冉升起一片輕煙，旋裊迷濛，霧失山青。再一拐二彎，不料左側山谷中竟也濃霧滾滾，蒸騰直上。車速已是御風而行，但霧的輪子更快，一瞬間便漫山遍野，遮奪了一切。下車探索鴻濛裡，腳畔小花燦然，卻不知下一步會不會是懸崖絕壁！山風凜凜，奔馳的霧雰中山影隱約如浮雕，蒼翠漸顯。去時就和來時一般迅疾無聲。豁然展現無限空曠，原來已到達第一座山頂，群山相望，梯田層疊，幽邃的谿谷迤邐數十里，遠遠的淡水河銜接著大海，連雲漫水，上下一色，在天邊閃耀，佇立山崖，山風挾著清新的空氣沁入心脾，拂盡塵滓。就像脫胎換骨一般，輕靈得只想羽化仙去。

再回頭尋霧時，早已影跡杳然。遊戲一番，又不知去哪些山中逍遙了。

山韻

「我見青山多嫵媚」。以「嫵媚」來形容大屯山群，正是最恰當不過。重巒疊嶂、連綿不絕的幾十座山脈，全是山勢雄渾，稜線柔和的圓錐形和丘陵。林木蓊然，矢竹茂密，覆蓋著豐美勻淨的植被；蒼翠黛綠，相互輝映，益顯得溫潤豐澤，藹然可親；忍不住一次又一次讓視線自寬敞的巒頂，順著優美的緩坡，就像滑下巨大的滑梯，滑過雲天、風景、梯田、谿谷，在那廣袤無垠的青青草原馳騁一番、打幾個滾。若不是山坳深處不時噴放些神秘的煙霧，真教人忘了看來如此靜定溫潤的青青山脈，原是二百萬年前，曾經爆發的火山群。

群山自平原上拔起，以厚實的基礎巍然屹立，各具儀態風貌，人們為強調它的形象，取了名字。讓到達親近過的遊客，又認識了許多大自然的朋友。大屯山，氣勢不凡；竹子山，雄偉壯麗；擎天崗，豪情萬丈；面天山、向天山，意境高遠；磺嘴山、烘爐山、紗帽山，趣味盎然；七星山，峰巒高聳，是台北的精神象徵。

從此，這些沉默可敬的朋友，將常常出現在我憶念中。

夢湖

隱匿在深山中的湖沼，多麼神秘玄妙！夢幻湖，在心中已尋覓她千百次。終於在七星山上相見，碧水盈盈，竟是重重疊疊圍繞在萬綠叢中，自四周緩坡的昆欄樹、芒草、野牡丹……逐漸延伸遍降到沿岸的濕生植物水毛花、燈芯草、錢蒲、雀稗、莎草、挺水植物荸薺、桴藎，浮水植物小莕菜，和十分稀罕的沿水植物台灣水韭。小小池塘，溶積了所有綠的菁英，顯得幽邃深沉，彷彿已穿透岩層，深入山底。霧不來的時候，綠光瑩瑩，像是塊色澤臻美的大翡翠，鑲嵌在山崖。

夢幻湖原名鴨池。傳說常有過境野鴨，選擇這裡做休息站。也許就因為那泓綠的折射反映，讓小鴨子在廣闊的高空發現了這一角樂水，想像一群輕盈活潑，羽翼華美的彩禽，逍遙自在地浮游在青山碧水間，那情景，不知有多美妙！

族群

大自然從來不設限制，生命若喜歡，盡可以在這裡自由自在地成長、發展、繁衍成族。山是火山族，植物更有延拓數十里的矢竹族、蒼茫萬頃的芒草族、絢爛成花海的杜鵑族、壯大旺盛的昆欄族、高聳稠密的紅楠族、美麗的楓香族，豐沛的生命力蔚成欣欣向榮的壯觀，龐大的優勢種族外，崖上、石隙、溪畔、溝旁，處處綻放著耀眼的雲白色華八仙、四照花、野當歸、天藍色龍膽，紫色的青甲美人南國薊、酢漿草，一串串小白鈴鐺似的雞屎藤，富饒的山林，也是動物族群生存的樂園，綠蔭裡翼影穿掠，百鳥鳴囀、綠繡眼、白頭翁、藍鵲、烏秋……玲瓏剔透，蹲在葉子上分不清的小小樹蛙，像是件綠玉雕刻。打從腳前竄過的可能是赤腹松鼠。彩色繽紛的蝴蝶群，迎面飛舞——竟有一千二百多種植物，八、九十種鳥類，一百三十多種蝴蝶，三、四十種爬蟲和其他兩棲、哺乳的山中小精靈。生存在這片未曾污染的淨土中，活躍在這個不受干擾的世界裡。自由成長，和諧相處，生生不息、綿綿不盡。

所有的生命，在這裡受到尊重。

回歸

去了一趟山林，不止是探訪，也是回歸。接受大自然的洗禮，滌盡塵慮俗念，還我赤子之心，竟是那樣坦坦蕩蕩，澄淨清明，只有喜悅和感恩。

能時常和神奇的大自然相處真好！令人胸襟豁達，如長空萬里，心靈寬廣，似平原遼闊，思想清澈，似出谷山泉，身體健康，似山脈堅強。「大自然是人類的母親，我們需要大自然的滋養」。感謝母親的恩惠，感謝豐富的滋養。讓我們珍惜這生命的根淵。保護自然珍貴的資源，「一起站在蘊育無限生命的大自然裡面，歌唱宇宙的歡喜」。

明天，明年我會再來，在夢幻湖畔等水鴨，在蝴蝶長廊等蝴蝶。

與青山有約，將是一生一世。

編註：本文原刊於《台灣新生報・副刊》，一九八九年三月二十一日，第二十三版。

微笑的聲音

微笑是一朵最甜美、可愛的花朵，不分季節時令，經常綻開在嘴角，浮漾於唇畔，但必須面對著它，才能欣賞領會。且把微笑像蜜糖融化在水裡一樣：注入聲音中，透過空氣，悅耳動聽，沁入心坎，暖在心底。

迎著晨曦，深深吸一口清新的空氣，自丹田發出讚美：「天氣真好！」母親溫柔親切地呼喚和叮嚀：「該起牀了」、「多吃點菜」、「加件衣服」、「路上要小心！」

小朋友亮起清脆的嗓音，恭敬地說：「老師早！」和藹的老師欣然回答：「小朋友好！」

鄰居們相逢在長巷中、候車亭、菜場裡，頷首招呼：「你早！」電話那端傳來殷勤的問候：「近況如何！好想你。」朋友相見，熱情洋溢地叫喊：「嗨，你好！」

老人摟著愛孫，慈祥地輕呼：「寶寶乖！」
接受對方的建議，慨然允諾：「完全同意。」
徵詢友人的意見，肯定答覆：「當然可以。」

教練拍拍擊出一記全壘打的選手，興奮地誇獎：「打得真好！」
那個幼童從正下車的媽媽懷中轉過身來，稚嫩的聲音高喊著：「司機叔叔再見！」
向辛勤的勞動者，堅守崗位的戰士，誠摯地慰勞：「辛苦了！」
由衷感激地說聲：「謝謝！」
安靜的夜晚，寧謐的時光，輕柔的道一聲：「晚安！」
……

微風輕俏地穿過樹梢，溪流快活地奔躍向前，種籽在泥土中茲茲萌芽，花朵簌簌展瓣綻放，枝葉槭槭舒放伸長，那是大自然微笑的聲音。
麻雀的啾啾，鴿子的呢喃，鷓鴣的咕嚕，九宮的嘵舌，金絲雀和畫眉的婉轉啼鳴，那是鳥雀們微笑的聲音。
諦聽生命，諦聽這世界，諦聽微笑的聲音，像蜜糖融在水中，沁入心坎！暖在心底——是一份無比親切的溫馨，也是一種心靈的鼓舞。

編註：本文原刊於《中央月刊》第十六卷第一期，一九八三年十一月，頁一二〇～一二一。

美的喜悅

拂曉，醒在鳥聲啾唧中，曙光映迎紗窗，又是一個晴好的夏日。

執著小壺，注滿室內那些盛著綠意野趣的小盆小缽。推開紗門，愛瑪早守在階前擺尾相迎。清涼的空氣沁入肺腑。巡視小園一遍，拎起長長的膠管，以手指作為調節，讓強有力的水柱貫越上空，又化作均密的細雨，一瞬時滿天晶瑩璀燦，映著晨曦，似碎鑽紛紛飄墜，眼看花木因潤澤益顯的生意盎然，欣欣向榮。自己彷彿亦深深感受到那種充盈和豐沛，分享生命滋長的喜悅，或說：喜歡綠色（植物）的人，大抵是內心洋溢者愛的人。我相信。

拭乾手腳，進入書房——我的另一個領域。群書親切環列，我可以感受到智慧的溫馨，滋潤靈田；如同花草的芬芳，怡悅心神，一是涵蘊人生哲理，探索闡揚，永無止境。一是散布美的喜悅，鼓舞生命，循環不息。一生能擁有這樣兩位忠實的朋友，是最大的福分。

整理一下案頭未完成的散稿頁，忽然眼前一亮；原來懸垂在窗口的朝日蔓開了，纍纍一簇蓓蕾綻放了最初的幾朵。粉紅的小花在晨風裡輕輕搖曳，好像正嬌羞地含笑招呼。嗨，又見面了！

珊瑚藤，在南方住了二十多年，幾乎就一直裝飾著我家庭園。北上時，移植了數株幼苗，分栽在院子四角。自初春到仲夏，我一直幫著架竹牽繩，引上牆垣窗檽。今朝，終於綻放了第一簇花，嬌媚一如往昔。顯示它已完全適應了新環境，只要有陽光、泥土和愛心照拂，自然就能成活。畢竟，它是有根的。不像無根而生存那樣，需要更大的勇氣和韌力。

花影閃耀中想念起南方的陽光，醇厚的人性、純樸的風氣。我真正喜歡那種清靜恬淡的生活。但一如紀德所說：「當你已變得與一種環境相似，立刻對你不再有益。」缺少了新的擴充，提升和鼓舞，漸漸形成思想沉滯、性靈遲鈍、心胸狹隘。人也許本不該長久局限在一個角隅，而應該不斷地向天自然學習，向生存的周遭探勘，向未知追求，這次毅然北上重起爐灶，雖然起步嫌遲，還是走對了。

而不管遷移何處，我沉默的好友總是伴隨左右，不問居住市區或鄉郊，淡泊寧靜之心依舊不變。自然與紅塵間，「來自來、去自去，閒雲野鶴何天不可飛」，境，原由心造。

先是蝴蝶來訪，又見蜂鳥送吻，窗外頓時熱鬧起來。藤葉成長快速，花期很長。想來秋天便能攀上陽台，披懸在母親窗前，花葉繽紛，瓔珞叮噹，引來雀蝶晨昏請安問好。這份美的喜悅，也許可以稍解她老人家深重的鄉愁罷。

編註：本文原刊於《自立晚報・副刊》，一九八四年八月十四日，第十版。

時光的腳步

偶然得到一枚沙漏，竟讓我得以目睹時光走過的腳步。

在古老的東方，在尚未發明用鐘錶計算時光的時代，它刻劃著白晝和黃昏，它滴穿了深宮蘭閨的長夜。朝盛朝衰，物換星移，曾幾何時，乃隱退於悠長的歲月裡。如今，又自湮遠的歷史古蹟中走出來，新的形象，小巧玲瓏如玩具擺布。簡潔的檀木架——由二根柱子及二片圓木組合，高不及三寸，中間嵌著瓶頸對瓶頸連在一起的玻璃管，晶瑩透澈，一頭裝盛淺黃或硃紅細沙；流盡，不多不少，剛好三分鐘。

我讓小小的計時沙漏立在面前，沙粒立即順著瓶頸紛紛頃注：細細一縷，如斷如續，不急不徐，卻是那樣穩健有力，彷彿振振有聲；似夜霧墜地，似貓腳輕躡，眼看底下的沙迅疾堆疊攢聚，漸漸隆成小丘。而上面的沙傾瀉出一個圓圓的漩渦，越旋越深越少。最後終於上空下溢，寂然不動。

由滿到空，從有到無。我就數看時光的腳步施施走過面前，跨越空間。當沙漏驟然停止，我不禁怵然一驚。沒有一樣事物像沙粒丈量時光的腳步那樣明確，那樣清晰，那樣肯定，那樣教人感到心悸。

三分鐘，三分鐘心跳二百幾十下。

三分鐘可以步行二百五、六十步，

可以抄寫八、九十個字，

可以閱讀一千五六百字，

可以演算一次方程式，

可以擬定一個計畫，

可以旋緊幾枚螺絲釘，

可以撥一個長途電話……

三分鐘，可以產生一種思想，可以捕捉一些意象，可以醞釀一份美感。

一個、十個、千百個、千萬個三分鐘從生命中走過；生命擁有過千萬個三分鐘。但機會、靈感，卻是稍縱即逝，歲月、年華，更是一去不返。

我將沙漏置於案頭，當我慵怠時不失為警惕。

我將沙漏置於榻畔，當我消沉時也算是激勵。

我將沙漏放在耽迷於漫畫、卡通，或貪玩的孩童面前，轉瞬間孩子已乖乖地去做他該做的事。

不管把光陰譬喻成箭、成駒，或流水，只不過是抽象的象徵。不管鐘聲嘀嗒，指針旋轉不停，也只是表面的數目字，全比不上看得見的腳步，那樣令人感動，那樣具有敦促的力量。

朋友，讓我送你一枚計時沙漏，計數著你的時光像計數你的青春年華。可別任憑它在你面前一小步一小步盈盈走過。且配合它美妙的腳印，齊步向前！

編註：本文原刊於《仕女》第六十六期，一九八四年十一月，頁四十六。

那一片盆地

那一片盆地，離陽明山不遠。既不在山谷中，也不在山麓下。

那一片盆地，遠遠近近圍繞以雜樹。樹外，是溝渠，是道路，是高高低低、參差矗立的高樓。而山，更在層樓外。

那一片盆地，正展延在我陽台下，袒呈在我窗前。居高俯瞰，只見叢叢簇簇，層層疊疊，深深淺淺盡是綠。最高的是右邊茂密的竹林，蒼蒼鬱鬱，聳過四五層樓。濃蔭中隱約一角屋脊，常有金屬錘擊磨擦的聲音透過叢叢修篁，像是家庭工作坊。過來，三幢矮矮的平房自成門形，牆垣屋頂糾纏著牽牛花、絲瓜藤。紫和黃的花朵裝飾了駁落的磚堊。屋前的空坪上，經常有晾著的衣服、曬著的菜乾、孩童無憂的嬉戲、貓狗自在地遛達。母雞帶著雛雞在搔土爬泥，載滿新鮮蔬果的三輪車早出午歸。

稍後，一座方方正正的小樓單獨屹立在樹叢中，陡削的木梯扶搖直上，竟也有門窗、平台和柵欄。原來是鴿子們的雅舍。照顧牠們的年輕人一天不知多少次上下木梯。黎明時開門放出鴿群，便站在屋頂揮著紅旗，訓練鴿子們一圈又一圈迎著朝陽不停地迴旋飛翔，待旗子收下，便紛紛斂翅降落在小小樓台，整理一番羽毛，自去餵食。早晚二次，幾乎是風雨無阻。黃昏時，也有頑皮的鴿子還不想進屋。看那人嘴裡溫柔地吹著口哨，小心翼翼地佝著身子，輕擺竹竿，但剛一挨近又疾的鼓翅飛走了盡在空中轉圈或落在旁邊的樹上，賴著偏不肯進窠，一直磨到暮靄蒼茫四合，彷彿故意在考驗主人的耐心。

在這一切的外圍，是一大片菜圃，經營它的老者儼然是一個自然藝術家。他把土地當作畫布，經常製作花樣不同的圖案，或橫、或直、或方、或長方，由於栽植的種類繁複、播種和收成的時間不一樣。不規則的圖形更是變化多端：嫩嫩的小白菜和深綠的芥菜並列，開白花的蘿蔔旁邊是開金黃花的茼蒿，瑩白滾圓的包心菜前方挺立著青翠的萵苣，中間三兩座竹梢搭起的支架，較高的大概是豌豆之類，較矮的不是茄子準是番茄。而那些匍匐蔓延的，一定是番薯地瓜。也有剛翻耕過的裸呈著褐色潮潤的泥土。那雙勤快的手，使地盡其利，一年四季，總是生意盎然。

與那片盆地毗鄰而居，我慶幸有這樣的芳鄰。

有這樣的芳鄰，對面沒有阻斷視線的建築，沒有瞪著人的窗戶，卻擁有無限空曠，視野廣闊，空氣流暢，晴時白雲舒卷，陽光傾注，陰天煙雨迷濛，霧失樓台。黃昏落日與彩霞映紅了窗紗，深夜夢迴，常見晶瑩的月亮懸掛在窗前。底下沒有車喧人行，市囂煙塵。翠竹、叢樹、菜圃人家，是田園的雛形，鄉村的縮影。不用外出探訪尋覓，在我眼底下就供奉著風景。

青翠直上樓頭的綠竹，消消灑灑輕拂欄杆，清風裊裊，映日離離，沾雨蕭蕭，長日裡搖拽著波光綠影，替室內平添無限詩情幽意。

樹是鳥的樂園，那許多蓊蓊鬱鬱的樹，也不知棲宿了多少鳥，黎明總是醒在鳥聲啾唧中。最敏感的大概是鶺鴒吧，預報著天晴天陰，遠遠近近呼應鳴唱的不知是不是白頭翁，麻雀的聒噪中摻著綠繡眼細緻的金屬聲，是很奇妙的和音，牠們喜歡在竹子柔韌的枝葉間穿梭跳躍，順便也跳上不及咫尺之隔的陽台，在盆花間蹀躞一番。作晨操的鴿群倏忽掠過窗前，翅尖幾乎碰上了玻璃，一瞥間，彷彿捕捉到從光潔的羽毛上滑落的晨曦。

樹籬邊一道寬深的水溝，不知從哪個方向兜攬過來，野草和灌木遮掩下，已分不清是灌溉用的水渠抑是排水溝。夜深人靜時，水聲淙淙從樓下傳到枕畔，恍惚還真有點「窗前流水枕前書」的況味。

一天數次，憑窗俯視那片盆地，觀賞我的風景。我喜歡看朝陽緩緩地染亮一片片竹葉，白雲悠悠地飄過藍藍的天。喜歡看鴿群迴旋翺翔，鳥雀縱跳枝頭，喜歡看人們勤奮的生存活動，那個婦人灑掃清潔，晾衣端物，一舉一動顯得那樣穩重安詳，那個穿戴整齊，揹著大書包的小學生，不慌不忙地上學去，黃色的帽子像朵大菊花，逐漸隱沒在綠叢中。那個專心一注在屋角堆土捏泥的幼童，將來可能是個雕塑家，那個動作溫柔，不憚其煩照料鴿子的青年，對寵物竟充滿了如許耐心。而那個田園藝術家，投入他的創造中：鬆土、播種、澆水、收成，動作總是那樣從容不迫。就連遊蕩的貓狗，帶著雛兒到處溜達的雞們，全都顯得悠然自在——我忽然領悟到為什麼這片淳樸的盆地看來是那樣親切可喜，就因為它所擁有的，正是追求物質文明，熱中權勢名利的現代都市人所失落的高貴品性——單純。所有生活中安詳、寧靜、平和的氣氛，都氾濫自這一淵源。

他們才應該是最富足的人；儘管地價已升值到寸金寸土，儘管周遭一幢幢華廈高樓連連崛起，他們卻滿足於自己擁有最原始的土地。那是他們胼手胝足所開拓的地，親情在這裡綿延，樹木菜蔬在這裡成長，他們可以在泥土裡任意栽種，也可以在地面上自由安排。那是在耕耘必有收穫的地，保有土地的生機就像保留自己的生活方式一樣。

有地的人是有福了。羈旅數十載，也一直渴望自己可以在一塊地上隨意種花栽樹，隨意養狗養貓，可以挖一個坑作池塘，可以鋪一大片青草起坐翻滾。可以闢一角空地供孩子們嬉戲玩泥沙，可以享有充滿的陽光，和新鮮空氣。可以……最重要的是：讓自己切切實實感到腳踏實地，以脊骨和意志的力量，昂然挺立在地球上。

但我卻無可奈何地棲息於空中樓閣。

幸好，我的芳鄰是一片盆地。

至少，憑窗俯瞰；我可以讓視線掃描，讓想像馳騁，讓心靈潤沐，讓精神嚮往，就是不用眼睛，也還可以憑聽覺聽到竹籟、鳥語、狗吠、豬叫。輕柔的口哨，金屬的錘擊，和透過翠微那絮絮的人聲。可以憑嗅覺聞到樹木的青氣，泥土的濕味，太陽曝曬下蒸發的濁氣，施肥時的阿母尼亞以及豬舍、水溝的異味，而知道它的存在。

如果，如果那一天盆地也蓋起了高樓……

一九八四年三月

編註：本文原刊於《散文季刊》第二期，一九八四年四月，頁九十～九十三。

缽中番薯

生命是一種探索，
翠綠的觸角伸向四面八方。
生存是一種追求。
柔韌的莖肢奔赴多目標。
著根於清水一缽，
貯藏的生命力勇猛衝刺，快速成長。
儘管局促於書架一角，
不受時空拘羈約束。
一任自由發展，恣意擴張。
不藉任何攀附支撐。
纖藤蔓葉，

卻也遊騁自如，翹揚有致。

生命就是這樣：

意興風發，氣勢昂揚。

編註：本文原刊於《中央日報・副刊》，一九八四年六月五日，第十版。

小貓咪

嗨！你是誰呀？從來沒見過嘛。大眼睛、大耳朵，跟我還滿像的哩。只是你怎麼這樣白淨淨、清潔溜溜，沒有我這一身茸茸的毛？

我一個貓頂寂寞的。你呢？我猜你一定也一樣。我們一起玩好不好？別不好意思嘛。來，先讓我抱抱你，親熱親熱，做個好朋友。

嘿，有什麼好神氣的！那樣冷冰冰目空一切。人家滿腔熱誠換你的不理不睬。就算你是天上來的太空貓，又有什麼了不起。讓開！這可是我的地盤。

噢，那個奇怪的太空貓，不知怎麼來怎麼去的？走了也好，我獨個兒還不是玩得頂有趣。溫暖的陽光，美麗的花兒，一切妙，妙，妙。可是……可是……難道這地球上就沒有一個真正的小貓和我作伴嗎？

編註：本文原刊於《新文藝》第三〇六期，一九八一年九月，頁一六三。

小小訪客

秋日午後，偏西的陽光透過枝枝葉葉灑在窗前，睏意落在眼簾，暖風微醺，鳥語啁唧，經常來去的鳥兒們，只憑靈敏的聽覺就能清楚的分辨誰誰誰。迷濛間聽得數聲特別清越的似乎有點陌生，不經意地側臉瞟去，花葉掩映中兩只閃動的小小身影正在廊架上啄食碟中梨核，白頭翁……可是，不對啊！頭髮是黑的，沒戴那頂雪白耀眼的羽帽。該不是南部那強勢的烏頭翁入侵北方？一寧神，起身悄悄走到長窗前仔細觀察；果然身型比白頭翁較大、體態顯得更俊俏修長。自頭顱、翼背到尾端，一身熨貼的黑絲緞剪裁，胸部腹部一色淡雅素淨的淺灰色羽衫，突然神來之筆，在腹尾銜接處暈染一抹花瓣般鮮明的橘紅，兩側各伸出指甲大一片白羽。最凸顯的是渾圓的額顱上翹揚起一撮約一公分餘的黑羽毛。也見過大鸚鵡，羽冠畫眉，頭上長著蓬鬆羽冠，卻不是直直的一綹立冠，倒彷彿有點三星堆青銅雕鑄飾鳥的古拙味。

陽台鐵架原分鳥廊和花座兩層，粉粉紅紅的四季海棠、非洲鳳仙、小黃菊參差烘托，淺紫九重葛側垂斜掩，架外綠竹搖曳。一對優雅奇妙的神仙鳥沐浴著流金閃翠，就倚立瓷碟兩邊，自在地啄食鮮嫩多汁的水梨，互相呼應低鳴，透露著愉快和親暱，俏麗的立冠隨著上下顫動，忙不迭地前俯後仰，煞是逗趣……突然鳴聲急促、驚惶振翼，兩隻小鳥撲著翅膀飛越欄杆，一瞬間便無影無蹤，——噢，可惡！又是討厭的斑鳩！圍著珠項圈的細脖子一伸一縮，那灰褐色矮矮胖胖的身軀就像坦克車似地俯衝過來，使出牠一貫的恫嚇手段，欺走弱小。

我氣得拍著窗子嚷嚷：「你可惡！你給我走！」斑鳩滿不在乎地望我一眼，依然從容地踱到盡端，跳上欄杆，再大刺刺地展翅飛入竹叢。

——我一向並不討厭斑鳩，牠們看來溫和安穩，不太躲避人類，飽啖一頓後在欄杆晾晾羽翼，互相整容梳理，長相又跟鷓鴣相似，遠遠近近「速速哥」不住啼唱，還以為是夥伴在呼喚哩。只是當牠們出現在鳥廊時，卻成為一霸。儘管加添食物，仍不容異類，嬌小玲瓏的綠繡眼，經不起幾次恫嚇，早就不敢再來嬉戲玩水，成群結夥的白頭翁當面衝擊躲閃，偶爾還稍作逗留。不在乎牠的只有松鼠，牠們口糧不同，也不知誰怕誰！

我將攝影機找個合適的位置，調正鏡頭，坐在軟墊上不住從螢光幕頻頻側望窗外，夕陽淡出，花開寂寂，再不見倩影翩翩。

從書架、几櫃，找出《台灣野生鳥類》、《玉山》、《陽明山》鳥類專輯，翻了一遍又一遍，又重新欣賞一番彩羽繽紛、千嬌百媚，獨不見方才的訪客。

發現一種野花，一個新面孔，總喜歡從關心、認知、熟悉身世，在心中確定分量。結交一個朋友，卻不知道姓名，能不教人牽念！

隔幾天，報紙正好刊載賞鳥協會邀約關渡賞鳥的啟事，靈機一動，愛鳥的人一定熟悉鳥族，何不冒昧試探？

電話一接就通。我吶吶地說明不是來登記賞鳥（心中何嘗不想），只是見到一種奇特的鳥，不知道會中是不是有人可以請教？

「我幫妳轉過去。」接線小姐回答得乾脆俐落，彷彿那是分內事。不一會就換了個沉穩的男中音答詢，我又述說了原因，央求解答。

「請說。」帶著點鼓勵。

是口試哩，自知鄉音太重、咬字不清，口述更不及書寫，何況，要描敘才看到二三分鐘的美麗生命。

「是一種比白頭翁較大的鳥，體型更修長，從頭到尾黑得發亮，胸腹部是淺淺的灰色，卻在腹部後端和尾部交接處，染一抹鮮豔的橘紅色，兩側伸出指甲那麼大的一截白羽毛。最特出的是頭頂直直的豎起一撮羽毛，約一公分多點長度，就像……就像中國古畫、年畫中的男娃娃；在頭頂中央留一束胎髮，紮成沖天炮模樣。」

話出如風，對自己的語言能力十分惶恐，電話那端想是在努力揣摩著我那些不夠明確的抽象「話」，對照心中的鳥譜，我又重覆了一點特色，彩筆渲染的橘紅，和沖天炮式的羽冠。

「在哪裡看到的？」

「我我家四樓陽台。」

「地點？」

「天母。」

「什麼時候？」

「就在前幾天。」

「那是紅臀鵯。」肯定的語氣落地有聲，接著清晰和悅地解釋：「『臀』是臀部的臀，『鵯』是寶貝的貝字旁一個鳥字。最近從大陸過來的。」

「噢！謝謝！謝謝……」驚喜如浪潮湧來，滲透了我，竟是這股簡單快捷的獲得了真相。親切的口音中溢露對自己所愛所知能與人分享的喜悅。在這個冷漠、暴戾、貪婪的世界，畢竟還存在不少和善可親、優雅自在的人。

紅臀鵯：我在心裡輕輕喚著這名字。怪不得台灣鳥譜上沒有紀錄，原來最近才來自遙遠的彼岸，纖巧的身軀不知費盡多少辛苦飛渡驚濤駭浪的海洋？而如此廣闊的天空，到處是蒼翠的叢林，偏光臨這蔭蔽中小小一角簷樓，是緣，抑是顧憐我已走不動返故鄉的路，為我捎來江南的消息！

從此，朝午澆水添食，更多一份殷切的盼望，紅臀鵯，我遠方來訪的小朋友；遨遊雲天山林，請別忘了再蒞臨廊簷小憩。

多謝那位熱心的鳥博士。卻忘了請教姓名。

編註：本文原刊於《中央日報・副刊》，二〇〇三年三月二十日，第十七版。

一個字的震撼

沒有想到，一個字會震撼我；就像輕輕一記電擊，一通微熱帶麻的電流迅疾衝向心室，牽動了感情的弦。不由得一陣顫慄跳動。

字是常見的字，早在啟蒙時便已認識。

字的結構，屬於四平八穩、力量均衡的造型。

字所代表的事物是最普通的物質。當人們開始吃食人間煙火，便接替母乳、哺養我們。那個字，便是「米」。

以三、四十分鐘的時速，憑車窗掃描。不知有多少橫的、豎的、立體的、壓克力的、塑膠的、金碧輝煌的、炫奇奪目的、俗豔土氣的廣告招牌，一一掠過眼前，視而無睹。而唯獨那塊簡單樸素的米字招牌，就在遠遠接觸剎那，宛如磁和鐵的相遇，牢牢吸住了我的視線，震撼我。

只是一方最簡單的招牌。四四方方，厚厚實實，白漆底子上，用朱紅漆端端正正寫了個碩大的米字。不是顏體，也不是王（羲之）體，也許，就是倉頡造下時的原始形狀，渾厚圓熟、端莊穩重。木質的方體並烘托出字的雍容安詳。紅白相映，簡潔明朗。使它在眾多琳瑯繽紛中，顯得如此與眾不同，一如擁有它的店鋪。

那家店鋪嵌在一帶高樓，與正在興建中的大廈之間，是幢平實的二層樓房。樓窗還保留著舊式的木格窗櫺。灰綠色的牆分不清是原漆還是風霜的沐刷，歲月又多情地刻劃了斑駁的紋痕。店堂裡清清爽爽，沒有什麼裝潢陳設。靠門口便是兩座敞口大木櫃，滿盛盈盈的白米。牆腳更一麻袋一麻袋堆疊的小山似的。一根粗粗的槓桿從門楣上方伸向街心，頂端便懸掛著那塊簡單明瞭的招牌；就像伸出一支友誼的手臂，親切地招呼人們：「米」在此！

是那個四平八穩的米字，是那塊高挑的白木招牌，是那幢嵌在高樓間的古樸店面，以及門裡那老式米櫃、升斗，堆疊如山的麻袋？噢，就是那些，都實實在在的本質，那毫無浮飾裝潢的樸素，那種單純謙沖的和諧，喚醒心靈中邈遠的淵源，觸發生命裡最早的根苗，竟為之深深地感動。

自茹毛飲血進化到神農氏製耒耜教民務農，米一直是人們維持生命的恩物，延續命脈的地糧。當穀種埋在土裡、萌芽、抽秧、結穗而成為一顆顆潔白晶瑩的米粒，幾千年來，在空曠的北方，在肥沃的南方，在長江流域，在黃河兩岸，在盆地、在山區、在海島。在無垠廣袤，無窮遼闊的中國土地上，一年年播種、一年年收成，一年年哺育著優秀的炎黃子孫。從純樸的農業時代，繁榮的工業時代，以至機械文明科技時代。時代變了，吃米飯成長的人也一代代在變。變得更功利主義，更崇尚虛榮，貪慕奢華，追求物質的享受。變得自私自負，不知感恩，不再關心周遭的事物。那屬於古老民族的優雅、謙遜、真誠、淳厚的氣質和風度，在戰亂災禍的迫害中，在時代巨輪的輾壓下，已漸漸轉移流失。那純樸、安詳、悠閒的生存境界，也再已無處可覓。但米還是創世紀的米，從神農氏交付下來的種籽，在泥土裡打了幾千年的滾，輾轉傳遞到今朝，一點都沒有變。

儘管人們越來越講究飲食、注意營養、西化歐化，米永遠是中國人的主食，絕不為了適應新的口胃而改變。

儘管在這個講究裝潢、外表的社會，米不必為了博得更多青睞而矯飾作態。

儘管這是個廣告、宣傳、噱頭囂張的商業時代，米更不必為了爭取市場而大肆宣傳。

從前，人們還知道對米有一份懷恩、懂得珍惜，如今不但漠視，還任意蹧蹋；但米不計較這些。只要精純的穀種一代代流傳下去，只要還有剩下可以打滾生根的土地。只要世上仍有唯一關心它的，辛勤耕種的農人，將永遠萌芽、抽秧、結穗；黃金溢野，白米滿倉，世世代代，循環不息。

不管人們孜孜碌碌，追求的是什麼。科技工業、物質文明突飛猛進又證明些什麼，米的存在只是證明它是米，是真實、是根本、是能源、是亙古不變。五千年文化中有它，全民族血液中有它。就在此刻，它正在我們身體內默默地製造熱能，產生動力，燃燒發光。

可喜的是那塊米字的招牌，它如此突出，由於它的平凡，它與眾不同，由於它的純樸，它震撼我，由於觸動那深遠的感情之弦。

可愛的是那執著於懷舊的米店主人，在豪華炫耀的高樓大廈間，獨保持著樸實的古風，安置我們潔淨的地糧。

若不是車行如風，我會跑過去站在米字招牌下，雙手自米櫃中捧起一掬溫潤如玉的米粒，告訴店主，要用升量用斗糴，送去我家，連同往日的單純、淳樸、安詳的美好時光。

從此，每天，每天，我將輕輕舀取、輕輕洗濯。當我注入清水，也注入我的一份感恩。

編註：本文原刊於《中央月刊》第十三卷第二期，一九八〇年十二月，頁一一一～一一三。

那個奇異之夜

那是個奇異之夜，花之夜，燈之夜，焰火絢爛之夜。

那是個美妙之夜，光輝之夜，豪華之夜，旌旗招展之夜。

那也是個喜悅之夜，和諧之夜。脈搏跳躍一致，感情水乳交融之夜。

當白晝的沸騰歡躍隨著驕陽沉落，升起的是另一幅奇妙的夜景，所有的街道都裝扮得珠光寶氣，所有的建築都炫耀地掛燈結綵。所有的門和牆，都關不住人們那份雀躍的心情，灑開輕快的腳步，聯袂結伴走出去，從一個個門口，從一條條街巷，從遠鄉和近郊，像泉水，像溪流，一小注一小注匯合，一大股一大股交流。湧向不夜之域，湧向各個不同的活動項目。

像雨滴水珠，我和他滲融入那股歡欣潺流的人潮，忽疾忽緩，忽聚忽疏，只為吸引人處太多太多。十月小陽春，春意在一日之間使兩旁路樹開滿了燦爛絢麗的奇花，一路閃閃灼灼，連結成兩道七彩光環，在低空引伸、迴縈、展延，一座金碧輝煌的牌坊矗立在中央，遠遠近近的高樓大廈，一幢幢別出心裁地紮成燈綵：那裡簇簇鮮明的旗幟，烘托著朵朵銀光璀璨的大梅花，這邊祥雲瑞光，圍繞著一隻隻振翅欲飛的大鵬鳥……這一切全都拱衛著最莊嚴的殿堂，引領向萬眾企仰的最高象徵——不、不是夢幻仙境，而是總統府廣場。

總統府前廣場，平常交通頻繁，大巴士、小汽車飛馳疾奔，有如大江滾滾。那晚上卻只有湲湲漾漾的人潮，一波一波從四面湧進又盈盈氾溢，沒有喧譁，沒有囂張，偶或幾聲喁喁讚美交談，和孩子的嬉笑，似泉水流經砂石，迸濺起琤琮水花。燈彩輝映下，每一張稚嫩的、青春的、蒼老的臉都閃耀著興奮的光彩，展開了真誠的笑容。孫兒女隨伴著白髮的祖父母指指點點，中年夫婦神態悠閒地並肩觀賞，少男少女們愉快地結伴同行，孩子們搖著國旗穿梭在人群裡。一個蹒跚學步的小小孩迫切間抓住了林立的照相機三腳架，那個年輕的媽媽閃躲在大花盆後跟小女兒捉迷藏。也有做父親的讓孩子高高地騎跨在肩上……驀地，遠遠的彷彿春雷迭起，人潮中頓時掀起一陣臉的浪花，一朵朵全向上仰望。大理石似的莊嚴天宇，深邃蒼穹，迭連迸開一簇簇彩色繽紛的花束，閃閃爍爍圍繞著一組彩色圖案字「普天同慶」。熱烈的歡呼震撼了大地。緊接著五瓣一朵，五朵一聚，黃裡滲紫，紅中帶綠，藍中間橙的花瓣盈盈擴漾又凝聚，恰好是「梅開五福」。轉眼又見銀光閃閃，綠影亮麗，一粒粒光珠幻作絲絲翠條紛紛垂落，促「竹報平安」。喝采聲中，更見繁花滿天迸放綻開，一簇簇繡球、一串串紫羅蘭、一叢叢雛菊……萬紫千紅，似絢爛花潮自半空湧升，花浪翻滾，光波四溢。好一幅「百花朝陽」、「百花獻瑞」！而花瓣飄散擴揚，點點光之泡沫又凝聚為夜明珠，金剛鑽、七彩寶石——堆錦疊彩地鋪綴成一片「錦繡大地」。正當人們目眩神迷於花海之繽紛，遽然間一顆顆彗星拖著長長的光芒，電光火石般掠過天邊，貫穿雲霄，此起彼落，你來我去，一道道光經彩緯縱橫交織出天錦彩緞，一團團火焰曳著嬝嬝鳶尾，騰躍衝刺，一如蛟龍蜿蜒遊騁，盤旋迴繞，又如彩鳳輕盈飛舞。只見天際銀鱗璨璨，彩羽翩翩，是誰畫出如此生動的「龍飛鳳舞」？

一幕接一幕神奇壯觀，引起一次又一次激賞和驚喜。片刻的靜默，導引了最熱烈的高潮。一剎那鞭炮齊鳴，光焰閃灼。一枚枚銀箭直射九霄，亮起一顆顆巨星「吉星高照」。一簇簇火樹銀花「直上青雲」。一霎時霞蔚雲蒸，虹彩奔騰，滿天鳶飛魚躍，龍飛鳳舞，花雨繽紛……正看得人眼花撩亂，四周又猛升起萬丈光芒，沖向萬里長空，「光照寰宇」，歡聲雷動，震撼了十月的夜。

留下滿天祥雲瑞氣，懷著激盪的情緒，又回到地面滿眼光彩。人潮繼續湧向總統府前閱兵台。

巍峨莊嚴的總統府，萬民的精神堡壘，人心皈依的殿堂，今夜以最高榮譽裝飾著它的顯赫，輝煌巨大的雙十，高高蹲踞於層樓。光彩四射，照耀著歡騰在底下的群眾。一層層長廊串掛起琉璃宮燈，紅暈裡輕漾著喜慶的氣氛，一根根巨柱雕塑著七彩如意，象徵吉祥和福祉。閱兵台旗幟鮮明，梅花遍綴，巨幅神采奕奕的國父遺像藹然俯視子民。一脈純中國傳統文化的典雅華貴，配合著現代精神。

當陽光普照，人們在台上看台下，有多少鐵甲雄師，鼓號樂隊，青年學子，社會中堅，工業農產，機械輜重，花車儀仗。浩浩蕩蕩經過台前，展示美和力，展示國防的雄厚，資源的豐富，展示一個國家的成長和強壯，一個民族的延續和結合……在燈綵照耀的晚上，人們在台下看台上，向創建我們國家的偉人，獻上默默的敬禮。

人們穿梭在燈綵時，穿梭在旌旗下，穿梭在花樹下，一個個容光煥發，心胸開朗。神態悠閒中揉合著興奮。相會時一個會意的眼神，一個真誠的微笑，表達了彼此心中相似的欣慰，分享著彼此共同的讚美，那一份情感的交流，心靈的溝通，盡在默契中。喜慶中的民族，完全摒除了人與人之間的隔閡、防嫌，融融樂樂、和和氣氣，原是血脈相承的大家族！

誰也不管星辰轉移，誰也不問時光流走，只是，眼花了，腿也瘓了。且從源源不斷湧進的人潮中退向一旁。可是，怎麼這裡的人全矮了一大截？噢，原來一個個全都席地而坐。較高的一排坐在小公園牆基上，更矮，更整齊，順著路長長延伸的一排，就坐在紅磚鋪砌的人行道邊上。

真是難得一見的奇妙鏡頭，那許多衣冠楚楚的紳士淑女，穿戴整齊的男女老小。就像幼稚園的兒童一樣，在人來人往的八線大馬路邊上排排坐，而且坐得那麼自在、那麼安逸、那麼怡然自得。當我低頭俯視一眼，右邊那位少婦馬上向旁邊挪一挪，投給我一個邀請的微笑，左邊的老太太也靠攏她孫兒，頷首示意。於是，我們坐下來，曲著膝，並攏雙腳。緊靠著親切和氣的鄰人們，安安逸逸地坐在人行道上。

那個奇異的夜，我們排排坐在八線大道的路邊上，頭上是旌旗飄揚，身傍是花樹璀爛，前面是人潮波動，滿眼的燈綵繁華，瑞氣祥雲。

那個奇異的晚上，喜慶中的民族完全摒除了人與人之間的隔閡、防嫌，融融樂樂、和和氣氣，顯示出血脈相承大家族的親愛精神。總統府廣場，代表一個小小的大同世界。

每年，以至百年、千年、億萬年，年年有這麼一個奇異之夜，當雙十的光芒照耀這片自由的國土。

編註：本文原刊於《中央月刊》第九卷第十二期，一九七七年十月二日，頁八十四～八十六。

中國只有一個，國旗只有一面

有陽光照臨的地方，就有生命。

有中國人的地方，就是青天白日旗。

自由、和平、博愛，

像麗日高照，像晴空萬里，像充滿山嶽河川的祥和之氣。

沐浴我們，豐潤我們，哺育我們，當我們誕生。

當我們誕生，當我們蹣跚舉步，當我們呀呀學語。

向世界伸出胖嘟嘟的小手，握一支國旗，清澈明亮的眼睛輝映著藍、白、紅顏彩，純稚的笑花朵般綻開在臉靨，咿咿唔唔唱出人類原始的頌歌，青天白日照耀著生命最初的歡躍。

當我們幼小，當我們年少，當我們朝氣蓬勃。

啟蒙的第一課，稚嫩的聲音歡歡喜喜背誦：「國旗，國旗，我愛你。」朝會中，仰望鮮明的國旗映著金色的晨曦，藍藍的天空，在歌聲裡冉冉升起。充滿敬愛的小心靈覺得沒有比這更美麗的圖景。而在國家慶典和節日，我們躋身在慶祝遊行的隊伍，高歌歡呼，揮舞國旗成燦爛的旗海，驕傲自己是中國未來的主人翁。青天白日照耀著年輕的許諾——那也是最初的奉獻，奉獻一片赤忱給國家。

當我們成長，當我們茁壯，當我們成為堂堂正正的中國人。

國家民族遭受外侮侵犯的慘痛歲月，我們熱血沸騰，憤慨沉痛地扛著國旗，走在抗戰的行列，凜凜的雄風顯示我們敵愾同仇的決心，殲滅日寇的力量。終於擊碎了侵略者的野心，國旗以勝利的雄姿，飄揚於重光的國土，正待收拾劫後疆土，重建家園，而紅禍氾濫，血腥又污染了祖國錦繡河山。歷經劫難的中華兒女，國旗永遠是引領我們的精神標竿。泱泱然、昂昂然，以無比莊嚴飄展在復興基地，高擎在金馬最前線。青天白日照耀著一千七百萬顆不屈不撓、爭取自由的丹心。

當我們追求一個理想，當我們執著於一份信念，當我們堅守自己的崗位。

戰亂已淬煉我們堅強如鋼，苦難已捶擊我們意志似鐵，禍害更鍛鑄我們勇氣如虹。在青天白日照耀下，我們邁進的步伐一致，我們生存的目標相似，我們血管裡流著一脈相傳的血液，共同背負著中華文化歷史的光榮，民族復興的重任，為真理的昭彰、正義的伸張而團結一致，自強不息。

國旗，我們幼小的手緊握著你，我們青春的手驕傲地舉起你，我們壯健有力的手臂高高擎執你，我們硬朗的肩膀扛著你，你那美麗的萬丈光芒，輝煌了中國的歷史，燃亮了中國的版圖，也照耀著我們生命的成長。國旗，你代表國家最高的尊嚴和榮譽，你象徵中華民族的精誠團結，你更是我們精神的引導，心靈所歸依。我們愛你，以愛母親的愛，一生一世的愛。我們擁戴你，你赤膽忠忱，無比的崇敬。我們護衛你，誓以熱血和生命，如同當初先烈們以鮮血和生命創始你。

我們堅信，我們肯定。

你便是真理。隱如磐石，沒有什麼妖魔小醜能搖撼。

你便是正義。堅如晶鑽，沒有什麼背信之徒能玷辱。

你便是自由。皓日當空，沒有什麼鬼祟陰謀能蒙蔽。

你便是力量。當青天白日普照寰宇，有中國人的地方，便有你卓越的風采，堂堂的聲威。你那泱泱雄風鷹揚於五湖四海，你那壯麗英姿銘刻於每個中國人的心版。在自由民主的國土，你宣達我們的友誼和博愛。在強權霸行，和拍賣人權的地方，你是中國人的怒吼，正義的呼喚。你在失去自由的故國悲痛隱退，只為明天更美好的開始；你在沒有真理的異域負重降落，只為來日更光輝的升起。我們保證，我們肯定，我們誓以熱血、丹心和生命，鎔鑄悲憤的力量，團結的力量，自強不息的力量，自受騙教訓痛擊中醒悟的力量，從沉迷渙散中奮起的力量，成為一股所向無敵，不可抗拒的力量，擁戴你、護衛你。中國只有一個，國旗只有一面——代表中華民國，屬於全世界所有中國人的，青天白日滿地紅！

編註：本文原刊於《中國時報・人間副刊》，一九七九年二月十七日，第十二版。

贛江水流不盡

那個名字

最早聽到那個名字，正是抗日戰爭軍興。

中華民國二十六年，在開國史上是個可怕可恥的年份，暴力割裂時空，上半年以前就是太平歲月，善良的民族安居樂業、與世無爭。下半年卻遭惡寇侵犯，國土沾辱、人民受苦，從此戰亂頻頻，永無安寧。

就在中國承平歲月最後的春天，有個女孩隨著雙親和幼妹，從典雅溫柔的千水之城蘇州，來到傳聞中「蠻荒」之地江西大庾。緣因該城西華山盛產珍貴的金屬「鎢」，我國產量占世界之二，而該山占全國之首。但長久以來，一直為外人覬覦收購，民間盜採走私。那年當局大規模籌設探採隊及管理處，從事探勘整頓。收歸國營。同年抗戰爆發，鎢為製造槍炮重要原料，一時需要遽增，身價百倍。

那時贛南一帶，地處叢山僻壤間，落後閉塞，先遭軍閥割據，後受土共騷擾，土匪到處搶劫，地方上更有土豪劣紳霸持橫行，包庇賭博、販毒、私娼，公然藐視法律，抗拒政令，綁架縣長，殺害公務人員，當地百姓更是苦不堪言。大庾因為鄰接廣東，交通比較便利，是贛南十一縣中開化最早的一縣（除贛州）。但另外兩處鎢礦所在地大吉山處南。嶽美山（龍南）礦場亦常遭匪徒擾亂劫掠，甚至引起警（礦警）匪交戰。

烽火阻隔，前狼後豹，贛南居，焉能不惴惴惶惶？

就在中國承平歲月最後的春天，有位在國外承受了十二年磨難和鍛鍊的年輕人，悄悄回祖國，懷著不平凡的理想，準備貢獻自己。

於是，那個名字從天而降：挾著政令、劍及履及，像疾風橫掃群峰狹谷。消弭土匪，剷除惡勢力，取締販毒，私娼，嚴禁賭博，鐵腕政策嚴厲執行期間，許多傳奇性的故事，成為民間茶餘酒後最喜歡談論的話題：「深夜親自送餛飩抓賭」、「偽裝買壯丁，親自懲辦買賣壯丁的保長」、「冒險進入惡勢力的大本營，繳械槍枝、解放傭兵」、「常常奇兵突擊，深入山區僻壤，清鄉掃蕩」，而最為人津津樂道的是「單刀赴會，獨自深入虎穴，以誠收服了盤據該城的悍匪周文山」。故事是事實，傳誦者加上口彩渲染，那個執法的勇者，簡直成為傳統小說中鋤奸除暴，替天行道的俠義人物。老百姓乃加封為「贛南人民的救星」。

「政治的目的，消極的是為民除害，積極的是替民眾謀福利。」

禍害清除，接著是關懷民眾的福祉，純樸善良的民眾長期生存在迫害、腐化的陰影下，風氣閉塞，愚昧無知，文化比生活更貧窮。要開拓的不只是荒地，而是人荒，又是那一身布衣革鞋，清晨出巡，一天跋涉上八十、一百里穿越山巔，行過田野，踏遍贛南十一縣的山村鄉鎮，探求民疾民隱。專署大門敞開，一周三天供民眾訴願、求助、表達意見。擬定建設新贛南三年計畫，確立五大目標：「人人有飯吃，人人有衣穿，人人有屋住，人人有工做，人人有書讀。」推行一縣一報，一保一學校。掃除文盲，發展農工業，建立地方機構新制度，革除官僚作風。鼓勵青年，照顧孤寡，「東方發白，大家起牀，洗臉刷牙，打掃庭房，青菜豆腐最營養，山珍海味壞肚腸……」這是每個人都熟記照做的「新贛南家訓」。提倡「愛、美、笑、力」的人生觀。政治＋愛＋魄力，像魔法般點化一切。勤奮工作，生活安定，人在進步，社會在蛻變，新的城鎮，從山坳中升起。讓世界刮目相看。蒙受德澤的民眾，乃尊稱那位篤行實踐的社會改革者為「贛南的燈塔」。

那個名字，傳誦在鄉野、農村、山陬、水湄，每一個有人居住的地方。那個名字誰都知道，誰都熟悉，人人都提過說過，何止千萬遍，從最早帶著懷疑、排斥、抱怨、嘲弄的語氣，到後來用揉合了敬重愛戴、親暱、感恩的口吻，很自然第稱他：「蔣經國」、「蔣經國這樣說過」、「蔣經國如何如何如何」。覺得有點唐突，加上個「先生」，但一說溜了嘴，又漏了。

他的官銜應該是蔣專員（第四專員公署）、蔣司令（保安處）、蔣主任（三民主義青年團），民間喜歡尊稱他「救星」、「燈塔」，人到哪裡，便貼滿了歡迎標語。他卻要祕書轉告人民不要這樣，他說：

「一切新的事業，新的勝利，都是無數人的生命換來的……其實『無名小卒』才是成功百業的主要力量。」

有人尊稱他為「蔣青天」，他說：

「青天是好官的稱呼，我對一切都看得平淡，相信自己是個平凡的青年。」

那個自認為「平凡」的青年，以他超凡的魄力，過人的膽識，敏銳的機智，和博大的胸懷。自危難艱困中推動了他社會改革的計畫，在牛刀初試時實踐他起步的理想，那六年，他不過是個三十上下的年輕人。

礦工同行

當抗日戰爭如火如熾地在全國蔓延，平亂和建設的大行動、大計畫也正同時雷厲風行的在贛南展開。那時那個從蘇州來的女孩——我，還是個懵懵懂懂的中學生，老師所說起，同學們傳述，全校師生也都熟知經國先生的種種神勇行為、冒險故事，和許多溫馨感人的小插曲，莘莘學子都在心中悄悄地崇拜他，看作是精神上的導師，心目中的偶像，接受感召。我戰勝了靦腆，本地同學突破了保守，很神氣的在臂上纏著三民主義青年團的徽章，組隊下鄉去宣傳訪問，向鄉下人灌輸認識敵人，愛國救國的觀念，教唱抗戰歌曲，教認字，演出短劇，也去商店勸阻銷售日貨，遊行喚醒睡獅，募款充實軍備。當我將自己繪寫的抗戰標語和漫畫，張貼在「建設新贛南」，「人人有工做」，「擁護青年的領袖蔣經國」的標語旁時，更有一種很特別的感受，那屬於少年初萌的使命感。

抗戰第三年，父親遽然病逝。樑柱傾圮，家鄉路斷，我只有擦乾眼淚，挺起肩膀來輟學就業。幸好工作是圖書館，與我最喜愛的書為伴。又開始學習塗塗寫寫以紓解憂傷，排除悲憤。想是受到那股「打擊壞人，消除邪惡」的風氣感染，不成熟的文章沒有寫幾篇，竟是一肚子的正義之氣，其間也居然寫了些抨擊奸商、官僚、腐化分子雜文，就發表在贛州《青年》、《正氣》兩家報刊上。建設新贛南，是偉人的起步。在新贛南開始寫作是渺小的我建立自己的起步。

大庚緊鄰贛州，是經國先生時常巡臨之地，累了，喜歡在丫山古廟前歇腳沉思，他巡視的是地方建設，關心的是黎民百姓，有一天忽然要來鎢管處去探訪西華山，這下可驚動了數百員工，主管級大員全整裝恭候，我佇立在圖書館後張望，遠遠地只見走在衣冠人物前面的貴賓一襲樸素的中山裝，腳穿布鞋，手執竹杖，步履穩健，側影裡，不高的個兒似乎比誰都軒昂。儘管是驚鴻一瞥，卻已讓我深深感動，原來神化了的形象，竟是如此樸實隨和的凡人！

事後聽說他不顧準備好的車子，逕自徒步上山，一馬當先，這下可苦了處長等人，能追隨陪行的只一名工程師，一路上他詢及開礦情形，觀察山勢，還不住跟上下的菜販鄉民打招呼。上達山頂，及忙不迭深深進入陰暗潮濕的礦洞，一面親切地向礦工們寒暄、道勞，握他們髒髒的手說：「生產報國，你們多辛苦了！」又仔細問他們工作情形、生活狀況，一面卻自他們手中取來沉甸甸的鎬鋤，猛向岩壁揮擊。隨著岩石一塊塊迸落，四周響起了驚訝和讚歎，心想這究竟是個怎麼樣的人哪，武能剿匪平亂，文能改革社會，而運用鎬鋤，卻又如此熟練自如。

「我也做過礦工，跟您們還是同行哩。」他從容放下工具，笑著解釋，順手撿起一小塊礦苗，向礦主討去作紀念。

但粗獷的礦工們實在難以相信，儘管那個人平易隨和得和他們如此接近。難以相信，他曾被逼在西伯利亞冰天雪地的烏拉爾礦區，每天忍著飢寒，剜了好幾年的金礦。

那時隨著戰爭轉劇，鎢砂需要量驟增，當局盡量用提高收購價格、競賽獎金等來激增產量。經國先生上山一番宣慰，一聲「多謝生產報國」，給予礦工莫大的振奮，那個目的鎢砂產量，竟到達了最高額。

而粗魯的礦工們，有時也會伸出肌肉骨突的胳臂，很神氣地唬人：「你知不知道？連蔣經國也幹過我們這一行！」

人在上猶

第一次就到上猶，是因為上猶就是最難治的地方，上猶就是當時非法組織的發源地，上猶的寺是土匪的根據地，上猶的社溪是販賣鴉片煙的總行所在地，上猶縣政府曾被土匪包圍，縣長被綁出去要槍斃，縣長太太被壞人侮辱，還打死了幾個公務員。贛南那個時代是亂的，但是上猶更亂。我到上猶第一個印象就是蕭條、冷靜，好像一個剛剛打完仗的戰場。

這一段描寫，是經國先生在追念王繼春一文中，述說他第一次去上猶時的印象。好可怕的一座城！而我必須去。不是去征服，是避難。三十三年初夏，大庚告危，鎢處派我押了幾十箱圖書疏散到那裡，搭乘運鎢砂的木船，航行了二天二夜才傍岸。那真是個蕞爾小城，沒有電燈，沒有交通工具，但街道寬敞，市容整潔，新的建築與原有的民房相映成趣，矗立在十字路口的精神堡壘無時無刻不都提醒人要「抬頭，挺胸！」，公僕一襲「陰丹士林」中山裝，百姓節儉成性，生活刻苦，穿著更是簡單樸素。一切運行，井然有秩，自有一種新氣象，匪徒惡霸早就銷聲匿跡，三年五年計畫實行以來已經是夜不閉戶，路不拾遺。而群山圍繞，贛江水悠然流過縣境，鮮明的國旗每天飄揚在藍天青山間，世囂不到，烽火遠離，小城竟還擁有一份遺世獨立的清靜和安詳。

那座被經國先生稱為全國數一數二的縣立中學，在西門城外，範圍廣闊，建築堂皇，有六、七百來自各鄉村，和一些避難來的學生，潤妹就在該校念過，從刑場興建學校，不過三四年，竟有那樣完善的規模，為紀念創辦人，那位鞠躬盡瘁的縣長王繼春，校名「繼春」。在〈讓我們來接受你的革命利劍——追念我的知友王繼春兄〉一文中，經國先生細述他與王繼春由患難中締交，為地方治安、改革、建設大業、互勉互慰、共商決策，在小事上又彼此關心鼓勵的交往。兩心有共同抱負，不顧種種阻撓危險，願為理想獻身的青年，那種肝膽相照，坦誠共處的交情，讀來讓人深受感動，更可以作為年輕人交友的範式。無畏無懼的勇者，內心涵蘊的卻是如此真摯的感情，如此細緻縝密的愛。

上猶四面環山，急難時已無路可退，人稱絕境，我卻絕處又逢春，留守此處，竟意外進入當地的報社工作。一縣一報，是新贛南建設中的一環——文化建設，經國先生非常重視，認為報紙不只報導新聞，更重要的是可以教育民眾，增加新知識，知道發生在周遭的事情，了解生存環境，知道自己的國家在做什麼。縣報，應該是屬於所有縣民的報紙，一定要大力推廣，發行到各鄉、各村、各個角落，慢慢培養民眾每天讀報的習慣，秉承這宗旨，各縣莫不投入全力，不計盈虧，辦好自己的報紙。而上猶，尤其是其中的佼佼者，為了提升閱讀能力，培養文學興趣，更兼顧激發愛國熱忱，鼓舞士氣。副刊在這方面也煞費安排，各報副刊還聯合發起了一次「展開東南一角文藝運動」，促使文藝普及，也造就了不少寫作的青年，其中最多的是各大中學校的許多流亡學生。

能夠參與這樣一家充滿朝氣的報社工作，能夠成為蔣專員領導下，建設新贛南艱鉅行動中一個小小的成員。是怎樣的幸運！同時也開拓了人生的另一番事業，在主編副刊《大地》的那幾年中，我全力以赴，充滿信心，要在整體墾拓鉅業中，做好小小園丁的工作。

三十三年底到三十四年初，勝利前夕，戰爭更慘烈。敵人傾全力作拚死戰，四處亂竄，贛南各縣相繼淪陷，除夕前二天，戰蹄迫近上猶，全縣緊急向四鄉疏散。翻山越嶺，一路全是曲折陡險的山徑，或荒涼泥濘的曠野，幾里路不見人煙，我家扶老攜幼，總落在人後，一天的路程走了二天。草鞋踏破，雙足雖爛，苦不堪言。在營前鎮住了幾天，又到了社溪鄉，接著再深入山坳中的平富鄉，機器安頓在學校，員工須央求鄉民擠一擠借住在農家。山田土瘠，地廣人稀，鄉下人家日出而作，日入而歇，也還生活得簡樸自足，聽他們說起，才知道大家走得叫苦連天的這一趟山路，早在幾年前，經國先生至少已走過一二次，清鄉除惡，也探訪民隱。很多人見過他：「蔣經國在我家喝過茶」、「蔣經國就坐在我家屋簷下的板凳上」，年長的人稱讚他是個很好的青年郎，處處關心他們。莊稼漢佩服他打擊壞人的勇氣，讓他們有平靜的日子好過。「那天他摸我的頭問我認不認字。」房東的孩子也驕傲地說：「現在我已經三年級了，他再來這裡，我要寫他的名字給他看。」

社溪鄉原來是惡勢力的集中營，如今學校蓋起了雙層樓房。平富鄉後山重重疊疊，曾經是土匪出沒的處所，如今寬敞的校舍依山建築。要不是我自己看過住過，誰能相信那樣的荒山僻壤竟有這樣有規模的學校！

贛州終於難逃一劫，聽說經國先生在疏散百姓後最後離開，上猶是唯一未遭侵犯的福地。報紙克服種種困難，借校舍編排印行，一直到勝利來臨，回到原址。避難的外鄉人一一離去，繼春中學畢業的學生也紛紛出外深造，山城一切運行如舊，只是，蔣專員不再回來領導我們，到上海打老虎去了。

六年，六年中平亂、拓荒，奇蹟般創建了一個新贛南。生活安定，教育普及，德澤深厚廣被，就像豐沛綿長的贛江水，永遠滋潤著這片土地。我又何其幸運，得在德惠蔭被下，度過那些憂傷自勵的日子，走過那段艱苦的戰爭歲月，卓然成長。

離報社不遠便是那條唯一通向外界的道路，沿著贛江，貼著山崖，迂迴伸展，沒有通車，行人稀少，有時，當我自工作的熱忱中走出來，總喜歡遠遠地佇立眺望；也許，也許忽然有人布衣革鞋，輕裝簡從，正邁著穩健的腳步，從路口走過來——記得他在第四次來過上猶後這樣寫到它：「我走上剛剛修好的，從上猶到塘江的公路，這是一條很寬闊的新路，好像是在走著一條光明的大道。」我一直等著那一天，想跟隨領導者的腳印，走過光明大道，回歸故鄉，但那一天來臨，竟是另一次戰亂的迫害，避難來了台灣。

文學造詣

真正能謁見您，卻是在盼望十幾年之後，在台北。那是民國四十五年二月十四日，清寒尚未消的春天，您以救國團主任身分，在「婦女之家」設宴招待「全國青年最喜歡閱讀作品及崇敬作家」入選者。我滿懷興奮，匆匆從岡山北上，心中盤算著要當面告訴您，在您大刀闊斧治理贛南的時期，我一直生活在蔭庇下，從少年到青年。也像所有敬愛您、崇拜您、感激您的贛南老百姓一樣，不知多少次提到那個名字，說起那個名字。轉述那些說不盡，聽不厭的事蹟。我亦曾經是您領導下，推行新贛南建設中的一個基層幹員，一個文化鬥士，而抗戰勝利後，我是最後離開您第一座改革，耗費心力最多的，那個上猶山城的人——但當我正式被引見時，坐看您親切坦誠的笑容，握著您厚實溫暖的手。卻只會囁囁地回答：「主任，您好……」，全忘了台詞。隔著餐桌，聽您與能說善道的文友們交談暢言。您關心文藝，關懷作者，頻頻探詢，注意諦聽，也簡述自己的觀點，神態安詳，平易可親，沉緩的聲音，簡短明白的語句，自有一種使人凝神傾聽的感染力和說服力，記得您說過：

「文藝工作者要多到偏僻的鄉村，深入民間，多到海上，多到高山去，這都可以用作良好的題材。」又說：

「文學不再是苦悶的象徵，而是光明的寫實；詩人不只是戴上桂冠，而要使詩篇淨化塵俗。」多麼值得我們深思體悟的寫作課題！若不是您文學根基深厚，造詣高超，思慮精密。又怎能創作如此具有啟發性的文學雋言。

也曾陸續拜讀您不少著作，如：〈贛江的水，依然在流〉、〈讓我前來接受您的革命利劍〉、〈永遠與自然同在〉、〈投宿在一個沒有地名的地方〉、〈在每一分鐘的時光中〉、〈守父靈一月記〉、〈梅台思親〉、〈風水孝思〉等，文筆明白曉暢，風格平淡樸實，意隨筆到，字裡行間，自然流露出至情至性，與純篤孝思，唯其語摯，具有極感人的力量。說理述事，條理清楚，文氣平和，處處蘊涵著高深的哲理，發人深思，讀《老人與海》、《天地一沙鷗》、《荒漠甘泉》等世界名著，您有比別人更深一番的領悟和卓見。尤其是那許多經過精密思慮，體會感悟而得的《自反自勉錄》中的至理箴言，充滿了沛然正氣，堅定意志，恢宏胸懷，和向前、向上、向善的意念，淬勵奮發的精神，更是啟迪心智，闡揚人性，提升情操的千古遺典，記得有一次我身心挫傷，不能寫讀，偶然拜讀嘉言：「我要欣賞碧綠幽靜的原野，而不迷戀浮囂繁華的城市。我要在繁忙之中，不遺忘碧空曠野，我要用身外景物之真美，和心內靈淑之氣質，來蕩盡我胸中一切的焦慮，和一切使人委靡不振的憂鬱。我要以寧靜勇敢之精神，愉快高尚之情緒，忍一切的恥辱，受一切的痛苦，來擔當艱鉅。」默誦再三，迷霧頓開，豁然有所領悟。走出憂慮，走出書房，開始探求身外景物之真美，而寫下一系列散文「忘憂草」。

可敬的經國先生，您不只是一位極具魄力的政治改革家，同時也是一位睿智的哲學家，一位卓越的文學家！

德澤綿長

從贛南、上海，而台灣，您一直肩負艱鉅的任務。面臨危難困阨，您勇往直前，身臨險惡艱辛，您從容自持，事必躬親參與，篤實踐履。而一切均以國家利益為前提，以人民福祉為歸依。您將早年建設新贛南的精神、魄力，以及對人民的關愛，擴揚到無限，但理念不變。從報章、收音機、螢光幕，各種傳播媒介，我們經常可以看到和聽到那些真切動人的畫面：您在金門炮火中鎮定自若，在崇山峻嶺間領先開路，在青年營隊歡樂與共，在運動場所鼓勵加油，在田裡搶著打稻，在果園品嚐果農摘給您的蓮霧，在漁港拎著漁民獻給您的鮮魚，在工廠讓工人教您使用機器，在火車站向返鄉的旅人賀年，在路邊攤坐下來吃一碗魯肉麵線，或站著喝一盅芋角冰，高興地抱抱眾家孩子，愉快地與鄉野黎民共話家常。其中給我印象最深，最感人的是：在一座擠滿人的看台上，一個年輕的母親俯身石欄，雙手托著一個小女孩不顧危險的低低懸垂欄外，要送給經過場地的您撫抱。而您，舉起雙手，頭向後仰，卻因差一截距離而由旁邊的人架高才撫觸到孩子，俯仰間盡是一張張笑顏逐開的臉，有趣極了。另一張是一個贏得世界少棒冠軍回國的金龍隊選手，正坐著托起自己的左腳讓您看，而您，彎腰曲膝，慈祥地一手捏著腳尖翻看那鞋底，關愛之情溢於言表，還有您仰首站在一個健壯如鐵塔般的受訓青年面前，高抬手臂拍著他結實的肩膀，眼中溢注的激賞與讚美，說出您的滿心欣慰和欣喜，您歡喜那樣好的青年，您欣慰國家民族有這樣優秀強壯的後裔。畫面中，在您四周總是追隨著，圍繞著許多愛戴您的群眾，您慈祥滿足的笑容，沉厚誠懇的語聲，像煦陽春風般照拂著每一個人。看來，您是多麼有福氣的，最大的大家長！但，有誰知道您為建國強國大業，經濟民生發展，運籌策劃，日理萬機。宵旰勤勞，精力透支過多，已健康日衰。直到糖尿病菌擴散全身。背痛不能抬頭，腿痛不能行動，您惦念的還是：「倒不是腳痛難受，而是心痛不能去看我最愛的人民大眾。」

世界上沒有一個總統像您那樣，勤儉自持，兼沖淡泊。您促使國家富強，經濟起飛，人民生活的安和樂利，享受物質近於奢侈，而您從當年抗戰時期的贛南，到邁入經濟大國的台灣，始終自甘於簞食瓢飲，粗衣布履，生活起居，更是簡單樸素，沒有一點個人的享受。世界上沒有一個領袖像您那樣，愛民親民，殷殷關切，拳拳於心，總是人民的福祉。人民的疾苦，便是您的疾苦；人民的滿足，便是您的滿足。走到哪裡，歡笑和溫暖便常到哪裡，您說：「人生最快樂的就是天天和群眾生活在一起，離開群眾的人，就喪失做人的意義。」但是，您為國為民勞瘁一生。在那樣的高齡，都不能像一介平民，頤養天年，好好享受您認為最快樂的人生。

您說：「人生像爬山，一直向顛峰前進。」這數十年來，您一直率領這國族向民主最高峰攀升。披荊斬棘，勇往直前，而最近幾年，更是邁開大步，越走越快，憑持那股堅強的意志力，滿腔熱愛，挺著疲憊不堪的身心，撐著疼痛難行的雙腿，竟是奮不顧身的全力衝刺，目標在望，您卻已殫精竭慮，心力交瘁，嘔血而崩。

您去得太突然，走得太匆遽，噩音傳來剎那，世界一片空白，大地坍陷。身心隨著沉落冰冷無底的深淵，任由驚慟悲傷的浪潮沖激淹覆，像所有已習慣生活在您的容寵下、蔭庇下的子民一樣，遽然失去依靠仰賴，除了傷慟哀戚，又能值些什麼。在那些悽楚黯淡，追思悼念的日子裡，過去種種事蹟又一一重現，那個布衣草鞋，平易樸實，鬥志昂揚，生命力旺盛，滿懷理想和愛心的青年，那個翻山越嶺，踏遍蠻荒僻壤，領先攀上西華山的健壯身影，清新地升起於時空大漠，彷彿頂天立地的巨人。您，平凡的偉人，從您邁出第一步開始，走過憂患，走過奮鬥，走過崎嶇的道路，走過漫長的半世紀。一步一個腳印，在中國的歷史上，都是最不平凡的記載。

您說：「我自己沒有什麼可以給大家，願意把生命貢獻給國家，以吾人數十年必死之生命，立國家億萬年不死之根基。」經國先生：您的貢獻已完全達成了您的理念，全國上下儘管處在悲慟憂傷中，仍銜哀奮進，李總統莊重就職，一切進行持續不變，您已奠定了民主憲政的基礎，國家億萬年不死的根基。您未竟的遺志，更是我們全民族努力的目標。

經國先生：請安息吧。「看不見，可是您依舊存在。」您不朽的精神，是永遠指引我民族的長明燈，您的典範形象，永遠存活在世世代代中國人心靈深處。

編註：本文原刊於《幼獅文藝》第六十七卷第五期，一九八八年五月，頁九十～九十九。

你我的書
——代序

朋友，天上有那數不清的星星，原野有那開不完的花朵，而在我們人類的世界，也有星一般數不清，花一般開不完的——那是一種書……

也許，你會說：噢，是的，我知道，那是人類思想的結晶，智慧的花朵。它們有些述說著過去，有些刻劃著未來，有些教唆邪惡和戰爭，有些教人信仰和愛。有些談論風花雪月，白紙上印黑字，全無意義。有些鼓舞人生向上向善，是靈魂的良藥。有的只講怎樣獲致名利，也有勸人淡泊知足。有專門研究科學，也有專門探求哲理。它們有的美如醇酒，令人沉醉。有的如晨鐘暮鼓，發人深思。有的如糖衣毒素，吞下危險，也有如生柿子，酸澀難嚥。

但是，朋友，我這裡要說的卻不是這些書，它不用筆和墨水，但人人都在寫；它並不印在紙上，但人人都要讀。那些書，有的內容複雜而深奧；有的卻淺薄凡庸。有的嚴肅莊重，有條不紊；有的卻散漫凌亂，滿篇荒唐。有的多采多姿，富有戲劇性；有的卻一字一句沾染著血淚汗汁，無比辛酸。有的平平穩穩，似一帆順風；有的歷經苦難，盡是奮鬥掙扎的創痕。有的看似光鮮，實則貧乏虛矯；有的看似樸素無華，實則充實含蓄；有的充滿生趣，活力洋溢；有的頹廢委靡，黯慘無光。有的很長，卻往往平淡無奇，如浮光掠影，不留痕跡；有的雖短，卻光芒四射，似旭日恆星，永垂不朽。

朋友，那些不是別的，是生命的著作。你我的一生，都是一本書。

是的，每個人的一生便是一本書，當生命開始，人類便以思想和行動，感情和品性，心靈和智慧，舉止和行為，無意或有心地填下了一頁又一頁。人的天性中，有那些善良的品德，美好的理想，向上的意念，但也有那蒙昧狂妄的一面。人的行為中，有那些高尚的操守，優美的懿行，溫雅的動作，但也有那拙劣不良的一面。也許，當我們隨意寫上後，便從未檢視過曾經寫了些什麼，而當我們繼續寫下去時，也不完全清楚將有些什麼。你我的書唯一向作者要求的是真、是忠實。那麼，為什麼從我們自身所產生的東西不該知道清楚，不該了解透徹呢？

朋友，這一刻也許是澄淨的清晨，也許是岑寂的黃昏或是安謐的夜晚。且讓我們一起靜靜地翻開您我的書——那本生命的巨冊吧！

編註：本文原刊於《皇冠》第二十二卷第五期，一九六五年一月，頁七十二～七十三。

生命——從永恆的到永恆

一株嫩芽，悄悄地從泥土裡竄出來，承受著微風和陽光。

一隻幼雛，輕輕地啄破蛋殼，享受著從母體傳來的溫暖和暱愛。

一個嬰兒脫離了胎胞，開始呼吸人間的空氣，接受光和水的洗禮。

朋友，這便是生命。

嫩芽將慢慢茁壯而凋謝，但它已有新的種籽落在土裡。

幼雛將漸漸老憊而死去，但牠已繁殖了更多的幼雛。

人也會衰老，也會殞歿，但留下無數的下一代又下一代，血脈相承，綿綿不盡。

朋友，生命沒有終止，不會中斷。從延續而至永恆，是昔在，今在，以後永在。

也許，你要問：生命是堅韌的麼？抑是短促而易於幻滅？是光輝美麗？抑是陰暗而冷酷？是豐富蘊蓄的呢？抑是貧乏而又空虛？

在有些人，它是堅如磐石，韌如老藤；而在另外一些人，它卻短暫如朝露，幻滅如輕煙。在有些人，它光輝如旭日，美如五月鮮花。而在另外一些人，它卻陰暗如雨天的雲霾，冷如山巔千年不化的冰雪。在有些人，它是蘊藏無窮的寶礦。而在另外一些人，卻空虛貧乏如一場大夢。但是，朋友。生命便是生命，如同真理便是真理。只是人們慣把遭遇委諸命運，又把命運委諸生命。這裡，且摘錄幾句那些聖哲英雄們對生命的觀感。自己曾把生命寫在歷史上，留下千古名言：有的說生命是一個旅程，有的說生命是一個期待，有的說是一齣戲，有的說是一個故事，有的說是一場戰鬥，有的說是一粒火種，也有說是一支永恆的流……

朋友，仁者見仁，智者見智。我們固然不承認他們的看法完全準確，卻也不能說他荒謬。一個旅程，不錯，所有的享受和幸福，只不過是生命路旁的驛站，供我們休息，讓我們增添精力以到達終點。一種期待，是的，我們一生都在期待中，期待將來，期待美好的事物，期待理想的實現和欲念的滿足。如果是一齣戲，那麼不管扮演什麼，忠於自己的角色，直演到幕落。如果是一個故事，卻不在乎長短，而要精采。如果是火種，那麼燃燒吧，不管發出來的是星星之火抑是烈焰，照亮自己，也照亮別人。如果一場戰鬥，那麼為理想、為信仰，與自然、與生活作戰吧，我們應該有勇氣搏鬥到最後一口呼吸。如果是一支水流，那就向前奔流，掙出峽谷，越過礁石，奔向寬闊的江河，流向浩淼的大海——

噢，朋友。生命不是抽象的名字，不是靜止的。生命是行動，是力量。讓我們為科學，為藝術而燃燒。為信仰，為真理而戰鬥。為更壯麗光榮的人生遠景而不斷躍進。從過去到現在，從現在到未來，從未來到永恆！

編註：本文原刊於《皇冠》第二十二卷第六期，一九六五年二月，頁四十五～四十六，為「你我的書」專欄文章。

智慧——心靈的太陽

是什麼照耀著宇宙？太陽。你會毫不遲疑地回答。

是什麼照耀著黑夜？星月。你會不加思索地回答。

是什麼照耀著人類的心靈？哦！那當然是智慧。

不錯，我可敬的朋友，正是智慧，那是人類心靈的太陽。它照耀你我一生，如同陽光照耀著宇宙，星月照耀著黑夜。沒有陽光的世界是一片混沌，沒有星月的夜晚是一片黑暗，而缺少了智慧，人不比蟲豸更聰明，不比禽獸多一點靈性，愚昧一如黑暗深罩著靈台。思想混濁，彷彿混沌未闢。生命存在只是苦惱、空虛和悲哀的總和。大千世界也不過是一片荊棘叢生、莠草蔓延的荒野。

讓我們學取智慧，如同生活在陽光下，唯有智慧能使我們認識人生，能使我們思路清澈，能使我們氣質優雅，能教我們領會世界的豐富涵博，生命的多采多姿。能教我們應付繁複的現實，支配或征服命運。能教我們辨別美醜、判斷善惡、認識是非、洞悉真偽。「智慧包含了一切美麗、真實、善良，因而熱情，它教我們思維而讚美，而漸漸同化。」——喬治桑。

能與智慧同化，這是最大的智慧，最高的境界！

那麼，智慧又從何尋取？噢，不，猶如泉水總有源頭，慧根原在自身，那是品格和領悟的能力。

那麼，智慧不需外求了麼？噢，不，內蘊的慧根猶如礦苗中的鑽石，砂礫中的金子。必須要琢磨、要加工、要提煉、要用烈火炙燒！

燃料是知識，廣泛的知識。是經驗，實生活中各種經驗。

只有知識，你可以成為涵博。但如不能在實生活中實行，不過是座活動庠。

只有經驗，你可以成為練達。但如不能在實生活中運用，不過是你自己一頁作廢的歷史。

唯有兩者交流融貫，互相映射。唯有在一起燃燒，才能昇華為光。

而這光，更是智慧。

朋友，讓我們接受這炙燒罷，痛苦的炙燒，快樂的炙燒，熾熠的炙燒，美麗的炙燒……然後，在我們心靈深處昇華為光。像太陽那般光芒四射，像星月那般柔輝撲面。

當我們年輕時勇於承受炙燒，到年長時若不能都成為明哲，也有睿深的智慧可以靜觀人生，若不能個個都創造世界，也有豐富的智慧足以支配命運。

當我們接受炙燒時，為的使之昇華為光。但當我們獲得了光時，千萬別離棄了火。不斷地增添新的燃料，不斷地炙燒，乃使之不斷地擴展、延伸、增長、光大——自以為智慧的人，有如一隻螢火蟲以為自己照亮了世界一樣可笑。

但智慧是光，不是火，不能供給動力，而是調節我們行動的步法，使之不迷失，不退縮，不蹈入歧途。

智慧是光，不是火，不能供給思想，而是指引我們如何思維，要正確，要慎密，要不時反省。

獲得智慧並不足以憑恃，有智慧而又知道如何善用智慧，才是真正智慧的人。

朋友，先讓我們接受炙燒罷，然後才能昇華為光！

編註：本文原刊於《皇冠》第二十三卷第五期，一九六五年七月，頁二十六～二十七，為「你我的書」專欄文章。

信仰——精神之歸依

我們都曾看見過蜘蛛結網，那漂浮在空中的游絲，必須附著在實物上，才能編綴。
我們都知道那些可愛的弦琴，一定要把弦線繫得緊緊的，才能彈奏出和諧悅耳的旋律。
有的時候，你可曾感到恍惚處在一種游離的狀態中，無以安頓？
有的時候，你可曾覺得彷彿處在一種飄忽的情況下，不能穩定？
那就是我們的精神因為無所歸依，而動盪不安，而飄忽迷離。
人的精神，同樣的應該有所附著，才能創造人生莊嚴的事業。
人的精神，同樣的應該有所維繫，才能彈奏生命瑰麗的樂章。
而精神之歸依，亦即是建立你我的信仰。
或許，你會說：你不知道該信仰什麼？
有人信佛，為的祈求賜福佑命。
有人信上帝，為的是死後靈魂想進天堂。

有人信天主，為的求贖罪、求得救。

人生的幸福原該靠自己求取。靈魂只要活著時不致迷失，死後不在乎進不進天堂，而一生憑良心、人格、道德行事，更不需要贖罪或得救。

你說的，也正是我心裡所想的，這可能是一般人編狹的觀念，我認為不問信仰的對象是什麼，信仰，便是為信仰而信仰，不祈求什麼，也不需要什麼。有的，便是單純的奉獻和虔敬的皈依。所有的宗教思想，概括一句：都是信仰為善。若只是單純地向善皈依，向善奉獻，這總是好的。

然則，你不是教友，我也不是信徒。且別妄談宗教褻瀆了別人的信仰。因為，除了宗教信仰，這世上更不少值得你我去信仰的。

或許，你又說：

天地如此廣闊，世界如此繁複，人間更充滿欲念和貪婪。你找不著你願意信仰的。

這下你錯了，我可敬的朋友。如果你仍熱愛人生，熱愛生活，如果你仍願意繼續生存下去，那麼，在你的生活中，你的生命中，將永不缺乏值得你去信仰的。

你且試著仔細地反省：有什麼是你心中最愛的、最崇敬的、最願意服膺的。那就以你所愛的、所崇敬的、所願意服膺的，作為精神的歸依、作為你的信仰吧！

當你一經鄭重地選定了你的信仰，便不再動盪，不再徬徨，不再迷離和飄忽。

但只是信仰還不夠，仍須奉獻你自己，化為行動。蜘絲必須編綴，然後成網，琴弦必須撫撥，然後有聲。信仰加上行動，才能實踐，才能印證，才能發揚光大。

你可以向一個真理進發，勇往直前，一無所懼。

你可以為一個主義的實行，不惜任何代價。

你可以為不朽的藝術，獻出畢生的心力。

而你甘願終身所從事的工作，你熱愛的日常生活，也便是你的殿宇、你的宗教。

莫再猶豫，莫再遲疑，投向你我的信仰，以我們的虔敬、以我們的真誠、以我們單純的奉獻！

編註：本文原刊於《皇冠》第二十三卷第六期，一九六五年八月，頁十八～十九，為「你我的書」專欄文章。

希望，與生命同在

當你呱呱墜地，當你的生命開始，它便悄悄地隨著你誕生。

當你剛剛懂得思想，當你對事物有所需求，它便湲湲地溶入你的智慧，助你滋長。

當你學習生活，當你起步在人生的途程上，它已密切地追隨你，引領你邁步向前。

那不是別的，可敬的朋友，是希望。

它與你的生命同在！

生存的路程是崎嶇的，遍地荊棘，處處阻礙。而它是你手中的武器，助你征服困難，戰勝障礙。

人生的旅程是艱辛的，歷盡憂患，飽受挫折。而它是你不竭的力量，鼓舞你振作奮發，勇往直前。

人類的心志是脆弱的，失意潦倒，不幸和痛苦，常令精神陷入頽廢、消沉。而它是你恢復生機的萬靈油膏，促進活力，振衰起頽。

那不是別的，可敬的朋友，是希望。

它與你的存在並存！

由於先天的秉賦，人類資質上容或有智愚的差別。

而希望是每個人天賦的特權。

由於後世的經營，人們生活中容或有貧富的分野。

而希望是每個人都能享有的財富。

是的，希望是你我的財富，心靈中最尊貴，精神上最高尚的財富。縱使當你一旦失去了世上的一切，依舊可以擁有無窮的希望。

但是，千萬別像——

那吝嗇的人，只知低頭守住眼前的現實，不敢用在明天，用在未來，用在遠大的計畫。

那浪費的人，任意浪費在許許多多荒謬、渺茫、不著邊際的透支上。

那揮霍的人，一生只作孤注一擲。

那疏懶的人，沒有理想，沒有抱負，只是渾渾噩噩地混日子，蹧蹋了人生。

太陽在照耀時才發出光芒，財富在懂得運用的人手裡才顯出價值。而希望，只在完成希望本身的過程中，才迸射出力量的火花。

那煒煌的火花，卻不是屋裡的爐火，供你坐著取暖，而是屹立在你精神上的一座燈塔，指引你在人海中航行。

那熠燿的火花，卻不是閃爍的鑽石，懸在你胸前炫耀，而是亮在你心靈中的一顆啟明星，啟示你邁進的方向。

你我要以行動煽熾生命的火花。以勤勉使它發揚光大，燃燒不熄。

希望是生命，生命就是希望。

希望使人所以成為人。

唯有在一個高貴的靈魂中，才寓有偉大至善的希望。而偉大的希望，也孕育了偉大的思想。

噢，可敬的朋友，有希望的地方，便有快樂。有希望的所在，便有奮鬥。有奮鬥，便有路。

且讓你我高擎生命的火炬，勇往直前，一無所懼地去追求人生最高境界，去開拓自己的命運！

編註：本文原刊於《皇冠》第二十四卷第六期，一九六六年二月，頁三十～三十一，為「你我的書」專欄文章。

情感——人體內的電紐

噢，你——我可敬的朋友，趁這一刻夜闌人靜，你我心境澄清，且來仔細檢閱這給你我一生中困擾最多的一章——情感。

你我都看過那些彩色噴泉。每按動一個電紐，便噴射出一股股紅的、藍的、紫的泉水。多麼奇怪的是，造物主竟也在你我心臟中樞安上無數靈巧的電紐，只要輕輕一觸，某一種情感便似電流般立即發射。各自閃耀著特有的光芒，倏忽通過靈魂。

可還記得，
你我都曾為自己誕生在這世上而悲啼，
曾為一滴鮮甜的乳汁而歡喜，
為一瓣落花感傷，
為一抹浮雲憂愁，

為失意而痛苦，
為滿足而快樂，
為不平之事激憤，
為悲慘之事惻然，
為一個理由會恚恨終身，
為一個人，會死心塌地的去愛。
你我的靈魂，一生中常被各種不同的情感所激盪。
而行為，又常被感情所左右。
也許，你是個成功的人，躊躇滿志，全由於感情上的鼓勵。
也許，你一直未能展圖鴻志，常懷抑鬱，只為的是感情上的牽制。
當生命中的帆揚起，它可以是一股吹送前進的東南風。
當理想的雙翼高舉，它也會是一副梏住雙腳的鏈索。
感情有時是動力，
有時卻是阻力。
沒有一樣事物具有彷彿兩極的性能，像感情。
人類曾把自己封為感情的動物。

但這動物的感情並不相似。
有人感情豐富，
有人感情強烈，
有人感情脆弱，
有人的感情深沉不露，
也有人生來就缺少感情。
第一種真摯可愛，怕的是濫用感情。
第二種直率魯莽，容易衝動。
第三種多愁善感，容易受傷。
第四種是堅強，重理智的人。
至於第五種，冷漠、自私，最是令人可厭。
可敬的朋友，你我且捫心自問：屬於哪一種類？
該從氾濫的提煉，
使直率的約束，
從狹仄的拓展，
使平凡的昇華，

當最亮的一個電紐發射時，
寧願它是動力，
不做受感情牽線的傀儡。

編註：本文原刊於《皇冠》第二十六卷第六期，一九六七年二月，頁一八六～一八七，為「你我的書」專欄文章。

千古知己

我覺得世界上的作家都是最慷慨的人，將自己畢生累積的智慧財產全不保留地流傳下來，讓後人受用不盡。而遨遊在文學浩瀚的領域中，一生總會遇到幾位令人心悅誠服，令人一見傾心，令人相見恨晚，令人銘感終生的文字知己。他們有的作品像神奇的金手指，輕柔地撥動心弦，發出和諧的共鳴。有的觀念像在眼前開啟了一道門，引領到另一個美妙的境界。有的思想是一支出山的清泉，婉轉流注，滋潤了心田。有的意念竟是一種震撼，如醍醐灌頂、恍然頓悟。尤其是在某一時期，當自己情緒、思考、寫作心情、生活環境正陷入一種充滿矛盾與迷惑的困境，突然遇上那樣一本解惑振困、深得我心的好書，迷津霧消、藩籬盡去，忍不住自心底發出歡呼。

那是紀德的《地糧》，巧的是他寫作這本書的年歲，正好與我最初讀到該書時相近。首先，「別停留在與你相似的周遭……當一種環境已與你相似起來，或是你自己變得與這環境相似。此刻它對你不再有益，你應離開它！」多麼有力的當頭棒喝！猶如曙光通過睡意朦朧的心，也使那些飄忽迷亂的思維獲得歸納。我喜歡：「過一種至情至性的生活，不求安息。」那樣全心全力追求理念的，那種可敬可愛的「執著」。喜歡：「順著自己的傾向好了，假如採取向上的方向。」能順著自己的旨趣，順著自己的理念，順著自己良心的命令；不受任何外在的牽制，向上拓展，向前邁進；提升情操，超越庸俗；讓生命和寫作，永遠是不斷地擴充和更新，作者以悲憫的胸懷歌頌自然萬物，與自然相往來。同時亦讚美生命中的本能和欲望：「讓一切美，閃爍著我的愛」，正是像我這樣一個文藝工作者的心聲。他熱愛世界，用赤裸的腳踩在土地上，一步一個印。又由外轉向內，嘗試生活，發掘心靈，探索人性，投入全部熱忱。卻始終保持隨時超越、隨時起飛，從滯留中求解脫，自困境中求突破，追求一切更新的精神，接受感召，彷彿在我本身凍結的資源注入了活力，欣然出發。

作者獨特的文體，更有一種魅力。直截、簡潔，又充滿熱忱，詩性洋溢。在對情景親切的描述中，常常凸顯一段雋句，看似平實，卻寓意深遠、耐人尋味，給人激勵和思索的空間，紀德「伸展著道路的地方，有步行的欲望」，就給了我不少啟示和聯想。

千古知己，初遇時常是啟蒙的導師。浸潤濡染中，思想、情感、體驗越加接近、融通，而成為畏友和密友。作品風格多少受其影響，只是有時只欣賞一個作家的某些作品而不是全部，像紀德作品我就獨鍾情《地糧》及《新糧》。一個從事寫作的人在心智不斷成長的路上，總會陸續遇到好些位傾心相交、亦師亦友的知己，長相伴隨，受益匪淺，令人長懷感恩心。

編註：本文原刊於《國文天地》第七卷第十二期，一九九二年五月，頁十～十一，原題為〈讓一切美，閃爍著我的愛〉，為「千古一知己」專題文章。

心心葉葉樹長青

——賀蘇雪林先生九五壽慶

文字所給予人的感受、影響之深遠，怕是這世界上沒有別的能比擬的了，短短一篇令人心動或心折的作品，常常畢生難忘。還記得第一次在初中課本上讀到〈鴿兒的通訊〉，立刻就被優美的文筆，如詩如畫的情境，通靈的鴿兒，和融貫全文的如水柔情，感動得捧著課文誦讀再三，在那許多嚴肅枯燥的立論著作中，是唯一扣住少年心弦的至情文章，當我知道該文背景是蘇州——我的故鄉，益感到親切和沾光的榮幸。想像那位以花影計時，與溪水唱和，和月亮談心的嫻雅女子，拽著淺碧的衣裳，正徜徉於深深庭院、濃翠綠蔭裡……畢竟，在年少單純的心目中，一位作家，總是深遠莫測、高不可攀的偶像人物。

也許，一次文學的感動就帶動一組「能思考」（愛迪生語）的文學細胞。若於年後，我自己亦不知不覺走上了寫作的路。又若干年後，一次文協南部分會成立大會上，我被介紹給這位從課本上走下來的緣漪本人——蘇雪林先生。但不是我想像中不食人間煙火、纖柔、飄逸、輕盈如「銀翅蝴蝶」般的小婦人，而是位短髮齊頰，眼神炯亮，衣著樸素，有謙謙風度，笑容和藹可親的學者。面對心儀二十年的前輩，滿心充溢孺慕敬仰之情，卻口鈍不知如何表達，在一旁聽她安徽口音如出山清泉般講文學、談寫作，凝神傾聽間恍惚轉成了〈鴿兒的通訊〉中那段生動的水石之爭；溪水奔流，浪花沖激，水珠迸散，潑濺有聲……時光倒流，我又成為那個靦腆的中學生（那時，拙作僥幸也被收入中學課文了）。

在這忙碌疏離的社會，人們相聚並不容易，與蘇先生僅有過少許幾次見面，都留下鮮明的印象。

一九五九年初冬，與梅音第一次去台南專任探望，巷弄就如名字東寧般安靜，小院花木寂寂，室內陳設極其簡單，觸目皆是滿架滿几的書，齊屋頂的雙層書架猶如堅固的城牆，主人就安詳地靠坐在書牆旁的舊藤椅裡，一隻狸貓安逸地蜷伏在書報堆上，陽光透過敞開的大窗，映照著花白的頭髮，和攤開在桌上的文稿簿冊，言談間流露出機智、學養和風趣，益顯出主人的涵博、富有！又有幾個人能擁有如許有形無形的智慧財富！臨行承贈送新版《綠天》一冊，正是我許多年來覓求不得的，最喜歡書名寓寫院中那許多花草和老樹，親切地喚著名字，生動地畫出形狀、姿勢，實顯性格，一株株俯仰伸展、躍然紙上。而那「綠天深處」，正是我魂牽夢縈的故鄉，欣賞妙文，也聊慰鄉思，欽佩之餘，又添一份感謝。

最有意思的一次歡聚，是一九八六年她老人家九秩大慶，文友們將蘇先生自台南請來台北，先是較年長的為她暖壽，有張明、王琰如、林海音、葉蟬貞、張秀亞、潘人木、艾雯、郭晉秀、姚宜瑛、王明成和魏教授，我們戲稱十二金釵，席設一枝春，樓名寓意深水。壽堂設文協，整個文壇就像辦喜事般，作家們全穿戴得光光鮮鮮來拜壽，爭著與壽星合影。壽星那天真是星光燦燦，光潔的銀灰短髮如雲鬢覆頰，臉龐豐潤，穿寶藍風衣、紅藍格子圍巾，胸花、獎章、金牌，一道道懸掛胸前，被眾人簇擁擠軋，一逕笑容可掬！慈藹中摻著歡喜、容忍和一點戲謔，好像說：「難為大家這般費心，由你們怎麼安排擺布吧！」我很高興能捕捉到她最佳笑容和風采，只不知那張照片是不是還陳列在她案頭。

故鄉寄來一九九〇年十月份的《蘇州雜誌》，刊登朱雯致友人信一則，提到在東吳大學的教授中，除了蘇雪林之外，沒有其他老師從事或提倡新文學創作的——在蘇的影響下，學生中也出了一些愛好新文學的青年，如詩人徐雉、王佐才、劇作家袁牧之、舒湮、舒適、姚克。王佐才出版過一本詩集《蟬之曲》，他第一個短篇小說集《現代作家》，一同列入蘇雪林主編的金帆叢書，當時我影印了寄蘇先生，她回信說，朱雯當學生時便出了一本小說《墳》。曾為王書《蟬之曲》作序，收入《青鳥集》中，但書已絕版。朱雯現任上海師大教授，曾出版著作多種，已八十歲了，猶念念不忘這位文學的導師，足見影響之深刻。

不僅對受她教誨的學生殷殷指導，對文藝界的晚輩後學也常蒙關照，鼓勵有加。前幾年我寫《綴網集》時，老人家忽然來信提到，你在《中副》上所寫文章，文筆既優美，哲理更深，讀之每不忍釋手，何時結集成書，務必送我一本。

前不久，一個寒冷的早晨，正與女兒恬恬（成大畢業）閒談，螢光幕上忽然出現了蘇先生，她詼諧地笑容訪問：「在我這樣的年紀，什麼時候要走就走了。就像說到去旅遊，在這樣的年代，什麼時候想去就去了。」燦麗的笑容，灑脫的言談，立刻融化了陰霾，如冬陽般照得一室溫煦。便中也將溫馨分告友人。我們寫作群大多住台北，蘇先生獨蟄居台南，就這樣聲息互通傳遞關懷。一次聽說因餵貓摔倒傷腿，大家正擔心，不多久那邊寫花樹、寫貓、寫社會的文章又一篇篇地刊了出來。她深居簡出，行動不便，又以想像力加上童心，寫了〈機器人〉：「我現年老體衰，客邊孤寄，真想有個機器人作伴……」列舉種種具備的能力，儼然大發明家。因情緒或挫折，我們這輩搖筆桿的文友們偶有倦勤之意，別人立刻叱責：「你好不好意思，人家蘇先生都還在寫！」或「別洩氣了，應該向蘇先生看齊。」蘇先生已成為我們大家的精神標竿。

一路寫過歲月，已遠超過半個世紀，蘇先生創作的範疇卻越來越寬廣，關懷和愛是她用之不竭的源泉。永遠保有年輕的赤子之心，樂觀高潔的情操，和為學寫作的熱誠，使她無視於生活中的匱乏與不便，以「九五之尊」，仍然執著於自己的理念，孜孜不倦地耕耘那片心田，正是心心葉葉樹長青。

藝術原是寂寞的奉獻，寫作是寂寞的事業。也許，這樣的寂寞對蘇先生也是一種幸福吧！謹在此虔誠地為蘇先生祝福，祝福我們的長青樹永遠長青。

一九九一年三月三日

編註：本文原刊於《蘇州雜誌》總第二十一期，一九九二年四月十五日，頁十六～十七。

路的開始，人生的起步

殷勤的問「路」聲，忽使時光倒流，歲月再現；眼前是紅土山崖，悠悠江水。中間一截砂礫凌亂的荒徑。年輕的我，獨自佇立路口，一任山風掀起藍布衣衫，夕陽曳長纖細的身影。水循山彎，心隨路轉，卻不知何處是盡頭。

那是民國三十三年，對日抗戰最艱辛慘烈的第七年。二十六年春，我們一家四口歡歡喜喜隨父親從蘇州到江西履新。不想日本忽然侵犯我國，戰爭很快蔓延，家鄉淪陷，不久父親又遽然去世。我輟學就業。炮火驅迫我們輾轉避入上猶——一座嵌在叢山中的偏僻小城，車輛不通，烽煙遠離，唯一的一條公路開開又停停，我從報社下班經過時，總不由得在路口駐足停留，心緒萬千；那條路，可以通向幅員廣闊的我國任何地方，可以到達我的家鄉。但路的那端已被戰火封鎖、被截斷要等。路通應該是戰爭結束了。自然，等贏得最後勝利，路一定會通……悯然回家，等母親和妹妹都睡了。我點亮桌上的煤油燈，在粗糙的毛邊紙上寫了個「路」字。寂靜中，慢慢撫平感慨，調正情緒，讓思想澄淨下來，環繞著主題迴旋。地面上有數不清的有形的路，最熟悉的該是從自家門前到學校的巷道，不管離家多遠，閉上眼睛也能清楚地在心裡走一遍，是那樣溫馨而安謐。來江西時經過不少高山峻嶺，公路隨峰巒起伏，汽車盤旋而上，彷佛直衝青天，又迂迴下降，似將墜落萬丈淵谷。一路心驚膽戰，我第一次深深感到築路工人的偉大。避難窮鄉僻壤，走的全是前人走出來的陡峭彎道、狹窄小徑。而電訊不時傳來什麼路被炮火摧毀、什麼路被敵寇截斷，千千萬萬軍民立刻浴著血汗開築了最長的緬滇路。

許許多多受戰爭迫害的人們，離鄉背景，流放各地，陌生的城鎮，說著不同的鄉音，有不同的生活方式、不同的風俗習慣，難免發生磨擦和排斥，但在敵愾同仇的一條路上，卻都攜手同行，並肩作戰。

如在升平時代，那般年齡的我，正是抱著課本，進出求知的學校，做個無憂無慮、快樂勤奮的好學生。但生存在動亂時代，為了責任和生活，不能不提早工作，經學校跳越到社會，是一條非常艱澀生疏的路。路儘管不是自己按照理想挑選的，一經上路，就必須全力以赴。我戰戰兢兢調適自己，先穩住腳步，慢慢從工作中吸取知識，獲得經驗，把一些挫折當作是挑戰、一些困難看成磨練。

畢竟，路的開始，亦是人生的起步。同時更從書籍，從各方面的接觸中，培養興趣，擴充自己，探索新的領域。幾年下來，我一面認真地做例行工作，一面開拓了寄託精神、學習寫作的路子。做學相長、沙漠中有了綠洲，一路上竟也不盡生趣。

一個人生存的路，能按照自己的理想去安排進行當然最好，但如果由於當時環境不得不走未經選擇的路，還是可以按自己的性向調適腳步，培養興趣，去發掘自己的潛能。路要怎樣走，是由於生命的意志去決定生活的目標。至於際遇的坎坷或順遂，並不是很重要，最重要的是要認清方向，掌握自己，一步一步走過去，從山窮水盡，走出柳暗花明。路，是沒有止境的。

太多太多的感受和聯想，經過思考的串連貫通，感情的醞釀融會，文字的提煉修飾，我以象徵性的手法，寫下這篇精煉的短文。為自己，為所有失鄉失學，生活在困惑徬徨中，或徒然擁有抱負理想，不能舒展的年輕人，來一點鼓勵，添一份信心，期望於未來美好的遠景。

〈路〉初寫於三十三年，來台後改寫一遍。收刊在四十年出版的第一本散集文《青春篇》中。四十六年有幸被選入初中國文第三冊，至七十二年改選入第二冊。偶然，在一些文藝場合，會有年輕人恭謹地問候：「我初中時就讀過妳的文章。」說者都已是卓越成的學者或作家了。真高興他們還記得。祝福健康快樂的莘莘學子，一「路」平安！

編註：本文原刊於《中央日報・副刊》，一九九二年六月三十日，第十六版。

我和寫作

有人說：人在寂寞時，便能創作。

有人（歌德）說：一個人能為自己的情熱，為自己的要求興趣而工作，才是真正享受了生活。

有人（羅曼羅蘭）說：由於社會責任和你的良心，或某一種內心需要所驅使而寫作。

由於我有著寂寞的童年、寂寞的年輕時候，看小說，很早便成為我最大的慰藉。而書本給予我啟示，寂寞更教會我如何沉思。慢慢地，由愛好文藝試著學習寫出自己的思想，自己的感觸……我寫作，為自己的寂寞找到一條寄託心靈、洩宣感情的出路；我寫作，為自己那葉在人海狂瀾中飄泊奮鬥的小舟，按上一只指示方向的羅盤。

寫作猶如一道窄門，過去時果然不易，而一旦懷著莊嚴崇敬的心情跨進門檻，情不自禁就會染上那種近似獻身宗教的狂熱，把自己如同一束燃料，投入創作的情熱中。那份熱忱浸入靈魂深處，那份興趣融入生命裡，終於成為習慣，成為生活，成為一生頂禮的精神事業——我寫作，由於內在那股衝激的力量——創作欲，不斷地鼓勵我；我寫作，為的享受那份最高的心靈生活。

文藝是反映時代的鏡子，是認識現實的工具，是服務於大多數人的。循著正統的歷史路線，配合這一時代的發展方向而發展，提高這一時代的民族意識和精神。替這一時代廣大人民說要說的話，這是做為一個文藝工作者的使命，也是當前應負的責任。——我寫作出於本身的責任在不住督促我；我寫作，由於良心的聲音在不住激勵我。

年輕時，感情熾熱而直率；充滿了幻想和詩意，喜歡寫對未來的憧憬，對青春的頌贊，對愛情的響慕追尋理想，謳歌生命。但當我跋涉過更多人生的路程，一步一步擴大生存的範圍，一點一點增加生活的體驗。在顛沛流離中。反加強了我對正義必然伸展的信心。在病困坎坷中，我不曾失去向生活挑戰的勇氣。而由此更體會到在這動亂的苦難的大時代中，幾乎每個人都在接受各種考驗。有的堅苦奮鬥，有的咬牙挺住，有勇敢站起，也有不幸倒下的。這其間，有許多可歌可泣、悲壯動人的故事，也有許多平凡的，卻發揮著最高貴的人性光輝的故事，這使我深深地感到寫作已不僅是寄託心靈，表現一己的感情生活，更要從這時代大眾豐富的，多難而又多采的生活中去提煉。不僅是刻劃個人的理想，夢幻和愛情，更要刻劃這時代人類對明日的希望和理想，刻劃這時代人類對自由的渴慕，對正義的維護，對信念的執著，對強權殘暴的憎恨和恐懼。刻劃這時代人民那種堅苦卓絕，忍受困苦的精神。而人性本來是善良的，人的性靈中原來都蘊藏著各種美德。例如：博愛、同情、正直、慷慨、摯誠、容忍……只是有人熱中於名利，有人忙於應付生活，這些往往都被忽略了，蒙蔽了。也有有些人在人生的途程上遭遇種種挫折和打擊，經不起磨練，便變得消沉、頹廢、悲觀。也有些人默默地在苦難中掙扎、顛躓，卻孤獨無助……文藝的使命既是服務人生，一個文藝工作者便該以最大的熱忱，以自己的筆，幫助喚醒那些沉睡的靈魂，掘發性靈中可貴的寶藏，發揚人性中純真的美德。鼓舞人心向上向善，激發奮鬥創造的精神，培養高尚的興趣，增加生存的勇氣。建設心防，不與惡勢力妥協，武裝思想，不向現實屈服。更進而共同追求人生的真、善、美、豐富人生、美化人生、創造更理想的人生——這是我的理想，也是我為寫作所訂立的目標。

文藝工作，是一種極為嚴肅的工作，文藝工作者所負的使命，也是非常艱難的任務。因此，我覺得選擇了這項事業的工作者，除了具備一切寫作上的修養，還必須具有健全的人生觀，高尚的人格，純正的良知，以及嚴肅的工作態度。在自由中國，一個作者有著充分的寫作上的自由，可以自由的寫，自由的發表。但因為自由、就必須約束自己，警惕自己，絕對不粗製濫造，絕對不寫違背良心的作品。尊重自己，也需要尊重讀者，重視文藝的使命，也必須珍惜自己的筆。這是我對寫作所遵守的信條。

從第一篇習作開始發表到今天，已經有二十多年了。自四十年出版第一本散文集《青春篇》之後，絡續出版有《漁港書簡》、《生活小品》、《艾雯散文選》、《曇花開的晚上》、《生死盟》、《魔鬼的契約》、《小樓春遲》、《一家春》、《霧之谷》、《夫婦們》、《與君同在》、《池蓮》、《森林裡的祕密》等十四冊小書。這一點微少的成績雖然曾傾注了我不少的心血，卻實在算不上什麼成就。文藝的路是沒有止境的，我只是一名小小的學徒，許多年來，一直都在戰戰兢兢、孜孜不倦的學習中。路還很長，目標更遙遠。讓我借用文豪漢明威的兩句話：「活下去，不要被世界所壓碎。活下去，完成不朽的工作！」

編註：本文原刊於《文壇》第六十期，一九六五年六月，頁三十一～三十二。

不僅是興趣

堅持信念，奮發自勵，執著理想，鍥而不捨。不寫違背寫作良知的作品，不怠忽應有的使命感，寫作生命當與本身生命同在，是做為一個文藝工作者鞭策自己、肯定自己的原則。

追隨歷史潮流、配合時代、反映人生、尋求真理、寫植根於民族性的、健康的、生活的、真善美的，反強權、反迫害的作品，是我們一直所遵循的寫作方向。

不管國際內患橫逆衝擊，文壇興風作浪，我們原則不變、方向不改。只是回顧過去、檢討現在、展望未來，對原來執著的應該更加堅持加強，對做得不夠的更加增進改善，對怠忽的應有所警惕，對偏執的應有所改正，對一些不潔的烏煙瘴氣、逆風邪風，應揮起正義之筆，予以驅散廓清。

有幾點要提出來作為自律、自勵以及與文藝、報刊、出版界共勉的：

我們要以嚴肅的態度，奉獻的精神從事寫作，首先自己要具備積極的、進取的、健全的人生觀，高尚的人格；完美的品德、純正的良知，對周遭一切事物給予以愛心與關懷。在思想上不斷擴充，在生活中不斷拓展，在創作上更不斷求新求變，開拓更美好深遠的境界。不違背寫作良心、不迎合、不湊和、不降格以求、不濫竽充數、不忍功圖利、不做沒有立場的騎牆派、不把文藝當作欺世盜名的工具、墊腳石、敲門磚。今天，在自由中國寫作是太自由了，因此每個作者更要堅定自己的立場，對自己嚴格要求。

今天我們所需要的作品應該具有這一時代的生命氣息。是健康的、積極的、啟發性的，不是迎合讀者、娛樂讀者，而是提高讀者的趣味，豐富讀者的精神生活，培養讀者的情操，加強讀者的心理建設。要寫的不僅是發洩一己的感情，表現自我的意識，而是從這時代大眾多采多姿的生活中去體會、去提煉。把戰鬥的、奮發的精神，帶給讀者。把引人深思，激勵人向上的意念，帶給那在苦悶煩惱、憂國憂時中的人，把自然萬物美好的、生命成長的喜悅，帶給那一味追求機械文明物質享受的人。

我個人認為今後要加強的，大致可分為三點：

一、開拓更寬廣、更深入的寫作路線，植根於淵源深厚悠遠的民族文化，了解民族的本質，盡量在作品中表現並發揚我國民族的特性：如崇尚道德、仁愛孝悌、堅忍節儉、刻苦耐勞，更進而陶冶民族的人格，喚醒民族的靈魂，激發民族的戰鬥意識，建立民族的尊嚴，不向橫逆低頭，不與惡勢力妥協，不向現實屈服。

要深入社會、民間，一則發掘更多古老的、傳統的、鄉土的、優美的文化遺產，一則從這現時代大眾生活中去提煉，並刻劃出這時代人們的希望和理想。

二、多寫鼓舞人性向上向善，啟迪人生哲理的作品，盡量去發掘心靈中被生活湮沒的寶藏，發現品性上被塵俗遮掩的美德，堅定信心，培養情操，維護人性的尊嚴，加強生存的勇氣，轉移世紀末人心頹廢的傾向。

三、多寫頌揚自然、關愛萬物、陶冶心情、營養性靈的作品，從沉滯中喚醒心靈的注意力。人生原是一場寂寞冗長的戰鬥，但環顧四周，低頭審視，生活中原來也有無限情趣，從平凡中能發現新穎的美，從自然萬物中可以感受生命的喜悅，成長的鼓舞，可以提升性靈、豐富生活、美化人生。

我們固然隨時期待有偉大思想，震撼人心的不朽巨著產生，同時也希望經常能讀到更多鼓舞心靈、提升精神、建設心理、啟迪心智、提高趣味、培養情操、豐富生活、美化人生、闡揚人性光輝、增進生存勇氣、鞏固心防、鼓勵人們向上向善的優秀作品。

最後有一點特別要提出來的是，選擇了文藝工作，不僅是個人的興趣也是一種奉獻、一份精神事業，必須要付出全部熱忱和心力，作家而分為男女，實在沒有必要。倒是女性因為仍舊得兼顧家庭、廚房、兒女教育等，有更多生活上的障礙需要克服，要在有限的時間上作更妥善的安排，要在繁瑣的事務中保持思想的高超、性靈的純真，似乎必需要付出更多的心力。這是我們要共同來努力克服和自勉的。

一九八二年五月

編註：本文未明出處。

散文怎樣寫景

在文學的領域中，散文雖然具有多樣性的體裁，而取材的範圍又如此廣泛和不受拘束，但它內容所含蘊的總不外乎是抒情、說理和寫景，這三種表面看來彷彿各自獨立，事實上卻彼此關聯，互相烘托。譬如在一篇抒情的作品中，便常常蘊蓄著人生的哲理，在一篇闡揚真理的文章中，亦不必是融貫了感情的。至於寫景，自然景物當然是沒有思想和感情的，然而寫的人有，通過作者的心靈和筆尖，也就賦有思想和感情了。同時宇宙的宏偉神妙，自然界種種植物的生長、茁壯、枯萎又更生，日月星辰的壯麗，四季的變換，以及巍然屹立的高山崇嶺，浩蕩奔流的海洋江河。除了給人一份美感，一點詩意，一種磊落的胸懷和豪邁的氣概，更給予我們一種啟示：從此而領悟到生存的力量，生命的堅韌，和宇宙萬象循環的永恆。因此，在一篇寫景的散文中，一樣的，亦可以同時融貫了感情，和含蘊著哲理。

根據我們經常所寫、所讀到的，寫景的散文由於它的格調和表現手法不同。大略可以分為以下這幾類：第一類是遊記，屬於這一性質的作品，大半皆在報導旅行的見聞，描述山水景物之勝。通常都運用白描的手法：對景物經過一番細微觀感後，以簡潔、明朗的線條，勾勒出比較深刻而顯著的印象，使之在讀者眼前呈現出素描一般具體的形象，如沈復在《浮生六記》中的一段：「由寒山至高義國之白雲精舍，軒臨峭壁，下鑿小池，圍以石樹，一泓秋水，崖懸薜荔，牆積莓苔。坐軒下，惟聞落葉蕭蕭，悄無人跡。」寥寥數筆，不加渲染，卻已使景物躍然紙上，又如郁達夫〈方巖紀靜〉中：「北面數峰，遠近環拱，至四面而南偏，絕壁千丈，成了一條上突下縮的倒覆危牆。危牆腰下，離地約二三丈的地方，牆腳忽然不見，形成大洞，似巨怪之張口，口腔上下，都是石壁，五峰書院等就建築在這巨口的上下顎之間，不施椽瓦，而風雨莫及，冬暖夏涼，而紅塵不到——立在樓上，只聽見四圍飛瀑的青音，仰視天小，鳥飛不渡，對視五峰，青紫無言。向東展望，略見白雲遠樹，浮漾在楔形潤處的空中。」平淡寫來，疏落有緻，有條不紊，一種幽靜出塵的氣氛，自然襲向人來。也有在白描的手法中，稍加渲染，宛如一幅淡墨山水，只在遠山近樹上略為點綴一抹黛綠楓絳，更在平易中顯出真切。例如《老殘遊記》中的一段：「……只見對面千佛山上，梵宮僧樓，與那蒼松翠柏，高下相間，紅的火紅，白的雪白，青的靛青，綠的碧綠，更有那一株半株的丹楓夾在裡面，彷彿是宋人趙千里的一幅大畫，做了一架數十里長的屏風似的……忽聽一聲漁唱，低頭望去，誰知那明湖業已澄清同鏡子一般，那千佛山的倒影，映在湖裡，顯得明明白白，那樓台樹木，分外光彩，覺得比上頭那個千佛山還要好看，還要清楚。」又如朱自清的〈荷塘月色〉：「……月光如流水一般，瀉在這一片葉子和花上。薄薄的青霧浮起在荷塘裡，葉子和花彷彿在牛乳中洗過一樣，又像籠著輕紗的夢。雖然是滿月，天上卻有一層淺淺的雲……月光隔了樹照過來，高處叢生的灌木，落下參差斑駁的黑影，峭楞楞如鬼一般。彎彎的楊柳的稀疏倩影，卻又像是畫在荷葉上。塘中的月色並不均勻，但光與影有著和諧的旋律，如梵娥玲上奏著的名曲。」這一段月下景物的描寫，貴在作者不僅把握了景的特色，更把握住景中的氣氛，略加渲染，便栩栩如生，融貫全文一種朦朧婉約、雅淡深緻的情調，使人如置身月光映照下的塘畔。

以白描手法來描述景物、報導見聞，可以給讀者一種直接的感染力。作者站在純屬客觀的立場，把握住景物最深、最特出的印象，平淡寫來，樸實自然，為讀者勾劃出一個清晰的輪廓。只是用筆一定要簡潔、凝練，記述必須要條理分明，不沾不滯。如記流水帳一般拉拉雜雜，或拖沓繁冗的刻意描繪，就難免使人讀來枯燥乏味了。

第二類寫景卻是有著較多抒情意味的，有時是由於觸景而生情，也有是藉自然景物發揮作者的感情和思想的，彼此滲融匯合，宛如一幅美麗的圖畫中也同時閃爍著卓越的智慧，和豐富樸實的感情。寫這類散文最特出的有法國的紀德，和美國的大衛・梭羅。梭羅一生酷愛自然。讀他的《湖濱散記》就彷彿隨著作品本人漫步在他居留的華泉敦湖濱。一面目不暇給地欣賞自然風光，一面聽他用平靜而親切的聲音，娓娓地敘述一路所看到的動物、樹木、天空、曠野和湖水的美好的特色，其間還摻入不少他的觀念和感想，例如：「這小小的湖，當八月裡，有著輕柔的斜風細雨時，做我的鄰居，尤為珍貴，那時候水和空氣都完全平靜了，天空中卻密布了烏雲，……已具備了一切黃昏的肅穆而鳥在四周唱歌，隔岸相聞……一切的倒影，成了個下界的天空。」「每一個早晨都是一個愉快的邀請，使得我的生活跟大自然同樣地簡單，同樣地純潔無假。」「我的房子是在一個小山的山腰！有一條狹窄的小路從山腰通到湖邊——五月尾，野櫻桃在小路兩側裝點了精細的花朵。眾花梗從一點散出成圓形的花叢，短短的花梗，最後到了秋天就掛著圓的漂亮的野櫻桃，一球球地落下，像四面射來的光芒。它們並不好吃，但為了感謝大自然的緣故，我嚐它們。」「太陽照在我們耕作過的田地，和照在草原與森林之上，是不分軒輊的，在他看來，大地都給耕作得綠花園一樣。我們接受了他的光和熱，同時也接受了他的信任和大度。」「在山林中風景優美的地方，你只要時間坐得夠長久了，當地的禽獸居民就會輪流出來，擺樣子給你看。」全書中像這些生動，明暢而又趣味盎然的描寫，以及借景物顯露出來的啟示，不勝枚舉，作者不僅對一切景物有著最精細而深入的觀察，更進而潛入自然的神祕中，使作品、生命和靈魂融和在一起了。

至於紀德，他寫自然雖不及梭羅那樣深入，卻有更強烈的詩意，在他的《地糧》一書中，所寫景物，無處不洋溢著他對生命的熱忱，和對理想的憧憬，例如：「廣漠的原野我見到過你們，籠罩在晨曦的白色中，藍色的湖，我曾在你們的浪花中入浴——而明朗的大氣的每一愛撫使我微笑，這一切，……我將不倦地反覆告訴你，我將教你熱忱。」「那天引起我快樂的，正像是愛那樣的東西——但那並不是愛——也不是一種美感——那曾只是光的煥發——那天我正坐在這花園中；我看不到太陽，但空氣閃耀著散光，像是天空的藍色已變成流汁而下著雨，真的，可不是有著光波和光渦；青苔上光閃爍得像水珠似的；真的，在這道上人會說光在那兒流深，而在這光的閃耀中，披頭滿綴著金色的泡沫。」……

像以上兩人的作品，會給予讀者的已不僅是山水之勝，自然的美，也有的是藉景物顯示給讀者的一些風景以外的別的東西，寫這類感情，思想與景物滲融交流的散文，作者本身不但要愛好自然，隨時作精密細微的觀察，了解並熟悉景物的形態和性質，氣氛和情調，更進而領悟自然的靈秀，讓自己的性靈與自然的性靈交溶貫通，讓自己真摯的感情，卓越的思想，溶入自然優美的意境中，寫來使自能到達人物一體，情景融貫的境界，也即是以景為經，以情（感情）思（思想）為緯，交織成最生動感人的作品，徐志摩寫那篇〈我所知道的康橋〉，便也讓自己的性靈全溶入康河的波光水影中，加上情意真切，文采斐然，讀過他這篇散文，沒有不留下深刻的印象的。

以寫景為主，記述山水之勝，以寫景為經，由景而抒發情思，這是上例兩種寫景的散文格調，有時景的描述也有用來烘托氣氛，渲染情調，創造一種意境，以加強主題的表現，例如拉馬丁在他優美的散文的小說《葛萊齊拉》中，便極力描繪海灣的風光，小島的景色，像：「絢爛的太陽在海面印上了赤的、無數條的錦帶，復映射到不知名的海岸上的白屋——小島，出自海際，浴在光濤裡，與天空的藍色相融合……好像是詩人的幻想，在夏夜輕柔的夢裡浮現著。」「浮現在山坡間的小屋，或穩藏在谷底，或豎立平野上，或突伸到海角，背面靠著栗樹林，有杉木的樹蔭掩蔽著，白色的空廊飾著流蘇的葡萄藤，沒有一座小屋不會使你想起，這是詩人或愛侶理想的素居。」綜觀全書，似這般充滿詩情畫意的描述很多，作者旨在以那種輕柔似夢的水鄉情調，烘托出真純的漁家少女一片聖潔的初戀。那一段真摯而淒美的戀情，滲融在波光濤影裡，在葡萄藤的蔭蔽下，更顯得哀婉感人。又如屠格涅夫的散文〈鴿子〉裡，他幾乎用了三分之二的篇幅來描寫暴風雨來臨前的沉悶，和暴風雨來時的狂暴、猛烈，像這一段：「……騷亂開始了——風在怒號，它狂亂地吹向這裡，又吹向那裡；在它前面有一縷低沉的紅雲在飛逝，它好像被扯得粉碎，每件東西都在混濛中翻滾，鞭擊般的雨傾注著狂暴的急流向挺直的樹幹上打去，電閃著令人眼花撩亂的青光，突然間一聲霹靂的沉雷好似大炮彈般地爆炸開了，空氣充溢著硫磺似的氣味。……」作者刻劃暴風雨來臨的剎那，可稱得上氣勢磅礡，聲威奪人，十分生動迫真。但是，他的主題卻是寫鴿子的愛，以及為拯救愛侶而奮不顧身的戰鬥精神，強調暴風雨的猛烈，只是烘襯出鴿子勇敢、堅強、和經過風雨，獲得安全後那份親暱和安祥。雖然，景在文中的位置彷彿綠葉之於紅花，但事實卻自有它不可缺少的重要性。

另外寫景在表現的手法上，還有一種是通過想像的，叫作擬人法，例如這一段：「——沒有風，海自己醒了，喘著氣，轉側著，打著呵欠，懶腰，因為島嶼擋住了牠的轉動，牠狠狠地用足踢著，用手推著，用牙咬著，牠一刻比一刻興奮，一刻比一刻用勁。——」（魯彥〈海潮聲〉）海自然是不會發怒的，所以這樣寫來只是由於通過了人的想像而已，這種寫法有時果然比較活潑生動，但必須要從實際出發，用得過火，就反顯得牽強和不自然了，譬如我們寫「月亮含羞」、「花朵在發抖」，月亮被浮雲所遮掩，所以想像它是怕羞躲藏，花朵被風吹動，所以想像它受驚或受寒。但如果說「山伸了個懶腰」，山是永遠屹立不動的，這想像便缺乏根據而顯得不近情理了。

還有最扼要簡省的一種寫法，就是運用部分以暗示全體這一原則，只要抓住景物最顯著的特徵，予以真實的描寫或是恰當的形容，用不著費多少筆墨來作詳細的描繪，例如：「蔓草沒脛、苔生石階。」望文生義，由這兩句暗示出一個荒蕪了的庭院，又從「陌頭楊柳色」這句，顯示出春天的來臨，從「風吹草低見牛羊」這句，便展現出一片莽莽蒼蒼的草原的景色，這些都是最常見的例子，舉一反三，這樣的手法，可以在寫景中亦廣泛的運用。

以上雖然因各個的格調或表現手法不同而約略分類，但也只是一種籠統的說法，並無明顯的界限，主要的還是看作者是站在客觀還是主觀的立場去表現。

最後，讓我在這種重覆引述一遍，散文寫景的要素，就是愛好自然，深入自然中，觀察它的微妙，體味它的神韻，吸收它的靈秀，更進而賦予感情和思想，使性靈與自然的性靈交流融貫，然後把握住景物最深的印象和顯著的特色，選擇純淨、明暢、清新而恰當的字句，條理分明的寫下這一切。要生動活動，而又樸實自然，要情景諧和，而又意境深遠，使作品中含蘊著自然的韻律，自然的美。愛默森在論美一文中說：「自然界的美，人類多少都是能感受的，有人不僅感受而已，還可以大有喜悅之感。愛美之情，是謂『趣味』。還有些人愛之不已，覺得單是欣慕，猶有不足，進而創造新的形式，把美納入其中。」美之創造，是謂「藝術」。文學與藝術原不分界限，因此，散文寫景，亦即是自然界藉作者的心靈和筆尖，作第二步的創造。

編註：本文原刊於《幼獅文藝》第十七卷第三期，一九六二年九月十五日，頁七～八，原題〈散文寫景一得〉。

在飛揚的時代

我認為一個文藝工作者，寫作生命應與自身生命同在，因此，從開始寫作到現在，從來沒有去計算過什麼年代，不過，從民國四十年到五十年，這十年歲月，在國家在個人都是很重要的階段，我在辛勤的默默耕耘中，得到更多的體驗，有更深切的認識、失鄉的悲憤、感時憂國的苦悶和文藝的使命感，寫作的熱忱特別高昂旺盛，寫戰鬥氣息的，闡揚人性的，反應當時社會和人們心態的小說，寫鼓舞心靈、培養情操、提升生存勇氣的散文，寫配合當時掘起文藝運動、文化復興的短文，也寫童話，寫得很雜，也很粗淺，卻付出了我全部熱忱和心力。

民國四十年，在物質唯艱，各種條件都不夠的情況下，得風氣之先，我出版了第一本散文集《青春篇》，除掉四分之一選自大陸的習作，另外全部是來台兩年所寫，之後十年中，陸續出版了十幾本散文和小說集。我在《漁港書簡》序文中，曾強調「藝術永遠是連繫著時代的，今天寫出來的作品便應賦予這時代戰鬥生命的氣息，具有這時代新的和真實的美，它不僅是刻劃個人的希望和理想，更要刻劃這時代人類對明日的希望和理想」，也在《生活小品》序中寫出「把戰鬥的精神帶給那有現實生活的人；發人深思，激勵人向上的意念，帶給那在苦難煩悶中的人」。

那時，文壇曾為了寫作究竟是要寫「願意」（自己所寫的題材）或「應該」（文藝使命或社會責任）寫的問題，引起過討論，我個人認為兩者可以兼容並包。那時，我正有感於鹽民生活的艱苦，從各方面蒐集資料、素材，寫成小說〈銀色的悲哀〉，不但被改編成廣播劇，也為當局留起來當作改善鹽民生活的資料。另外一篇散文〈漁港書簡〉卻由於先愛上了漁港風光，體認到漁民海上討生活的艱辛和希望，而適時引進了「漁者有其船」（政府貸款）的欣慰和遠景。這裡可看到當時文壇寫作態度的認真和對寫作方向的確立。在五十年代開始，不管是從大陸來台，或者在自由中國開始寫作的作者，似乎大多數還保有中國舊文人的謙沖胸懷，不重視名利，卻對信念執著，對所事虔誠，有深厚的民族觀念和強烈的愛鄉愛國心，當時，由於內心迫切的需要，社會責任和良心的驅使，大家以奉獻的精神，匆促寫成大量作品，有些多少有點生澀粗淺，但寫作的態度是嚴肅的，人生觀也是正確的。那時文壇風氣淳厚純樸，無形中自有一股在開發，成長中欣欣向榮的氣氛，散播在自由天地中。文學是一支永不竭止的源流，五十年代的作家，是當年唯一將中國血脈相傳的文學，引渡到被異族占據了五十年，傳統文化已被摧毀枯竭的寶島，使之重新滋長，生根而一脈相傳延續，乃有今天的一片蓬勃興旺。在那十年中，報紙刊物出版界和作家同樣為文學的拓荒發展盡了很大的努力，只是由於社會經濟遠不如現在繁榮，愛書之人購買力薄弱，出版社既缺乏資本，又不善經營，書也就很容易絕版。這只有期待有實力有文學良心的出版社再做有系統的蒐集、整理，重新出版，做公正而詳細的評介，使之流傳。

編註：本文原刊於《聯合報・副刊》，一九八〇年五月六日，第八版，為「在飛揚的年代——五十年文學座談會」發言，原題〈憑信念為漁民鹽民說話〉。另有作家尹雪曼、王集叢、張秀亞、鍾雷、上官予、公孫嬿、師範、馬各、楚卿、王靜芝、潘壘、陳紀瀅、司馬中原、朱西甯、郭嗣汾、馮放民、夏志清、劉紹銘、段彩華、楊念慈、亞汀、田原等人出席。

鳳凰花的歲月
——耕讀在南方

文化沙漠

「四十年」，乍看之下，不禁怵然吃驚，有這樣久的年代，這樣長的時間麼？做為一個文藝工作者，平時只知默默地耕耘自己那一方方永遠耕不完的格子田，「我寫，故我在」。寫作與生命早已鑄融成一體，似乎從來不去計算筆尖下刻劃掉多少歲月，多少青春年華。自學習寫作到現在，應該是超過四十年了，而自來台灣算起，又還差幾年。不管怎麼算，我還不準備寫回憶錄，更不敢在這樣歷史性的大題目下作文章。倒是在南台灣耕讀的那一段日子，「二十四年」，畢竟是漫長的時光。而想起南方，經讓人聯想起明燦的陽光，純樸的風氣、醇厚的人情味，和寫作生活中的點點滴滴，融貫成一串串如珊瑚藤般溫馨難忘的回憶，我把那屬於南方的時日，總稱鳳凰花的歲月。

三十八年初春，勝利後還來不及回故鄉蘇州，便從避難八年的贛南直接來到台灣。最早住在屏東郊區的臨時眷舍。一座大院子面對面並排兩列日式平房。座衡對宇，咳唾相聞。一家五口，竹牀、板鋪、榻榻米俱備，以今之避秦人自居。能有這樣遮風避雨的安身處，便已滿足，安頓下來，上班的上班、上學的上學，做了近十年職業婦女，家務孩子一向由母親帶女傭照料，彼時我卻成了無業遊民。地陌人疏、惶惶惑惑，心中有一種深深的失落感。而輾轉遷播，所有藏書均未能攜帶。巡視全市，更是讓人失望得心酸，寥寥幾家書店，陳列的只有言情和武俠。除了內幕、新聞及趣味性幾份詩之舊雜誌，再沒有其他刊物，文學作品簡直罕如鳳毛麟角。圖書館收藏的倒多半是日文書。記得五十八年《幼獅文藝》也是「文壇的回顧與前瞻」邀稿，在〈沙漠變綠洲〉一文的開頭還描寫過當時的情況，「二十年前，當我肩挑憂憤、心懷離愁，匆匆踏上台灣的綠岸，第一眼的感覺是不愧為美麗的寶島。當我卸下行裝，進入城市，叩訪各方，卻不禁失望地感到；這竟是一座『荒島』！

「一點不錯，對一個愛好文學，或從事文藝工作者來說。儘管土地肥沃，物產豐饒，但它卻是一個貧瘠的荒島，一片枯燥的沙漠！儘管陽光普照，四季如春，但它卻面臨著一個漫長而淒涼的，文學上的寒冬。」

數十年異族的占據統治、阻遏、排斥，幾乎在這裡形成了中國傳統文化的斷層。

但不管當時身處荒漠，時逢寒冬。慶幸自己在工作之餘，一直擁有一份對文藝的愛好。一支可以塗塗寫寫的筆。從事寫作，可以是興趣，可以是工作，可以是精神事業，不受任何環境的限制約束。文學的綠野更是無垠廣闊。只要具備熱忱和勤勞，可以自由耕耘、自由開墾。為使自己安定下來，唯一能做的事就是寫點什麼。一個月後的某日，我坐在板鋪上，俯就臨窗的舊課桌，寫下來台後第一篇報導〈從贛南到台灣〉。稿，還是越過海峽，寄回贛州在《民國日報》發表的。

拓荒、解凍

寒冷的日子終究會解凍，荒蕪的田園一經墾拓，自會萌發新綠，先是《中央日報》遷台發行，偏屬文藝，作風開明，可讀性大的「中副」，像一股清新的晨風，吹散了昏沉的滯留鋒，不僅給作者讀者開放了一片可耕可讀的園地，也給原來的幾家副刊帶來了朝氣，競相革新版面，《中央日報》除了茹茵主編的「中副」，還有武月卿的「婦女與家庭」，孫如陵「報學周刊」，陳約文的「兒童周刊」。《中華日報》有蘇仁予的「海風」，和馬各主編的「新文藝」。《新生報》有鳳兮主編的「新副」，還有「新生文藝」、「每周文藝」、趙美姿主編的「兒童之頁」，以及《公論報》的「文藝」、《新台日報》的「八卦山」等，有投稿也有約稿，作品有了發表的園地，主編們又都是最好的鼓舞和催生者，寫得也就越來越起勁。我輪流在那些篇幅上寫散文、小說、雜文、童話、短論、孩子事、主婦與文學，甚至〈副刊性質的商榷〉，與齊如山老先生討論〈宣傳宜用國劇式話劇〉等，常有兩家副刊一天同時見報的時候。而幾家報紙副刊，不僅發揚文藝不遺餘力，也真正做到了作者和作者、作者和讀者間的橋樑，由文章引起共鳴，彼此欣賞仰慕再由副刊轉信，結交了不少文友和讀友。記得通信最早的是住在蘇澳的鍾梅音，還交換副刊雜誌（那時沒人會訂閱幾家報紙和雜誌的）。她的一手字寫得美麗清晰，信也寫得勤快，不少文友也都是先通信再認識的。最難得的是失散很久的老友王琰如和墨人，都由副刊轉信而致又取得了聯絡。

三十九年初，「新副」發起一次關於「當前文藝政策」的討論，不少先進與同文熱烈參與這一問題的討論。我也寫了一篇〈再來一次文藝運動〉。文中極力強調文藝在當前的重要性，是堅定信仰，激勵民心，闡揚人性，提升精神，美化心靈不可缺的精神糧食。而文藝的路線永遠是追隨歷史的潮流、反映時代的。只要是建設性、積極性、啟發性的作品，又何至於全成為「八股」？至於展開和推動這次文運，有三個原則，一是在出版條件不夠的目前，唯有運用報紙副刊的力量來推動。編輯要不辭辛勞的廣闢園地，架設橋樑，並注重作品水準，提高讀者興趣。增闢文藝信箱或青年園地，鼓勵青年寫作。二是文藝工作者必須連繫起來，組織一個文藝協會。定期集合互相討論、批評、建議、研究、觀摩，同時彙集優良作品，出版叢書、發行刊物。

好像過了不久，便接到副刊編者聯誼會（？）一封邀請函，為發起組織一個作家協會。是年，自由中國文藝協會在學術、新聞、文藝界諸前輩策劃下正式成立。我不曾去台北參加大會，卻在《新生副刊・五四特刊》寫了篇〈燃起了正義的火炬〉，文中提到現階段的文藝幾乎成了彌留狀態。文藝工作者除了團結整肅，組織筆隊以發揮戰鬥力量，另一個要務是挽救當前趨向低潮的文運。自問功力不夠，我本來不慣寫這類的硬性文章，想來這就是興趣以外的使命感吧。

雜誌風貌

緊跟著報紙副刊的革新、擴充，雜誌出版也漸漸抬頭，呈現一種新的風貌，不說文藝性的刊物陸續問世，就連一般政論、綜合、學術，或各公家機構發行的期刊，也都增闢了文藝欄。最早崛起的純文藝月刊是三十八年潘壘創刊的《寶島文藝》。編排新穎、內容純正，在當時來說，很夠水準。這是第一家向我邀約的雜誌，我也欣然繳卷，是篇小說〈一個女作家〉。

打從《寶島文藝》開始，幾乎一有新的雜誌創刊，或一般刊物增闢文藝欄，多半會接到創刊人、主編的約稿函件，或託文友輾轉代邀。起初是感到榮幸，有約必應，之後是情不可卻。有些果然是自己想寫的，有的是不好意思不應付。約稿的信件也是形形色色。有的是冠冕堂皇，一般公式化，有的是委婉訴求，動之以情。有的是函電交遞、緊迫盯人，有的是坦率陳述、以誠感召，還有出於玩笑的威嚇，如「妳再不寫稿來援助，只有到我墳前去聽蛄蛄叫了！」到後來，作品漸漸偏重於刊物，副刊上反發表得越來越少了。到六十一年離開岡山，多多少少曾寫過稿的雜誌計有：《寶島文藝》（潘壘）、《半月文藝》（程大城）、《自由談》（趙君豪）、《暢流》（王琰如）、《時代婦女》、《當代青年》、《地方自治》、《中國的空軍》、《中華婦女》、《中華文藝》（李辰冬）、《小說》、《語文半月刊》（趙友培）、《明天》（杜蘅之）、《中國一周》、《民力》、《大道》（張雪茵）、《文藝創作》、《中國文藝》（王平陵）、《文壇》（穆中南）、《文藝月刊》、《讀書半月刊》（傅紅蓼）、《國風》、《晨光》（吳愷元）、《現代兒童》、《學友》、《民風》、《民友》、《幼獅文藝》、《海風》（鄭修元）、《新世紀》（老沙）、《反攻》（臧啟房）、《今日婦女》（姚葳）、《幼獅》、《祖國》、《復興文藝》、《文學雜誌》（夏濟安）、《人間世》、《自由青年》（呂天行）、《自由中國》（聶華苓），《海外之風》、《婦友》、《紙業知識》、《中國勞工》、《廣播雜誌》、《國資》、《海洋生活》、《亞洲文學》（王臨秦）、《作品》（章君穀）、《政治評論》（任卓宣）、《民主憲政》、《木刻散文》（朱嘯秋）、《皇冠》（平鑫濤）、《創作》（楚軍）、《薰風》（王平陵）、《沙龍》、《劇與藝》（許希哲）、《青年俱樂部》、《新文藝》、《文藝月刊》、《中央月刊》、《新時代》（杜呈祥）（漏掉自難免）……這許多刊物有的可惜只曇花一現，有的出版三、五期就夭逝了，也有苦撐好幾年的。能夠流轉到今天的，除了一些公家刊物、文藝性質的已寥寥無幾。在條件不夠、讀書風氣還不普及的當時，個人或同事自費創辦雜誌的精神和熱忱，實在可敬可佩。所以大略記下，也可以當作那時期刊物盛衰起落的一份紀錄。

第一本書

四十年，我從屏東郊區搬到臨近火車站的南京路。魚鱗板的日式平房，前後院子，我終於有了一張小小的三屜書桌，一側臉可以眺望馬路上綠蔭扶疏、木履蹀躞，春夏間紅豔的鳳凰花和金黃的相思花交織成一片錦繡，一次電力公司來任意砍斷，攔阻不成，我還義正辭嚴的替樹們寫了篇「控訴」登在「中副」。漫漫長夏，被列為「四凶」之一的「屏東太陽」，火辣辣的烤炙著小木屋，而我的寫作熱忱也被蒸發得越來越高亢。那一年春，我出版了第一本散文集

《青春篇》的順利出版，說來有點意外。那時如果真的想出書而讓我自己去找出版社，恐怕連門都沒有。原是在左營開海福書店的一位沈經理，轉輾託墨人介紹要出版我的作品，並成立了「啟文」出版社。幾經磋商，我自早期的習作中選了四分之一，自來台後的作品中選了四分之三。書名取自其中一篇篇名。封面由高敬久設計，一塵不染的純白底，右上角極柔和的線條，勾勒出一抹綠！背景淡綠襯出蒼綠草。樹，橘色題字，顯得清新悅目。在文藝作品罕如鳳毛麟角的當時，啟文出版社搶先出版了這樣一本小小的冊子，竟也風光一時。

沒有什麼廣告、宣傳，居然還很暢銷。最令人高興的是除了讀者的愛護，更獲得不少文壇先進如萬賢寧、王平陵、趙友培先生及相識不相識的文友如劉心皇、季薇、孫旗、李莎、張雪茵、亞敏等撰文題詩、批評鼓勵。也有遠從金馬前線，偏僻地區讀者來信索購，出書不久。其中一篇〈路〉便蒙教育部編譯館收入國中國文課本，然後又被全國青年讀者選為最喜歡的作者和作品。這許多榮寵和反應。使我第一次深深地感到，做為一個默默耕耘的文藝工作者，在這世界上並不是全然孤寂的。

以文會友

是年五月，我第一次去台北，參加了文協年會，真正體會到「以文會友」的況味；在濟濟一堂的會場，以及會前會後那些天的聚餐、邀宴、茶敘、晚會、拜訪中，我見到了學術、文化、文藝界的前輩和先進：張道藩、張其昀、高明、胡一貫、王平陵、葛賢寧、陳紀瀅、謝冰瑩、趙友培，早在版面上慕名，或已通信未見面的，王藍、王集叢、鍾雷、穆穆、茹茵、鳳兮、司徒衛、朱嘯秋、羊令野、糜文開、孫如陵、呼嘯、公孫嬿、王臨秦、郭嗣汾、覃子豪、魏子雲，以及心儀最神交已久的女作家群：徐鍾珮、林海音、鍾梅音、琦君、張漱菡、劉枋、劉咸思、王文漪、蕭傳文、陸勉餘、武月卿、張明、張雷茵、李樂薇、蓉子、童鍾晉……等，一時簡直記不清，我是個內向的人，一向口笨舌鈍、拙於辭令，更不擅交遊。

不想那幾天認識的人竟比我一生——二十八年中所結交的朋友還多。儘管不少是匆匆把晤，互道仰慕，卻有似曾相識，一見如故的感覺。讓人覺得「文人相輕」這句話。應該改作「文人相重」才對。

我就住在睽別多年的好友王琰如家中，熱忱好客的她，忙著接待來訪的文友，也忙著以地主的身分帶我，坐著三輪車各處去拜訪，安排得緊湊的日子過得忙碌而愉快，不想就在我即將南返時累得宿疾復發，這下反害苦了琰如，深夜為我找藥、求醫，悉心照顧我。梅音和她先生余伯祺、她弟弟第一次見面就幫我注射。拓建花園的名建築師修澤蘭——那時還是鐵路局的工程師，姊夫黃肇中的同事，為我送來自己飼養的來亨雞蛋，那時剛剛引進，稱是珍貴的營養品，但最珍貴的是那份體貼的友情。

自台北南返，南北之間的距離彷彿縮短了。文藝團體南下參觀訪問，總不忘記先取得聯絡，會合後一致行動。文友們也常繞道屏東一遊。除了作家，也有藝術家。查意模曾陪了同鄉音樂家王沛綸專程來訪；攝影家苗豐盛為我留下了不少美妙的景物；王小痴給孩子畫了可愛的卡通；張漱菡來訪時造成左鄰右舍的轟動；宋膺兄為陳紀瀅先生和我們在東山寺攝下難得的鏡頭。到四十一年文協南部分會在高雄成立，會員一百多人，來自軍中、學校、家庭、社會，相處十分融洽，除了團體活動，平常也保持聯絡的文友還不少。高雄有尹雪曼、王書川、楊海宴、葉蓓芬、陳暉、顧冬。左營有彭邦楨、墨人、郭嗣汾、張放、季薇、陸珍年。

鳳山有陸震廷、司馬中原。台南有馬各、潘壘、嚴友梅。屏東除了司馬青山、秦嶺雪，後來又加上郭晉秀、郭良蕙。岡山有童真、陳森兩夫婦和邱七七。去高雄，總是去葉蓓芬家，去陳暉的大業書店打個招呼，再電話邀約眾友小聚，來我家便去吃吃土土的小館，喝喝沒情調的咖啡，談寫作談生活談往事，暢敘無隔。那份君子之交的友誼，便一直持續下去，成為通家之好。蓓芬和七七更是我的莫逆之交。那時很多文友都未婚，也有比我更年輕，不知誰開的頭叫我大姊，成了習慣。有一次台北來了好些作家合辦座談會，其中還包括了文壇先進前輩。席間有人自然喚了我一聲：「大姊」，卻引得趙友培先生笑著說：「我們的小妹什麼時候升格為大姊了？」說真的，以我的年齡和「作」齡，那夠資格被尊稱大姊？這一叫，三、四十年可真把人給叫老了。

寫作是靜態的，獨自靜靜的思考，默默的耕耘，悄悄地進修，將自己所見所聞、體驗、感受、融鑄為文字。而參加文藝團體是動態的，一些活動，可以帶領作者深入廣大社會，擴充生活範圍，了解周圍在進行什麼，別人又在做些什麼，可以增加見聞，開拓胸襟，豐富寫作題材。自然，這些活動須得有人去推行辦理。南部分會由於會員分散各地，人手少，更沒有人專任駐會負責。文化活動的風氣也還沒有展開。每次開大會辦活動，最忙的總是尹雪曼、王書川、彭邦楨、陸震廷。我一向不會辦外務，頂多出出點子，提供意見，出版選集詩審核稿件，幫忙想個書名——像成立十週年出版《我們的作品》、二十週年出版《六十年代》，只有一次，決議要參觀高雄水泥廠，並招待大家午餐。尹雪曼和王書川怕公文來不及又缺少說服力，非要我一起去當面接洽，真是好窘。參觀那天由於廠方熱誠接待、服務周到，到是皆大歡喜。

那年春，應《中華婦女》的邀約，我開始寫第一個長篇小說〈夫婦們〉，每月連載。以大雜院宿舍為背景，塑造了十七對思想型態，生活方式完全不同的夫婦。

四十二年，在離屏東以前，大眾書局出版了我第一本短篇小說《生死盟》。「十四篇平凡的故事，卻都是用愛和恨、血和淚，以及歡樂、憂慮、渴望，祈求等串綴起來的。」其中寫鹽民艱苦生活（四十年前後）的〈銀色的悲哀〉，曾被有關方面列入改善鹽民生活的檔案，也改寫成廣播劇。

屏東四年半，在生活上、心理上已漸趨穩定。沒有工作，寫作自然而然成為我唯一的精神事業。我很喜歡那富有農村風味的小城。閉上眼，彷彿還能感受到那火辣辣的陽光，看到那座衡對宇，兩排大王揶守護著的大雜院，還有寫到夜深時，只聽得後園中大芒果咚咚的墜地聲。

我住柳橋頭

四十二年八月，我家遷居岡山，一住便是二十年。

東群村是個十分安靜單純的眷區，花木掩映、巷道寬敞，儘管住屋陳舊，卻有前後院可以栽花植樹、養貓狗、養雞鴨。一道小河繞過田舍，沿著村旁潺緩流向鎮上，架在河上那種樸拙的木橋便叫柳橋。

剛搬去不久，我寫了篇短文〈趕在太陽前面〉，文章在「中副」見報的當晚，就有人找上門來提名探詢。原來是四個百合花般純淨可愛的女孩，還有攜了《青春篇》的，含羞帶愧地說，讀我的文章提到柳橋，猜我一定搬來了村中。在眷村要打聽一家新加入的人家，並不太難；那是我第一次面對我的小讀者們——省立岡中愛好文藝的高材生，是柳橋介紹的。

巧的是，和邱七七正好住前後巷子，她那時小姑獨處（住姨母家），為人師表，性情溫和可親，做事有條不紊，我們經常見面，切磋寫作、討論問題，晚上從林蔭道散步到柳橋，又彼此來回相送。有時嫌家中人多嘈雜，擇地而寫，躲在空軍新生社會議廳裡，約法三章，各自埋頭揮筆。那時我正應《中央日報》「婦女與家庭」主編武月卿之約，寫「主婦隨筆」（改名「生活小品」出版），一周一篇，而《中華婦女・夫婦們》連載是一月一篇，再加上其他約稿，精神壓力很大。

不久婦女寫作協會與青年寫作協會先後成立，我們都是會員，每年二次聯誼北上開會是最開心的旅遊，撇開一切瑣事，搖搖晃晃坐七小時的平快號。到台北總是萬家燈火，而車站的燈光下總會輝映著幾張親切的臉。婦協、文協差不了幾天，青協是八月。來回車票、聚餐、住宿，安排得十分周到。文友們見面更是愉快，只有一年例外（大概是酬謝我們代表空軍參與國軍文藝展出有功吧），端午節由空軍總司令王叔銘將軍邀請，我倆專機北上，住剛落成的空軍新生社，金龍廳設宴，晚上在介壽館看徐露和紐方雨的〈白蛇傳〉。不過七七由於職務在身，總是匆匆趕回，我卻每次都要在王琰如家多賴些日子。

有一次文協組成軍中訪問團南下訪問，並通知我們去機場會合，而空軍官校陳校長亦當面囑咐：要幫忙接待貴賓（因外子那時還在空軍）。我們去跟著大夥兒吃了，也參觀了，卻一直弄不清自己究竟是主人還是客人。

岡山在台南與高雄之間，文友們南下北上，中途下車繞一繞，也是常有的事。有一次好像是台中、台南和高雄的文友會合了，結伴來訪，大概有張漱菡、楊念慈、陳其茂、馬各、尹雪曼、郭嗣汾、王書川等八九位。

我與七七作東，一路去新生社小敘，忽然遍尋不見馬各，原來他留在我家園中跟大狼狗娜拉玩得起勁哩！他真是位狗迷，我家最後一條狼狗「愛瑪」還是他送的。

最有趣的是有一年「五四」，彭邦楨邀請若干作家在左營海軍電台辦一次「空中文藝講座」。我一向因為自己鄉音很重（蘇州人講國語叫「藍青官話」），加上口才缺缺，從來不參加公開演講什麼的。不想熱心的彭邦楨居然把廣播車（那時的器材可真笨重）一直開到我家門前，強迫錄音。第二天我躲得遠遠地聽收音廣播，只聽見一聲聲大狗叫、小狗吠，貓咪妙妙乞食，公雞引吭高啼，母雞下蛋報喜。再加插上門外賣冰淇淋的一迭聲叭波叭波。那奇妙的插曲，竟遮掩了我嚅嚅囁囁、發音不準的道白，沒有人看見我臉紅。

不過也有例外，如中廣公司「文藝櫥窗」講「我怎麼寫散文」，述說自己的寫作經驗，居然還頭頭是道。「文藝講座——散文怎樣寫景」引經據典，似乎亦有條不紊。前者為廣播文稿，由別人唸；後者乃《中華日報》「文藝講座」專欄，函授學校講議，紙上作業而已。

願意和應該

四十四年，高雄大業書店出版了我的第二本散文集《漁港書簡》。在序文中強調：「藝術應該是聯繫時代的。今天寫出來的作品便應該賦予這時代戰鬥生命的氣息，具有這時代新的和真實的美。它不僅是刻劃個人的希望和理想，更要刻劃這時代人類對明日的希望和理想。」作為書名的該篇散文，正是我由於愛上漁港風光，進而體認到漁民在海上討生活的艱辛和希望，而適時引進了「漁者有其船」（政府貸款）的欣慰和遠景。靡文開在評介該書時，便從該篇提出了「值得大家注意的一個創作問題」。並以我寫漁民艱苦生活的小說〈銀色的悲哀〉作比較；認為我先有動機，再主動去收集材料，醞釀故事情節，培養感情的作品，和先熟悉而比較「寫實」的一樣成功。證實了作家可以解除題材上身邊瑣事的拘束，擴大寫作範圍，大家來正視外界的現實問題。他這樣做正是針對當時一般觀念，總是要學寫作的人只寫「自己熟悉的題材」，「從自己生活體驗中去取材」。我亦曾為這問題寫過幾篇小文，述說只寫自己「願意」的、熟悉的題材果然容易寫得好，久而久之，就局限了自己的拓展和創新。但如果由於某種更深的感觸，引起動機，或者由於一種使命感，及良知的驅使。「由於社會責任和自己的良心」——羅曼羅蘭覺得「應該」寫，同樣可以「主動」去熟悉題材。不過要多費心、費力、費時而已。經過這樣努力去熟悉體會的題材，往往比現成的更有意義。更能反映時代，接近廣大民眾，這兩條寫作路線並不衝突，就看作者自己的意願和所秉持的理念和方向。——

那一年，我在〈致文藝營青年朋友——使命與方向〉文中，亦提示過這點，勉勵每一個愛好寫作的年輕人，要認清文藝的時代使命，奠定寫作的正確方向。開拓更健康、更寬敞的寫作路線。

飛揚的年代

從民國四十年到五十年，現在統稱那十年前後為五十年代。

這十年歲月，在國家、在文壇、在個人，都是很重要的階段：「五十年代開始，不管是從大陸來台，或者在自由中國開始寫作的作者，似乎大多數還保有中國舊文人的謙沖胸懷，不重視名利，卻對信念執著，對所事虔誠，有深厚的民族意識和強烈的愛國愛鄉心。當時，由於內心的迫切需要，社會責任和良心的驅使，大家以奉獻的精神，匆促寫出大量作品。有些多少有點生澀粗淺，但寫作的態度是嚴肅的，人生觀也是正確的，那時文壇風氣淳厚純樸，無形中自有一股在開發、成長中欣欣向榮的氣氛，播散在自由天地中。文學是一支永不竭止的源流，五十年代的文藝工作者，是那些年中最初將中國血脈相傳的文學，再度引渡到被異族占據了五十年，傳統文化幾乎已被摧毀殆盡的寶島。使之重新萌發、滋長、生根而綿綿延續、生生不息，乃有今天的一片蓬勃繁榮、興旺茂盛。在那十年中，報紙刊物出版界，和作家們同樣為文藝的拓荒發揚盡了很大的努力。」這一段，是我個人在《聯合報》舉辦的五十年代文學座談會「在飛揚的年代」，所述寫的註解和詮釋。

在飛揚的年代，南部分會為慶祝成立十週年，推陸震廷和我們幾個成立編輯委員會。彙集四十六位文友的作品，出版了一部近四十萬字的《我們的作品》。陳紀瀅先生在序文中提到：「文協成立以來，我覺得最可貴的一種情形，便是在默默之中，所有會員都能互相影響、不爭權位，卻在寫作上，彼此觀摩！大家都以寫作至上，不作空口運動，這一結果填補了文壇空虛，使新文藝得以發揚滋長。」這第一部合集的出版，正證明了南部文友的合作精神。

從屏東而岡山，在飛揚的年代，也正是我寫作熱忱最旺，作品產量最豐的年代，一年一書，共出版了十本集子——四本散文、六本小說。

最忙的一年

我是個愛靜的人，平時除了寫作、閱讀、種種花、做點家務，常常三五天大門都不出，而民國五十四年卻是我活動最頻繁的一年。先是「五四」文藝節去台北接受文藝協會頒發的文學散文獎章。回來不久，一天忽然開來一輛吉普車，下來的是穆穆，說是來接我去左營。原來文協組團南下，宣慰「五一」海戰勝利的一一九軍艦。由我代表獻旗給海戰英雄。「第一次踏上那雄偉的戰艦，望著那一張張被海風日炙染得黧黑的臉，那整齊肅穆的行列，那昂揚艦首的巨炮，背負著廣袤的藍天，浸潤著燦爛的陽光，恍惚已融鑄成鋼鐵般的一體，已融洽成一個壯志、一個期許、一個準備；再出發、再勝利！」——摘自〈海上長城〉。

接著，八月間又隨文藝輔導團去澎湖。那依稀大陸風光的村舍，真實而又充滿朝氣的島。那守望在堡壘上的哨兵，如同屹立在港口的燈塔，護衛著人們和船隻的安全，三百多年的大榕樹庇蔭著一片安詳。我們去訪問也被訪問，沒想到槍桿的陣營中竟有那麼些愛好文藝的人，軍區司令趙錦龍還陪同乘巡邏艇遊海港……三天的行程，帶給我很大的震撼、很深的感受、和雙重的收穫。

而十一月，去枋寮參觀「重慶演習」，海陸攻擊、火炮實彈，令人驚心動魄。最讓我興奮的是親眼看到了蔣總統，先是從台上遠遠望見穿黑披風的身影，從車上下來進到校閱台，而演習結束後在空軍大棚廠聚餐，紫色的降落傘緣飾著四壁，餐桌排成長口形，當大家就位，總統戎裝英挺、精神矍鑠地走出來，還繞過餐桌，緩步向前，舉杯示意，威武中涵蘊著慈祥，像春陽映照一室。人人都沐著光輝，恭謹地高舉擎杯的手，如同高擎一顆崇敬的心——那一刻，永銘心頭，今生難忘。

最好的慶祝

當年五四文藝節，南部分會總要出版一期紀念特刊。由尹雪曼策劃，就借《新生報》，由陸震廷彙編，在《中國晚報》也出特刊，由陸震廷負責主編，並合辦文藝徵文比賽。五十六年我去台北中山樓參加了中華文化復興運動發起人大會，翌年五四就以「文藝復興在今朝」為題，寫了一篇。在我離開南部以前最後寫的一篇是〈最好的慶祝〉，再摘錄如下，正好作為告別前互勉之辭。

當春天來臨，擁有花朵的燦爛、絢麗，以及無限蓬勃的生意。

當五月來臨，閃耀著文藝工作者光輝的理想，充沛的熱情，和一片真誠。

五月，是文藝播種、萌芽、開花的季節，最屬於文藝工作者自己的節日。

有春天，世界才能繁榮不絕，萬物才能生存不滅，有勤奮耕耘的文藝工作者，文化才能不斷進展，我們的文藝園地也才能欣欣向榮、生生不息。

為維護真理和正義，維護人權和自由，我們的筆，是不流血的武器。

為追求更完美的人生，發掘更優良的人性，創造更豐富的生命，建立更合理的生活，我們的筆，是最好的工具。

為增加人與人之間的了解，聯繫人與人之間的感情，我們的筆，是最佳的橋樑。

隨時抓住那思想上迸射的火花，智慧所閃熠的光彩，生命力的躍動，感情上的激奮，和良知上的不平。用我們的筆，使那易逝的不朽，短暫的永存，無形的有形。

當我們以嚴肅虔誠的心情接受了文藝，便當視作生命的一部分。永不鬆懈、停止，或放棄。正如漢明威所說：「堅強的活下去，寫出不朽的作品。」

寫作的路是艱辛的，但我們有披荊斬棘的勇氣；寫作的路是無止境的，但我們有鍥而不捨的精神；寫作的路是寂寞的，但我們能化寂寞為熱誠。而這條路上，卻從沒有時間的限制，年齡的區別、學歷的徵選。在創作的生命中，年輕的果然年輕；已經不年輕了，仍舊保持年輕的心，創作便是進步，進步中是不會有衰老的。在有生命的日子創作，而創作，使生命光輝，使生命充實，使生命延續，永遠、永遠循環不息。

在這屬於自己的節日，我們當舉筆互勉，我們當自我策勵。投下全部熱忱，獻出全副心力，再接再厲，努力創作。唯有最好的作品，才是最好的慶祝。

心繫南方

離開南部，來台北已經十二年了。由於健康情形，只好限制自己「減速慢行」。熬夜、限時邀稿，這些都已成為過去。這些年來，不過出版了四本書。還有一些尚未結集的系列散文，以及不少正待開發的寫作計畫。選擇了寫作，是終身奉獻的精神事業，而寫作的路是永無止境的。在有生命的日子，總得一步一步繼續走下去。

近年來台北的文化活動越來越多。經常有公家邀請或團體組織的參觀、訪問、旅遊、講習、座談等等，可惜我都不能參與，倒是女文友們見面，三兩好友不定期小聚，慶生會每月相逢，更有什麼開會、喜慶、展覽上碰頭。有泛泛之交、君子之交、忘年之交，自然也有推心置腹、互勉互慰的知交。來台灣的親友很少，交往的大都是文友。由此可見現在的文人不但不相輕，而是相親、相勉、相敬、相重。

二十四年，畢竟那是一段漫長的時光，在我生命逝世的歲月上，已烙下難以磨滅的印記。難忘那些守著寂寞默默耕耘的長夜；難忘那些付出心血，仔細刻劃構想的朝朝暮暮；難忘那幽靜的小村、河上的柳橋、淳厚的人情味、難忘文友們互相切磋的悅服、交往的愉快。如今，我身在台北，卻心繫南方。

編註：本文原刊於《臺灣時報・副刊》，一九八五年九月七日、九日～十三日，第八版。

同步半世紀

新日曆上一九九九，四個數字躍入眼中，不覺乍然怵惕，來台竟已五十年，一生的三分之二歲月。回首來時路，煙塵迷茫中，依稀留下了些心影墨痕，也曾鑄成鉛字、印在白紙上，取早便是《中副》，今值《中副》五十週年，有幸同步了半個世紀。

二月，在大陸猶是冰雪寒冬，渡海落腳南台灣屏東，處處青翠綠蒼、花木茂盛、蔬果豐盈，真箇是四季如春，疑是神話中的蓬萊仙島。只是，正值青黃不接、一片荒寒的文化斷層。人地生疏、無枝可棲、無書可讀，精神上的空虛遠比物質的匱乏更令人感到恓惶失落。直到三月，《中央日報》在台灣發行，《中副》每天從容地調理出一席佳餚：計有精闢的短論、雋永的散文、溫馨感人的小說、優美的詩篇、正確的評介，以及富有創意的刊頭藝術（我曾剪貼了二本，可惜都餵了白蟻）。對飢渴的人來說，真是美好的精神饗宴。對我來說，也是一種喚醒、一種感召。重新磨筆塗鴉，第一篇短文〈母與子〉便刊出於五月二、三日《中副》，同時收到第一任主編耿修業（茹茵）的短簡：有園地領先開拓真好！自此塵埃落地，筆耕不輟。

影響所及，不久僅有的幾份報紙副刊開始注重文藝，刊物雜誌以部分篇幅專刊文藝，也有了純文學雜誌。漸漸稿約不斷。那時最常投的還是《中副》。四十年春出版第一本散文集，便是以發表於三十九年十一月十日的〈青春篇〉作為書名。另一本作書名的〈曇花開的晚上〉，刊於四十八年九月二十六日。根據我收藏的各種散文選集，該文至少被轉載了二十六次。一本《生活小品》，卻是以「主婦隨筆」專欄，發表於《中副》姊妹版、武月卿主編的「婦女與家庭」。而系列散文《綴網集》自七十年五月二十六日開始刊出第一篇〈回響〉，到七十四年九月七日最後一篇〈能源透支〉，由於讀者來信較多，怕是最麻煩諸位編輯了（謹在此致謝）。信中有長者前輩的稱讚，讀者敘述讀後感受和心得。有高中老師說她選作學生課外讀物。也有敦促早日出版的。能博得讀者的共鳴是作者最大的欣慰和支持，也足見《中副》的讀者群多麼認真和熱誠。《綴網集》七十五年由大地出版，那些情意真摯的信我都保留著，有機會將和後來許多精闢的評介合印一集附冊。近九年由於健康情況，「減速慢行」（《綴網集》），筆底疏淺。幾篇寫親情深恩的文字，還是有勞《中副》給「圖（照片畫像）文」並茂地刊出了。我一直是《中央日報》的長期訂戶，是忠實的讀者，也算是個最資深的作者吧。

編註：本文原刊於《中央日報・副刊》，一九九九年二月二日，第二十二版。

艾雯全集4【散文卷・四】

作　　者　艾雯
編輯顧問　張瑞芬　陳芳明　應鳳凰（依姓氏筆劃排序）
主　　編　封德屏
執行編輯　王為萱
美術設計　不倒翁視覺創意

編輯製作　文訊雜誌社
　　　　　10048台北市中山南路11號6樓
　　　　　02-2343-3142
出　　版　朱恬恬
　　　　　11147台北市忠誠路二段50巷8號
　　　　　02-2832-1330

排　　版　浩瀚電腦排版股份有限公司
印　　刷　松霖彩色印刷事業有限公司
初　　版　民國101年（2012）8月
定　　價　全10冊（不分售）平裝新台幣4,600元整
ISBN　978-957-41-9322-6（第4冊平裝）
　　　978-957-41-9318-9（全套平裝）

◎財團法人|國家文化藝術|基金會贊助
台北市文化局 Cultural Affairs Bureau of Taipei 贊助

國家圖書館出版品預行編目資料

艾雯全集 / 艾雯作. -- 初版. -- 臺北市 : 朱恬恬, 民
101.08
冊 ;　公分

ISBN 978-957-41-9318-9（全套 : 平裝）. --
ISBN 978-957-41-9319-6（第1冊 : 平裝）. --
ISBN 978-957-41-9320-2（第2冊 : 平裝）. --
ISBN 978-957-41-9321-9（第3冊 : 平裝）. --
ISBN 978-957-41-9322-6（第4冊 : 平裝）. --
ISBN 978-957-41-9323-3（第5冊 : 平裝）. --
ISBN 978-957-41-9324-0（第6冊 : 平裝）. --
ISBN 978-957-41-9325-7（第7冊 : 平裝）. --
ISBN 978-957-41-9326-4（第8冊 : 平裝）. --
ISBN 978-957-41-9327-1（第9冊 : 平裝）. --
ISBN 978-957-41-9328-8（第10冊 : 平裝）

848.6　　101013788